Dessiner des mangas

POUR LES NULS

Kensuke Okabayashi

Préface
Nobuyuki Anzaï

FIRST
Editions

Dessiner des mangas pour les Nuls

Titre de l'édition américaine : Manga for Dummies
Publié par
Wiley Publishing, Inc.
111 River Street
Hoboken, NJ 07030 – 5774
USA

« Pour les Nuls » est une marque déposée de Wiley Publishing, Inc.
« For Dummies » est une marque déposée de Wiley Publishing, Inc.

© 2007, Wiley Publishing, Inc.
© Éditions First-Gründ, 2007, pour l'édition française, 2011 pour l'édition poche.
Publiée en accord avec Wiley Publishing, Inc.

ISBN : 978-2-7540-1601-8
Dépôt légal : avril 2011

Imprimé en France par CPI Aubin Imprimeur à Ligugé

Édition : Benjamin Ducher
Mise en page et couverture : Stéphane Angot
Production : Emmanuelle Clément

Éditions First-Gründ
60, rue Mazarine
75006 Paris – France
Tél. : 01 45 49 60 00
Fax : 01 45 49 60 01
E-mail : firstinfo@efirst.com
Internet : www.editionsfirst.fr

Préface

· ·

*J'*aime le manga depuis mon enfance. En effet, quand j'étais petit, il représentait avec le dessin animé mes seuls loisirs. À l'époque, la télévision ne diffusait pas d'émissions de sport, à part le base-ball. Même la Coupe du monde de football, qui passionne tant les foules aujourd'hui, n'était quasiment pas retransmise. Tout cela avait constitué un environnement favorable pour que mon esprit se concentre sur le manga.

Pour moi, qui voulait devenir *mangaka*, ce n'était pas seulement un loisir : tous les mangas me servaient de manuels de dessin. Car même si j'en trouvais certains ennuyeux, je les lisais jusqu'au bout. Je crois que nous ne pouvons faire sortir de nous-même que ce que nous avons vu, entendu et appris, y compris les choses qui nous ont influencés. Même un génie comme H. R. Giger (le créateur d'*Alien*) ne pourrait pas créer ex nihilo une œuvre débordant d'imagination sans vécu.

Mais nous pouvons produire quelque chose de nouveau et d'original, en nous nourrissant de différents apports et en laissant jouer notre propre imagination. C'est ainsi qu'a évolué le manga.

Il est fort possible qu'un jour le manga français surpasse le manga japonais, dans un pays qui excelle en différents domaines artistiques.

Si cela se réalisait, les *mangakas* japonais n'auraient aucune raison d'éprouver du dépit ; au contraire, ils en seraient heureux. Je trouve merveilleux que les *mangakas* se stimulent mutuellement pour concevoir d'excellentes œuvres.

Et puis, je voudrais que vous compreniez absolument que la chose la plus importante dans le manga, ce n'est pas la *qualité graphique du dessin*, mais le charme des personnages.

Le manga est différent d'une simple illustration. On ne peint pas ; on dépeint les hommes, la vie des êtres humains.

Imaginons une belle femme ou un bel homme, mais dépourvus de charme, ou le cas inverse.

Je serais sans doute plus heureux d'épouser une femme ayant une personnalité attachante, qu'un top model.

Le mariage avec une personne dotée d'une vraie humanité a mille fois plus de valeur que l'illusion de la beauté.

Pour le manga, c'est la même chose : si le dessin excelle par sa qualité graphique, mais que les personnages manquent de charme, il n'aura aucun intérêt.

Vous, qui avez ce livre entre les mains, devriez le comprendre, n'est-ce pas ?

Le manga, c'est un *homme* en soi. Chaque *œuvre* est un alter ego de l'auteur, et reflète son être comme un miroir.

Nobuyuki Anzaï

Auteur et dessinateur de la série *Mär*

Dédicace

Je dédie ce livre à mes parents, les docteurs Michio et Sahoko Okabayashi, pour leur amour et leur soutien inconditionnels.

Remerciements

J'aimerais remercier mon responsable d'acquisitions, Michael Lewis, mon éditeur de projet, Chrissy Guthrie, et ma secrétaire d'édition, Sarah Faulkner, de chez Wiley, pour leur travail acharné, leurs conseils et leur soutien lors de l'élaboration de cet ouvrage. Je voudrais également remercier mon collègue, Takeshi Miyazawa, pour son apport en tant que rédacteur technique. Mes plus grands remerciements vont à ma famille, Michio, Sahoko, Yusuke et Saichan, mes meilleurs supporters et fans. Ce projet n'aurait pu être abouti sans leur aide précieuse. Merci encore et que Dieu vous bénisse !

Sommaire

Introduction 1
  À propos de ce livre 1
  Les codifications utilisées dans ce livre 2
  Vous n'êtes pas obligé de tout lire 2
  Les idées reçues 3
  Comment ce livre est organisé 5
    Première partie : Manga 101 5
    Deuxième partie : À votre table à dessin 5
    Troisième partie : On distribue les rôles ! 5
    Quatrième partie : Dessins de mangas plus élaborés 6
    Cinquième partie : La partie des dix 6
  Les icônes utilisées dans cet ouvrage 6
  Par où commencer ? 7

Première partie : Manga 101 9

Chapitre 1 : Bienvenue dans l'univers du manga 11
  Suivons la cote de popularité du manga 12
  Tous les mangas ne se ressemblent pas : considérons
  les différents genres 14
  Les spécificités du manga 15
  Manga et B.D. américaine 16
    Un nombre plus important de lecteurs que pour
    les b.d. américaines 18
    Différences au niveau de la disponibilité de vente 19
    Les tripes et la gloire : les différences au niveau
    de la charge de travail et du crédit donnés aux artistes 20
  « Réussir » dans l'univers du manga 22

Chapitre 2 : Équipez-vous et préparez-vous 25
  Le matériel nécessaire pour démarrer 26
    Le papier (genkô yôshi) 27
    Fournitures de dessin 29

Troisième partie : On distribue les rôles 201

Chapitre 7 : Les protagonistes principaux 203

Apprenez à dessiner les personnages principaux
masculins 203
    L'étudiant androgyne 204
    Le capitaine de l'équipe de foot du collège 209
    Le bleu des forces spéciales armées 214
Apprenez à dessiner les personnages principaux féminins 218
    La rêveuse 218
    L'experte en arts martiaux 222
    La fana de high-tech 226

Chapitre 8 : Adorables acolytes 231

Apprenez à dessiner les acolytes masculins 232
    Coltinez-vous M. Muscles 232
    Le petit frère loyal 235
    Le vétéran intello 239
Apprenez à dessiner les acolytes féminins 243
    La chipie capricieuse 244
    La bonne âme attentionnée 248

Chapitre 9 : Les ennemis redoutables 251

Le méchant séduisant mais glacial 252
Le guerrier terrifiant 255
La diablesse guerrière 260
La sorcière malfaisante 264

Quatrième partie : Dessins de mangas plus élaborés 269

Chapitre 10 : Ajoutez de la perspective à votre manga ... 271

Représentez des constructions et des arrière-plans
en utilisant la perspective de base 272
    Utilisez la perspective à un point de fuite 273
    Entraînez-vous à la perspective à deux points de fuite 276
    Mise en forme pour la perspective à trois points
    de fuite 278

Ajoutez des personnages dans le décor 283
    Les personnages en perspective à un seul point de fuite ... 283
    Les personnages vus en perspective à deux points
    de fuite 285
    Les personnages vus en perspective à trois points
    de fuite 287
Utilisez la perspective et divers angles de vue
pour raconter l'histoire 289
    Créez des plans d'ensemble efficaces 290
    Différenciez le fort du faible 291

Chapitre 11 : Utilisez les traînées de vitesse pour transmettre le mouvement et les émotions 293

Faites bouger votre personnage 294
    Faites bouger votre personnage plus rapidement 295
    Donnez l'impression que le lecteur bouge avec
    le personnage 296
    Donnez l'impression que les objets et les personnages
    se dirigent vers le lecteur 298
    Ralentissez votre personnage 301
Gros plan sur les émotions 302
    Faites peur à votre personnage 302
    Donnez une expression de choc à votre personnage 304

Chapitre 12 : Croquis et décors 307

Des croquis préparatoires efficaces 307
    Pourquoi s'embêter avec des croquis ? 308
    Entraînez-vous à réaliser des croquis 308
    Transférez vos croquis à la planche finale 311
Esquissez les décors d'arrière-plan 311
    Les décors urbains 312
    En route vers la campagne : arbres, buissons et pâturages ... 315
    Rochers et plans d'eau 327

Chapitre 13 : Écrire une histoire captivante 335

Déterminez votre public 335
Établissez un synopsis et une intrigue 336
    Créez un synopsis 337
    Élaborez votre intrigue 337
Trouvez l'inspiration 346

Cinquième partie : La partie des Dix *349*

Chapitre 14 : Dix grands noms de mangakas 351

Osamu Tezuka (1928-1989) 351
Fujiko Fujio : Hiroshi Fujimoto (1933-1996) et Motoo Abiko
(1934-1988) 352
Rumiko Takahashi (née en 1957) 352
Leiji Matsumoto (né en 1938) 353
Takehiko Inoue (né en 1967) 354
Suzue Miuchi (née en 1951) 354
Katsuhiro Otomo (né en 1954) 355
Yoshiyuki Okamura (né en 1947) et Tetsuo Hara (né en 1961) ... 356
Akira Toriyama (né en 1955) 356
Riyoko Ikeda (née en 1947) 357

Chapitre 15 : Dix lieux pour présenter vos œuvres 359

Manifestations de mangas et d'animés 360
    Japan Expo 360
    Manga Expo 360
    G.A.M.E.IN 360
    Paris Manga 361
    Épitamine 361
    Festival du Manga convention dijonisaiten 361
Écoles d'art 361
    Gobelins l'école de l'image 362
Eurasiam 362
    A.A.A Institut Supérieur de Langues 363
Concours de mangas 363
Les éditeurs de mangas 363
Petites galeries et expositions 364
Les amis 365
Votre book en ligne 365
Les fanzines 366

Index 367

Introduction

. . . .

Y *ôkoso.* Bienvenue dans *Dessiner des mangas pour les Nuls.*
Le manga est un véritable phénomène culturel dont la
popularité est en constante progression au niveau mondial.
Toutes les techniques de base qui vous seront utiles pour
créer les premiers personnages de vos séries mangas n'auront
plus de secrets pour vous. Que vous soyez un artiste en herbe
ou un illustrateur professionnel confirmé désirant explorer
un nouveau style graphique, mes conseils vous offriront
l'opportunité de vous lancer dans cette merveilleuse aventure.

À propos de ce livre

Comme vous pourrez le constater, plus de la moitié de
cet ouvrage est composé d'illustrations présentées comme
exemples et qui vous éclaireront sur la manière de les
reproduire (et également de créer vos propres modèles),
grâce aux instructions les accompagnant étape par étape.

Les astuces, conseils et dessins présentés ici sont issus de
mon expérience personnelle, à la fois en tant qu'illustrateur
professionnel, créateur de dessins séquentiels et ancien
étudiant en art. Ce livre a été conçu pour vous enseigner
diverses techniques de dessin ainsi que les styles traditionnels
en usage pour dessiner des mangas. Certains personnages
sont représentés de façon réaliste, tandis que d'autres sont
traités de manière plus caricaturale. Je vous encourage à
essayer ces différents styles de représentation et ceux que
vous préférerez utiliser. Tandis que vous vous familiariserez
avec les divers types de visages et de physiques, vous
souhaiterez peut-être y associer d'autres détails vous
permettant de créer votre propre style.

À travers ce livre, je vous présente l'ensemble des thèmes populaires du manga sans omettre les proportions et l'anatomie de base, afin de vous inculquer la méthode pour dessiner intégralement votre premier personnage manga. Je traiterai également des différents archétypes à connaître, incluant les protagonistes principaux traditionnels, leurs fidèles acolytes et « faire-valoir », leurs ennemis redoutables, les vieux sages, les damoiselles en détresse et les personnages shôjo.

En complément, vous apprendrez comment obtenir facilement des effets graphiques permettant d'apporter du mouvement et de l'émotion à l'atmosphère de l'histoire racontée. Les fans de mecha, approcheront la méthode pour créer leurs propres mécaniques futuristes. Enfin, vous profiterez de quelques trucs et astuces pour éditer vous-même vos œuvres et vous préparer à les exposer lors des manifestations de mangas.

Les codifications utilisées dans ce livre

En écrivant ce livre, j'ai institué certaines codifications que vous devrez connaître :

- ✔ Les étapes numérotées et les mots-clés apparaîtront en **caractères gras**.
- ✔ Tout nouveau terme employé sera indiqué en *italique* et suivi de sa définition si nécessaire.
- ✔ Les sites Internet et adresses e-mail mentionnés apparaîtront en Andale mono afin de se distinguer nettement dans la page.

Vous n'êtes pas obligé de tout lire

Je n'ai pas passé des heures entières à écrire ce livre et à l'illustrer en abondance pour que vous vous contentiez de le survoler allégrement. En vérité, vous pourrez zapper certaines sections de cet ouvrage tout en acquérant suffisamment de données essentielles au sujet. Les encadrés dans le livre (signalés sur fond grisé) contiennent des informations intéressantes bien qu'accessoires ; par conséquent, si vous êtes pressés par le temps ou peu enclins à prêter attention à ces indications complémentaires optionnelles, n'hésitez surtout pas à les lire rapidement. Vous pourrez procéder de même avec les informations signalées par l'icône Note Technique, ces données étant fournies en complément de celles que vous devrez impérativement connaître. Je ne vous en tiendrai pas (trop) rigueur.

Les idées reçues

Cher lecteur, en écrivant ce livre, j'avais quelque opinion préconçue vous concernant.

Ce livre vous est destiné si :

- ✔ Vous êtes totalement passionné par le manga, et souhaitez dessiner vos propres personnages et développer des scénarios originaux.
- ✔ Vous n'avez dessiné que des personnages inexpressifs auparavant, cependant vous désirez expérimenter ce style graphique qui vous semble fort amusant et simple à apprendre.
- ✔ Vous êtes fan d'un certain type de manga (par exemple, du *kodomo manga*) et vous désirez en connaître les autres genres (comme le *shônen* ou le *shôjo manga*).
- ✔ Vous êtes totalement novice en la matière, mais vous désirez en apprendre davantage sur les origines et le contenu de ce phénomène.
- ✔ Vous êtes un artiste en herbe de manga espérant être prochainement publié.
- ✔ Peu vous importe d'être un jour publié ou non. Vous aimez simplement dessiner et appréciez le manga. Cela vous suffit amplement !

Pendant que nous sommes dans le domaine des idées reçues, permettez-moi de consacrer un moment à corriger certaines des opinions erronées que j'ai pu entendre au fil des années :

- ✔ **Après avoir lu ce livre d'un bout à l'autre, je deviendrai un créateur célèbre de mangas.** Cette opinion erronée par la plupart des livres de référence affirme que vous serez en mesure de maîtriser l'art du manga en lisant l'ouvrage du début jusqu'à la fin. Le dessin ne s'apprend pas en un seul jour. À la différence des examens scolaires de fin d'année, il ne vous suffira pas de potasser pour acquérir des compétences artistiques accomplies. Je vous conseille vivement de ne pas vous démotiver si, à la suite de vos premiers essais, vos dessins ne se matérialisent pas selon vos espérances. Comme pour la plupart des savoir-faire, la pratique sera essentielle pour obtenir de bons résultats.

✔ **Je ne suis pas aussi doué que mes copains – je ferais aussi bien de tout laisser tomber !** Surtout pas ! L'esthétique du manga se situe au niveau de sa simplicité de lignes et de formes. Posséder un talent certain pour le dessin ou avoir suivi des cours sera utile, cela n'est cependant pas nécessaire. Selon moi, la clé du succès ne réside pas dans un talent inné ni dans un dur labeur, mais plutôt dans la passion. Si vous n'êtes pas convaincu par ce que vous dessinez, ni l'aptitude ni les nombreuses heures de travail ne pourront vous aider à long terme.

✔ **Comme les autres formes de bande dessinée, le manga est destiné aux enfants – on se moquera bien de moi si je m'intéresse sérieusement à cette forme d'expression artistique (et d'autant plus si je décide d'en faire une carrière).**

Si vous tentez pour la première fois l'expérience du manga, voilà bien là une supposition erronée compréhensible. Comme je l'explique au premier chapitre de ce livre, le manga regroupe une vaste diversité de thèmes et de genres (allant du sport, de la politique à la romance). Il n'est donc pas surprenant qu'il représente l'une des sources majeures de l'industrie mondiale du divertissement d'une valeur de plusieurs milliards de dollars, et qu'il soit apprécié par des lectrices et lecteurs de tous âges.

Comment ce livre est organisé

Il se compose de cinq parties distinctes. Un résumé de chacune de ces parties vous est proposé ci-dessous, afin que vous puissiez sélectionner ce qui vous intéresse plus particulièrement.

Première partie : Manga 101

Considérez cette section comme étant votre premier jour de cours traitant de votre sujet favori. Vous y trouverez globalement présentés l'histoire du manga et ses différents genres. Je vous y indique le matériel dont vous aurez besoin pour commencer à dessiner, et vous y propose également quelques exercices de base de dessin, qui vous permettront de mettre votre cerveau et votre main en action.

Deuxième partie : À votre table à dessin

L'organisation de ce livre présente une construction modulaire (vous pouvez donc commencer où vous voulez), cependant si vous n'avez pas dessiné du manga auparavant, il est préférable que vous ne zappiez pas cette partie. Je vous y montre la manière de dessiner les caractéristiques essentielles des personnages de manga : la tête, les yeux, le corps et les vêtements. Ces chapitres constituent la base du livre, et vous introduisent plus particulièrement à la 3e partie, où je vous montrerai comment dessiner certains types spécifiques de personnages.

Troisième partie : On distribue les rôles !

Les choses se précisent à présent. Bien que l'univers traditionnel du manga foisonne d'une multitude de scénarios et de personnages, la plupart des histoires utilisent certains archétypes représentant les protagonistes ou personnages principaux, les fidèles acolytes et les ennemis jurés. En tout état de cause, cette méthode est une véritable formule à succès ayant résisté à l'épreuve du temps.

Vous apprendrez à mettre en oeuvre dans cette section les principes de base du dessin, et les appliquerez pour représenter ces différents types de personnages.

Quatrième partie : Dessins de mangas plus élaborés

Je traite dans cette partie des thèmes et sujets plus avancés du manga en commençant par les principes de base de la perspective, ce qui vous permettra d'ajouter de la profondeur et de l'intérêt à vos images. Je n'oublie pas ensuite la manière de donner l'illusion du mouvement et de transmettre les émotions en utilisant divers styles graphiques caractéristiques. Puis, j'aborde la notion de l'arrière-plan, des croquis préparatoires et des story-boards.

Au final, je vous enseigne les composantes essentielles d'une bonne histoire manga, et la manière de présenter votre travail pour qu'il soit remarqué, au cas où vous désireriez vous diriger vers cet objectif un jour prochain.

Cinquième partie : La partie des dix

Dans cette section, je mentionnerai dix artistes des plus influents ayant inspiré la communauté manga au niveau mondial. J'y indique également dix manifestations et autres lieux où vous pourrez présenter votre travail au public.

Les icônes utilisées dans cet ouvrage

La marge gauche de ce livre s'orne de nombreux et charmants petits dessins inscrits dans un cercle, les icônes. Celles-ci vous signaleront de précieuses informations.

Chaque icône spécifique possède sa propre signification, comme répertoriée ci-dessous :

Comme vous l'aurez sans doute deviné, cette icône indique les notions ou autres informations que vous devrez garder en mémoire.

Cette icône indique des données qui enrichiront les connaissances que vous devrez impérativement acquérir. Si vous êtes d'un naturel méthodique, vous apprécierez probablement ces petits conseils ; cependant, vous êtes libre de les survoler si vous préférez.

Cette icône vous indiquera des trucs et astuces, ainsi que des raccourcis fort utiles qui vous faciliteront la tâche lorsque vous serez à l'œuvre, installé à votre table à dessin.

N'ignorez pas cette icône. Elle vous signalera l'ensemble des erreurs et ornières que vous devrez éviter.

Recherchez cette icône si vous avez besoin d'aide pour faire circuler le flot créatif de votre imagination.

Par où commencer ?

Il n'est pas nécessaire de lire ce livre d'un bout à l'autre selon un ordre strictement séquentiel. Vous pouvez consulter les chapitres à votre guise dans n'importe quel ordre, en fonction de vos centres d'intérêt, et vous allez constater que chaque section vous guide progressivement pas à pas jusqu'à l'accomplissement d'un objectif donné. Pour les lecteurs possédant une expérience préalable en dessin, cette organisation efficace vous permettra de sélectionner le thème que vous désirerez approfondir et de vous y consacrer entièrement.

Cependant, je recommande aux lecteurs encore débutants dans l'univers du manga ou en dessin de commencer par la 1re partie et de parcourir ce livre dans l'ordre établi. Si vous êtes un artiste expérimenté mais novice en manga, je vous suggèrerai de polir vos acquis en commençant par la 1re Partie, puis de choisir ensuite les sujets qui vous intéressent plus particulièrement.

Indépendamment de la section du livre où vous commencerez, il est indispensable de lire la totalité du chapitre que vous aurez choisi, avant de vous installer à votre table à dessin et de travailler en suivant progressivement les étapes indiquées. Donnez-vous un peu de temps pour assimiler les différents types de personnages et les techniques utilisées de nos jours dans le domaine du manga. Puis, installez-vous à nouveau à votre table de travail et dessinez de tout votre cœur.

Première partie

Manga 101

« J'aimerais devenir dessinateur de manga.
Mais je me demande si j'ai assez
de fantaisie en moi pour ça. »

Dans cette partie...

*V*ous voulez donc dessiner des mangas ? Que vous pratiquiez pour la première fois ou que vous soyez un artiste accompli et débutant en manga, cette section est conçue pour vous aider à partir du bon pied. Vous êtes sans doute un dessinateur expérimenté en bande dessinée désirant essayer un nouveau style. Plus vraisemblablement, l'univers du manga vous intéresse réellement et vous voulez apprendre à créer vos propres personnages. Indépendamment de vos compétences initiales, vous voilà prêt pour une fabuleuse aventure à la découverte de cet univers.

Dans cette section, vous allez vous familiariser avec l'histoire du manga, dont la popularité s'est accrue ces dernières années et y glaner des informations sur le matériel dont vous aurez besoin pour dessiner. Commencez par effectuer quelques exercices de base de dessin, conçus non seulement pour vous assouplir le poignet, mais également pour vous aider à vous adapter à vos instruments. Fortement prescrits par les créateurs de mangas et leurs assistants, vous pouvez les considérer comme un échauffement préalable.

Si vous êtes fin prêt, passez à la page suivante et préparez-vous à découvrir l'univers du manga !

Chapitre 1

Bienvenue dans l'univers du manga

. . . .

Dans ce chapitre :

▶ Découvrez les origines et l'histoire du manga

▶ Explorez ses différents genres

▶ Comparez les différences entre les bandes dessinées américaines et le manga japonais

. . . .

*B*ienvenue dans l'univers merveilleux du manga. De ces humbles origines remontant à la fin de la Seconde Guerre mondiale, le manga s'est développé pour devenir un véritable phénomène international de l'industrie du divertissement. De prestigieuses maisons d'édition japonaises (incluant les trois principales : Kodansha, Shueisha et Shogakukan) publient des centaines de titres traduits internationalement en une multitude de langues, promouvant cette industrie valant des milliards de dollars.

Que vous soyez débutant en manga ou artiste professionnel cherchant à vous essayer à un style différent, ce livre va vous permettre de vous lancer dans cette aventure. Au travers de cet ouvrage, vous êtes guider pas à pas dans des exercices qui vous permettront de dessiner toute une variété de personnages et de décors, ainsi qu'à réaliser des effets spéciaux graphiques très efficaces. Les astuces et les conseils pratiques sont pour la plupart desquels issus de ma propre expérience. Je recommande aux débutants de lire ce livre dans l'ordre établi, même si je l'ai conçu pour qu'il soit possible de le parcourir librement d'un chapitre à un autre, en fonction de vos centres d'intérêt particuliers.

Tous les mangas ne se ressemblent pas : considérons les différents genres

Quelle est la diversité effective de l'univers du manga ? Tout éditeur d'envergure publie au moins trois types de magazines mangas destinés à différents groupes de lecteurs. Voici une liste des genres reconnus de mangas publiés au Japon :

- ✔ **Kodomo Manga** : Bande dessinée destinée aux jeunes enfants

- ✔ **Shônen Manga** : Bande dessinée destinée aux jeunes garçons

- ✔ **Shôjo Manga** : Bande dessinée destinée aux jeunes filles

- ✔ **Seinen Manga** : Bande dessinée destinée aux jeunes hommes

- ✔ **Redisu Manga** : Bande dessinée destinée aux jeunes femmes

- ✔ **Shôjo-ai Manga** : Bande dessinée romantique destinée aux jeunes filles

- ✔ **Shôjo-ai Yuri Manga** : Bande dessinée romantique destinée aux lesbiennes

- ✔ **Shônen-ai Manga** : Bande dessinée romantique destinée aux hommes

- ✔ **Shônen-yaoi Manga** : Bande dessinée romantique destinée aux homosexuels

- ✔ **Seijin Manga** : Bande dessinée destinée aux hommes adultes

- ✔ **Redikomi Manga** : Bande dessinée réalisée par des femmes pour des jeunes filles ou d'autres femmes et décrivant des récits plus réalistes issus de la vie quotidienne ; en traduction littérale : bande dessinée destinée aux dames

- ✔ **Dôjinshi Manga** : Bande dessinée écrite et illustrée par des artistes amateurs (circulant généralement en réseau restreint regroupant d'autres amateurs de manga)

- ✔ **Yonkoma Manga** : Bande dessinée de quatre cases, publiée généralement dans la presse

- ✔ **Gekiga Manga** : Bande dessinée traitant de sujets sérieux ; destinée à un public plus mature
- ✔ **Ecchi Manga** : Bande dessinée traitant de thèmes érotiques hétérosexuels/lesbiens (pornographie soft) et destinée aux hommes
- ✔ **Hentai Manga** : Bande dessinée focalisée sur la pornographie hard.

Certains de ces genres vous seront peut-être étrangers, car les éditeurs ont tendance à tout simplifier dans la catégorie garçons (*shônen manga*) ou filles (*shôjo manga*) en ignorant le contenu spécifique. À l'exception des genres de manga *yonkoma, redisu* et *redikomi*, la plupart sont couramment disponibles. J'ai principalement choisi les personnages présentés en exemple dans ce livre dans le *shônen* et le *shôjo* manga.

Cette liste importante témoigne démontre de l'immense et diverse popularité de ces histoires ainsi que des intérêts et des goûts variés des lecteurs du manga japonais. Avec le temps, les genres se diversifieront encore sans aucun doute vers de nouveaux thèmes.

En parcourant cette liste, vous remarquerez la quantité de bandes dessinées destinées au public féminin. De nombreuses Japonaises lisent couramment des B.D., et bon nombre d'éditeurs se sont spécialisés dans ce domaine spécifique. (Le nombre de lectrices de bandes dessinées américaines est en comparaison minime, pour ne pas dire quasi-inexistant).

Les spécificités du manga

Vous trouverez plusieurs composantes-clés dans la plupart des mangas traditionnels. Par exemple, les magazines hebdomadaires sont limités à seize pages car conçus pour satisfaire rapidement les lecteurs qui n'ont pas le loisir de se concentrer trop longuement, en particulier les banlieusards en transit qui ne trouvent pas le temps de s'asseoir des heures durant pour se consacrer à la lecture d'un livre substantiel. Ces magazines sont éventuellement compilés en recueils pouvant être collectionnés en séries de plusieurs volumes.

Un nombre plus important de lecteurs que pour les B.D. américaines

Les bandes dessinées américaines populaires sont traditionnellement destinées aux enfants (principalement aux jeunes garçons) et aux collectionneurs. Mentionnez que vous êtes dessinateur de bande dessinée à une réunion entre amis et vous pouvez être sûr d'attirer les regards inquisiteurs (plus particulièrement ceux des femmes) signifiant : « Excusez-moi de vous poser cette question, mais quel âge avez-vous ? » Il y a de fortes chances que votre travail ne soit généralement pas pris au sérieux. Bien que le genre se soit développé (grâce aux éditeurs indépendants et de mangas), la bande dessinée aux États-Unis est encore dominée par Marvel, DC Comics, qui comptent essentiellement sur leurs super-héros comme moyens de survie. Aux principaux salons de bandes dessinées, ces trois éditeurs de renom occupent généralement le devant de la scène par rapport aux petits éditeurs indépendants. Ces derniers se battent pour présenter aux lecteurs leurs propres titres originaux, mais nombreux sont ceux qui ne survivront pas au-delà de quelques saisons, en raison de problèmes de management ou de l'implacabilité du marché.

Par contraste, le manga possède une palette de genres et un public plus larges. Être dessinateur de bandes dessinées ou mangaka au Japon est une affaire sérieuse ! Si vous visitez un jour le pays, vous verrez du manga partout où vous irez. Par exemple, si vous prenez le métro, vous remarquerez de nombreuses personnes (d'une grande diversité d'âges, de genres et d'occupations) absorbées dans la lecture de leur parution récente favorite de manga. Des salles d'attente au cabinet médical et aux cafés, vous pouvez être sûr d'y trouver une pile de mangas. Imaginez un lycéen se rendant en cours en lisant le dernier *Shōnen Jump*, assis à côté d'un homme d'affaires âgé d'une quarantaine d'années complètement absorbé par le récent numéro du magazine Business Jump.

Différences au niveau de la disponibilité de vente

Comme je l'ai mentionné au Tableau 1-1, les différences majeures entre les B.D. américaines et les mangas sont visibles au niveau de leur distribution et de leur disponibilité. De nos jours, vous trouverez principalement des bandes dessinées américaines dans les librairies spécialisées. Selon votre lieu de résidence, vous aurez peut-être à parcourir plusieurs kilomètres avant de parvenir à votre spécialiste B.D. « local » pour y acheter votre album favori. Puis, en fonction de ce magasin, la sélection ou les choix proposés seront ou non décevants et limités. Il est certain que vous pourrez trouver des albums de B.D. sous forme de romans graphiques en librairie générale, essentiellement en des récits conventionnels avec super-héros à la clé. Ces livres n'occuperont qu'une étagère ou deux de la librairie.

Par contraste, le marché japonais du manga réalise un bénéfice brut annuel de 4,7 milliards de dollars. Certains fans de manga, peuvent penser que ce marché est prépondérant aux États-Unis, il ne représente qu'une industrie de 100 millions de dollars. Tandis que les créateurs de mangas et leurs équipes d'assistants compétents (occupant de 5 à 15 artistes par titre) ont fort à faire pour honorer les dates de parution hebdomadaires, les éditeurs utilisent leurs budgets bien plus conséquents afin de les promouvoir pour attirer un public large et diversifié. À la différence des B.D. américaines, vous trouverez rarement des mangas publiés en format livre avant qu'ils n'aient été sérialisés initialement en chapitres ou en épisodes dans des magazines mangas hebdomadaires ou mensuels. Parmi ces nombreuses parutions, certaines attirent un million de lecteurs par *semaine*.

Et ce n'est pas fini. Après un certain nombre de publications, les œuvres des créateurs de mangas sont compilées et vendues en librairie au niveau national. Voir ainsi plus d'un tiers des sections de librairies dédié à des titres mangas n'est pas rare (comparé à une étagère ou deux aux États-Unis). En complément, de gros distributeurs comme Broccoli International ont contribué à l'augmentation des ventes de produits mangas et d'*animés* (films d'animation japonais) aux Etats-Unis.

Chapitre 2

Équipez-vous et préparez-vous

Dans ce chapitre :
▶ Rassemblez le matériel dont vous aurez besoin
▶ Apprenez-en la méthode d'utilisation
▶ Sachez prendre soin de votre investissement

*I*l est temps de vous équiper de fournitures pour artistes. Le manga est tellement populaire qu'une gamme complète de produits a été spécifiquement conçue pour accommoder les besoins et les requêtes du créateur de manga (ou mangaka). Des encres au papier et aux crayons, la plupart des principaux fournisseurs japonais de matériels pour artistes proposent une section entière exclusivement consacrée à la vente de fournitures pour le manga. Obtenir ces articles si vous résidez à l'étranger peut se révéler très difficile, à moins que vous n'entrepreniez un voyage au Japon. Grâce au shopping sur Internet et à une demande accrue due à la manga-mania, vous pourrez vous procurer aisément ce matériel. Je vous recommande de visiter le site Internet de Wet Paint Art (www.wetpaintart.com) ou de la librairie japonaise Junku (www.junku.fr), qui proposent une gamme impressionnante de fournitures pour mangas, y compris des grandes marques particulièrement difficiles à localiser dans certains pays.

Dans ce chapitre, je vous présente les divers instruments de dessin et produits utilisés par les mangakas, ainsi que la manière de vous en servir et d'en prendre soin. Je vous donne également mon avis sur l'importance d'installer votre « coin dessin » et votre lieu de travail. Après la lecture de ce chapitre et une fois que vous aurez rassemblé le matériel nécessaire, vous serez fin prêt à vous mettre au travail.

Le matériel nécessaire pour démarrer

En dépit de la diversité des marques, des différents types de crayons et de pinceaux, et des formats de papier disponibles sur le marché du manga, les éléments de base dont vous aurez besoin pour dessiner sont assez simples. Équipez-vous d'un crayon graphite, d'un stylo, d'une gomme et de feuilles de papier. Assez facile, non ? Cela ne signifie pas nécessairement que vous ne deviez compter que sur le contenu de votre trousse du cours préparatoire. Vous aurez parfois besoin de certains de ces produits qui semblent être réservés aux professionnels et que vous pouvez trouver sur le marché.

Il vous sera utile de commencer avec une feuille de papier de format correct, ainsi que de travailler avec du matériel utilisé par un mangaka traditionnel. Je vous propose des conseils et informations concernant le matériel spécifique et facilement disponible, mais ne désespérez pas si vous ne trouvez pas certains des instruments ou produits mentionnés. De nombreux artistes ont néanmoins accompli une carrière réussie sans jamais en utiliser aucun. Cependant, si vous pouvez vous permettre d'acheter ces fournitures, et surtout si vous réussissez à les trouver, essayez-les, juste pour vérifier si vous en appréciez l'utilisation. Si ce n'est pas le cas, vous pourrez toujours revenir au matériel qui vous est plus familier.

Évidemment, l'avantage d'essayer ces instruments et ces produits est qu'il sera facile de comparer et de partager ces techniques avec vos copains créateurs de mangas si vous utilisez tous les mêmes outils. Une autre raison pour laquelle je vous recommande d'en considérer certains est que de nombreux produits sont fabriqués en fonction de vous, l'artiste. Par exemple, bien qu'il soit plus facile de trouver des encres peu chères ou génériques, elles risquent de passer avec le temps et de baver à l'application.

Les mêmes principes sont applicables à la qualité du papier. Indépendamment de votre talent, vous ne pouvez pas dessiner ou encrer sur du papier bas de gamme et pas cher, et espérer obtenir des résultats acceptables. Travailler avec du matériel de qualité est important. Vous n'aurez pas besoin de pinceaux sophistiqués en or massif, cependant n'hésitez pas à parcourir ce kilomètre supplémentaire pour dégotter le matériel qui vous épargnera les problèmes inutiles à long terme (et cela ne représentera pas non plus un investissement trop lourd).

Vous obtiendrez plus de détails dans les sections suivantes sur les divers magasins de fournitures mangas.

Le papier (genkô yôshi)

Si vous dessinez du manga pour la première fois, ne vous préoccupez pas du format ou du type de papier que vous utiliserez (après tout, le papier reste du papier). Je ne vois aucun inconvénient à ce que vous utilisiez des feuilles pour photocopie afin d'effectuer vos exercices pour dessiner des personnages. Si vous pensez vous auto-publier ou présenter vos œuvres aux éditeurs, considérez de travailler avec du papier manga standard (appelé genkô yôshi). Les imprimeurs et les éditeurs attendent parfois des artistes et des jeunes espoirs un certain format de papier. Vous ne voulez tout de même pas présenter vos meilleures illustrations au dos d'une facture chiffonnée! Si vous êtes déjà expérimenté, considérez sérieusement la dimension de la feuille de papier et sa qualité. Si vous dessinez du manga sur une feuille trop grande, les éditeurs ne pourront pas ajuster l'ensemble de son contenu dans l'espace réservé. En conséquence, votre image sortira de la page et sera tronquée. Les grands éditeurs fournissent fréquemment à leurs artistes du papier afin de s'assurer de l'exactitude de ses dimensions.

Un mangaka utilise des feuilles de dimensions plus petites et de grammage plus léger que le créateur de B.D américain, qui dessine généralement sur une feuille de qualité format A3 (297 x 420 mm), connue sous le nom de *papier Bristol*.

De nombreux dessinateurs de B.D. américains choisissent parfois d'acheter de grandes feuilles de papier Bristol, puis de mesurer et de découper les feuilles en fonction de leur format spécifique (généralement pour des raisons économiques), alors que le mangaka possède son propre papier d'une grande qualité qu'il achète pré-découpé, sur mesure et traité exclusivement pour dessiner du manga. Ces feuilles sont au format B4 (257 x 364 mm), la surface effective de travail étant de 180 x 270 mm, en tenant compte de la marge au pourtour.

Bien que de nombreuses compagnies vendent ce type de papier, je vous recommanderai de l'acheter chez Deleter (www.deleter.com), fabricant basé au Japon qui vend divers formats de papier adapté à différentes techniques, et à un prix similaire ou moins cher qu'un bloc de papier Bristol.

Protéger vos cadrages

La ligne d'encadrement connue sous le nom d'*hypercadre* vous indique les limites de la surface de papier à l'intérieur desquelles vous pouvez intégrer les *cadres* de vos images mangas, et permettre d'éviter qu'elles soient tronquées à l'impression. Les créateurs de bandes dessinées américains et les artistes du manga japonais intègrent leurs propres dimensions standard. Vous allez apprendre à connaître plusieurs de ces dimensions, et les indiquer sur votre feuille de papier avant même de commencer à dessiner (si vous achetez le *genkô yôshi* officiel, les repères de dimensions y seront déjà tracés). Voici les termes que vous devez connaître :

- **Marge de sécurité** : toutes les images à l'intérieur de cette zone seront assurées d'être imprimées sans risque d'être rognées.

- **Traits de coupe** : ces filets représentent essentiellement l'emplacement de la coupe de la feuille de papier. Une image trop rapprochée du bord risquera d'être rognée à la découpe, lors du façonnage.

- **Fond perdu** : vous désirerez parfois élargir une image jusqu'au bord de la feuille de papier, malheureusement, les massicots sont loin d'être parfaits et ne parviennent pas toujours à se positionner précisément sur le trait de coupe – ils débordent parfois du document imprimé. Par conséquent, si votre image s'arrête juste à ce trait de coupe alors que vous voulez qu'elle atteigne le bord de votre feuille, elle risquera d'être raccourcie en raison du dépassement de la lame. Afin de vous assurer que le bord de votre image ne s'arrête pas avant celui de l'image imprimée, utilisez la zone de fond perdu. L'imprimerie considère cette zone comme étant extensible. L'image doit déborder des traits de coupe jusqu'au fond perdu, pour une impression jusqu'au bord de la feuille.

En attendant de mettre la main sur le genkô yôshi pour manga, vous pouvez très bien utiliser du papier Bristol de 210 x 250 mm, qui se trouve chez tous les fournisseurs de matériels pour artistes.

Si vous décidez de n'utiliser que votre bloc de papier Bristol de 210 x 250 mm, je vous recommande la marque Strathmore 300 Series. Ce papier résiste bien à l'épreuve du temps, à la différence d'autres marques moins chères, où l'encre aura tendance à baver. Cependant, il arrive que l'encre de mes marqueurs se diffuse même avec ce papier de qualité. Pour cette raison, je vous recommanderai de travailler avec un papier manga plus lisse et de grammage plus léger, même si vous devez faire l'effort de le commander sur Internet. Les fournisseurs spécialisés vendent par paquets les feuilles de ce papier, qui est un merveilleux support sur lequel dessiner.

Fournitures de dessin

Les fournitures de dessin varient en fonction des choix personnels de l'artiste. Essayez différents types de crayons, de gommes et de méthodes d'encrage, jusqu'à ce que vous ayez découvert vos préférences. Une très bonne nouvelle! Les crayons sont généralement peu coûteux et donc aisément interchangeables si vous n'en appréciez pas l'utilisation.

Dans cette section, je vous présenterai différents types de crayons et d'instruments de dessin fréquemment utilisés par les artistes contemporains. Si vous débutez, n'importe quel crayon fera l'affaire, du moment que vous le trouviez facile d'utilisation. Cependant, si vous souhaitez publier ou présenter votre travail au public, vous devrez songer à investir dans toute une panoplie de crayons et d'outils de dessin variés.

Choisissez votre crayon graphite

Les fournisseurs de matériels pour artistes vendent des crayons graphite à la mine dure ou tendre de graduation variable. Plutôt que de choisir simplement un crayon dans une papeterie prise au hasard, mieux vaut vous rendre à votre magasin de fournitures pour artistes local, où vous pourrez trouver un choix diversifié de mines graphite. Certaines marques déclinent une gamme allant du très dur (5H) au très tendre (8B). La graduation de la mine est indiquée à l'extrémité du crayon.

Le matériel d'encrage

Plusieurs options seront à considérer dans le choix de votre matériel d'encrage. Je conseille aux débutants d'essayer autant de produits ou d'instruments que possible, et ainsi de découvrir ceux qui donneront le meilleur résultat. Soyez particulièrement patient au cours de ce procédé, et n'ayez pas peur d'expérimenter différentes techniques. Je dis toujours à mes élèves que je suis bien plus heureux de les voir prendre des risques, plutôt que d'essayer simplement d'obtenir de bonnes notes. Essayez différentes techniques d'encrage, même si vous n'obtenez pas nécessairement les résultats escomptés.

Les marqueurs

Les marqueurs pour artistes seront utiles pour dessiner des objets mécaniques, les bords des cadres et les petits détails. J'aime particulièrement utiliser les Staedler Pigment Liner et la marque plus populaire Sakura Pigma-Micron, parfaits pour les débutants. Comme les mines de crayon, les marqueurs sont disponibles en différentes épaisseurs. Leur gamme va du plus fin de 0.1mm jusqu'à l'épais de 0.8 mm. Bien qu'ils soient relativement chers comparés aux feutres pour enfants, ils représentent un très bon investissement. Les trois épaisseurs que je recommanderai aux débutants sont 0.3, 0.5 et 0.8 mm.

Attention aux marqueurs bas de gamme qui ne sont pas indélébiles – leurs couleurs s'affadiront avec le temps. Le prix reste un facteur important pour les élèves débutants désirant s'équiper en marqueurs de qualité. Bien qu'ils ne soient pas adaptés pour encrer les petits détails, je recommanderai d'acheter les marqueurs permanents Sharpie ou Bic : indélébiles, peu chers et souvent utilisés par les dessinateurs de B.D. américains pour encrer les cadres au pourtour des images. Afin d'en assurer la longévité, n'oubliez pas de replacer le capuchon sur le marqueur après usage.

Les avantages de ces marqueurs sont leur rapidité de séchage et leur simplicité d'utilisation. Si vous souhaitez une gamme plus étendue, certaines marques proposent des feutres pinceaux, utilisables comme les marqueurs, mais présentant une pointe souple, similaire à celle d'un pinceau (d'où le nom !). L'inconvénient est que leurs couleurs ont tendance à s'atténuer lorsque vous effacez les traits de crayon préalables. La durée de vie des feutres pinceaux de calligraphie n'est pas non plus extraordinaire. La plupart (à l'exception des feutres pinceaux synthétiques plus coûteux) s'usent relativement vite, selon la fréquence de l'usage. Par conséquent, je vous recommanderai de choisir un autre instrument d'encrage en complément des marqueurs.

Les pinceaux

En dépit de leur usage très prisé par les dessinateurs de B.D. américains, le mangaka traditionnel n'utilisera pas excessivement de traits de pinceau dans ses illustrations (peut-être en raison du format restreint de la feuille de papier – référez-vous à la section « Le papier (*genkô yôshi*) » plus haut dans ce chapitre, pour les informations concernant les différents formats). Les studios de manga utilisent plus fréquemment des plumes pour effectuer leurs dessins (comme nous le verrons à la section suivante). Cependant, des pinceaux de tailles différentes seront utiles. Ceux en martre permettent d'obtenir des lignes magnifiques. Ces pinceaux de qualité assez coûteux dureront plus longtemps que les marqueurs, si vous les nettoyez soigneusement. En complément, ils vous permettront d'obtenir une grande variété de lignes plus expressives. Afin d'en assurer la longévité, lavez-les toujours au savon et à l'eau tiède, et entreposez-les les poils vers le bas, afin d'empêcher les poussières de pénétrer dans la partie métallique et cylindrique connue sous le nom de *férule*, réunissant les poils du pinceau. Une manière de les entreposer est de les fixer avec du ruban adhésif sur le bord incliné de votre table à dessin.

La plupart des artistes préfèrent le pinceau standard de Windsor & Newton, série n°7. En raison de son coût élevé, commencez avec le n° 2, la taille la plus communément utilisée.

En supplément des pinceaux pour les encres, un conseil : acheter deux pinceaux fins pour pouvoir corriger vos erreurs avec le fluide correcteur blanc spécial manga uniquement (n'utilisez en aucun cas votre pinceau pour appliquer le fluide correcteur standard disponible dans toutes les papeteries).

Installez votre « coin dessin »

Lorsque vous aurez rassemblé le matériel dont vous aurez
besoin, installez votre « coin dessin » adapté qui vous permettra
de travailler avec efficacité. Les principes d'installation d'un
espace de travail sont relativement élémentaires. Vous aurez
besoin d'un siège, d'un plan de travail pour dessiner, et d'une
source de lumière assez intense afin d'éviter de vous fatiguer
la vue. C'est tout aussi simple que ça.

« D'accord, me direz-vous, mais est-ce vraiment tout ? »
Je vous remercie de me poser la question ; il est fondamental
que l'espace de travail que vous aurez choisi soit un endroit
où vous pourrez être productif tout en vous prémunissant
des distractions quotidiennes. Cette tâche est en fait bien
plus difficile que vous ne l'imaginez. En effet, les distractions
les plus minimes auront tendance à s'amalgamer au risque
de déconcentrer l'artiste.

Par conséquent, allez prendre l'air de temps en temps ou
changez temporairement de lieu de travail. Selon ma propre
expérience, vous devrez essayer des lieux différents en fonction
de vos habitudes personnelles de fonctionnement. En ce qui
me concerne, j'aime parfois travailler tout en prenant un café
au lait au bar du coin, alors que certains de mes collègues ont
besoin d'une solitude absolue pour pouvoir être productifs
avec efficacité.

Trouver un espace tranquille pour dessiner

En l'absence d'une unique solution applicable à tout un
chacun, vous tentez d'identifier certains des éléments
perturbateurs pouvant vous empêcher de vous concentrer.

Par exemple, des amis bavards qui vous appellent
incessamment sur votre téléphone portable. Si tel est votre
sort, activez le mode silencieux de votre téléphone lorsque vous
travaillez et laissez votre boîte vocale répondre à votre place.

L'un de vos voisins a-t-il tendance à écouter la radio à un
volume tel qu'il en fait trembler tout le quartier ? Je porte

généralement des boules Quiès ou j'écoute ma musique favorite avec un casque afin de m'isoler de cette nuisance sonore. Qu'en est-il de frères ou de sœurs, ou encore des autres personnes partageant vos pénates, fans de télé ou de jeux vidéos, constamment présents dans la pièce même où vous dessinez et où se trouve le téléviseur ? Isolez-vous dans une autre pièce fermée, ou décidez entre vous d'une période de tranquillité sans télé. En bref : restez vigilant pour tirer le meilleur parti de votre environnement de travail. Vous serez peut-être même surpris de découvrir que le meilleur endroit pour travailler est tout simplement la table de la cuisine ou celle de votre salon.

Voici un test supplémentaire lorsque vous rechercherez l'endroit idéal pour établir votre « coin dessin » : gardez un œil sur votre montre pour estimer ce que vous pouvez accomplir en trente minutes chrono sans avoir à vous lever ni à quitter votre table de travail. Est-ce réellement possible ? Très bien ! À présent, essayez de travailler pendant quarante-cinq minutes d'affilée, puis pendant une heure entière. Cet exercice vous permettra d'évaluer votre productivité.

Utilisez l'équipement adéquat

Comme je vous l'ai mentionné au début de cette section, votre studio manga se compose d'une table à dessin, d'un siège confortable et d'une lampe. Vous n'avez pas à investir des milliers d'euros dans votre équipement pour que votre studio soit un espace de travail efficace dès le départ. Mon premier « coin dessin » était constitué d'une table de ping-pong, d'un vieux tabouret de bar pour enfant et d'une vieille lampe datant d'au moins quinze ans.

Si vous planifiez de travailler pendant plus d'une heure, je vous conseille d'avoir une bonne lampe qui réduira la fatigue des yeux (et vous empêchera en conséquence de vous abîmer la vue). Ménagez-vous quelques pauses de temps en temps, en vous levant de votre siège pour effectuer quelques étirements. Comme je l'ai mentionné dans le prochain encadré « Suprême changement de look de votre studio », certains sièges sont disponibles avec l'option niveaux ajustables, de manière à ce que votre cou ne soit pas mis à rude épreuve en soutenant le poids de votre tête penchée consciencieusement sur vos œuvres. À la section suivante, je vous donnerai quelques conseils afin que vous augmentiez la capacité de votre équipement si vous avez l'intention de travailler sur une plus longue période de temps.

Améliorez la capacité de votre studio de base

Si vous décidez à un certain moment d'améliorer l'ergonomie de votre plan de travail, votre siège et votre système d'éclairage, la liste suivante vous permettra de choisir les éléments dont vous aurez besoin :

- ✔ **Une table à dessin** : elle devra être légèrement en pan incliné vers vous pour minimiser la tension au niveau de votre dos et de votre nuque, provoquée par le poids de votre tête. Les douleurs du dos se produisent lorsque vous vous penchez excessivement au-dessus de votre plan de travail. Indépendamment des questions ergonomiques, une table à plan incliné permettra d'améliorer votre posture. La feuille de dessin devra se trouver plus ou moins parallèle à votre corps, pour réduire le degré de distorsion au niveau de votre champ de vision. Vous devrez avoir également un plateau posé à côté de vous, contenant vos crayons, vos pinceaux, vos encres et vos plumes (référez-vous pour plus d'informations à la section précédente de ce chapitre intitulée « Le matériel nécessaire pour démarrer »). Ce plateau doit être solide et présenter suffisamment de compartiments afin de pouvoir contenir tout votre attirail. Votre table étant en pan incliné, vos instruments glisseront irrémédiablement si vous ne disposez pas de plateau de rangement.

- ✔ **L'éclairage** : l'éclairage constitue un élément essentiel permettant de réduire la fatigue des yeux. Travailler de longues heures durant sans un apport de lumière adéquat risquerait d'endommager votre vue. Si vous dessinez longuement chaque jour, je vous conseille de vous équiper de lampes à pince munies d'une ampoule classique, ainsi que d'une douille distincte pour un tube halogène. En allumant simultanément ces deux lampes, vous bénéficierez d'une lumière d'une intensité similaire à la lumière naturelle extérieure. Bien que leur prix soit élevé, mes yeux se fatiguent beaucoup moins après s'être intensément concentrés sur mes planches sur une longue période de temps.

✔ **Le siège** : choisissez un solide siège de studio répondant aux normes ergonomiques pour votre espace de travail, particulièrement si vous devez rester assis à votre table à dessin pendant plus d'une heure d'affilée. Avant de prendre votre décision, je vous conseille de procéder à plusieurs essayages en allant consulter différents fournisseurs.

Vous serez potentiellement assis sur ce siège très longtemps, assurez-vous par conséquent de la qualité du coussin et du dossier. Votre siège doit être équipé d'un levier pour en ajuster la hauteur, et il devra vous permettre de toucher le sol avec vos pieds, en soutien supplémentaire. Si vous avez besoin d'étirer votre dos ou de vous éloigner de votre table à dessin, le dossier de votre siège doit pouvoir s'incliner et ses pieds être munis de roulettes sur pivot, vous permettant ainsi de vous déplacer sans avoir à vous lever.

✔ **Une table d'appoint** : tout plan stable fera l'affaire pour poser les éléments ne pouvant être entreposés sur votre plan de travail. Choisissez un buffet, une petite étagère à livres, ou même une malle ou une valise se trouvant à proximité de votre plan de travail. Et si ce meuble présente un compartiment de rangement, ce sera un avantage supplémentaire ! En ce qui me concerne, je garde mon matériel de peinture à l'huile que j'utilise pour mes illustrations sur ma table d'appoint, où se trouve également ma pièce d'équipement la plus précieuse – ma cafetière électrique !

✔ **La boîte lumineuse** : cet élément est bien pratique lorsque je dois copier ou transférer un dessin d'une feuille à une autre. Construire une boîte lumineuse est assez simple. Il s'agit principalement d'une boîte contenant deux tubes halogènes. Le couvercle du dessus est constitué d'un plastique semi-transparent, sur lequel je place mes originaux. Je recouvre l'original avec la feuille de papier sur laquelle je désire transférer le dessin. Lorsque j'allume les lampes situées à l'intérieur de la boîte, la lumière traverse les deux feuilles de papier superposées en révélant ainsi l'image originale. En utilisant cette image comme modèle, je trace par-dessus les lignes afin d'obtenir une reproduction précise.

Si vous ne pouvez pas vous offrir une boîte lumineuse, vous pourrez facilement obtenir un effet similaire en plaçant vos feuilles de papier contre un carreau de fenêtre. La lumière naturelle vous permettra de voir le dessin original au travers de la feuille de papier sur laquelle vous voulez le transférer.

Vous n'avez pas besoin de vous équiper en totalité en une seule fois. Cependant, si vous êtes sérieux dans votre projet de dessiner du manga, cet équipement pourra non seulement améliorer votre espace de travail, mais également la qualité de vos rendus finals.

Suprême changement de look de votre studio

Mon travail artistique faisant partie intégrante de mon style de vie, j'ai fait l'investissement d'une installation professionnelle. Je possède deux tables à dessin en plan incliné conforme aux normes ergonomiques, réduisant la tension du cou provoquée par les longues heures passées à dessiner. J'utilise un siège ajustable à dessin et en adapte les niveaux à ma guise. Dessinant généralement de douze à quatorze heures par jour, il est important que je garde une bonne position et des habitudes de travail efficaces.

Comme éclairage, je possède deux lampes de studio fixées de chaque côté de ma table (car elle est plus large qu'une table à dessin standard), répartissant la lumière de manière égale sur l'ensemble de mon champ de vision. De plus, bon nombre de mes clients requérant des délais très rapides, je possède deux ordinateurs distincts (un Mac et un PC), ainsi qu'un ordinateur portable et un scanner pour travailler partout (et pendant mes vacances !). En résumé, je mange, je respire et je dors dans le monde de l'art.

Je ne pense pas qu'il soit nécessaire (ou même judicieux) de dépenser beaucoup d'argent et d'énergie lorsque vous venez tout juste de débuter, cependant vous pourriez investir dans de l'équipement numérique (ordinateur, scanner et imprimante) pour vous aider dans vos projets de manga.

Chapitre 3

Commencez par les bases du dessin

. . . .

Dans ce chapitre :

▶ Familiarisez-vous avec les instruments du dessin

▶ Découvrez les techniques de base du dessin

▶ Expérimentez avec différents styles de lignes, d'ombre et de lumière

. . . .

Après avoir rassemblé tous les instruments dont vous aurez besoin (allez jeter un œil au chapitre 2 pour plus d'informations), il est temps maintenant de pratiquer. Dans ce chapitre, nous aborderons les différents styles de lignes pouvant être réalisés en utilisant certains produits d'encrage et instruments de dessin. Vous pourrez utiliser ces techniques pour commencer à dessiner vos personnages de manga.

Note : En effectuant les exercices proposés dans ce chapitre, vous vous découvrirez peut-être une affinité pour certains instruments comparativement à d'autres. Découvrir les outils que vous aimez employer s'apparente à essayer plusieurs paires de chaussures différentes, pour en trouver une qui soit confortable à porter. Mais ne rapportez pas vos fournitures au magasin, ou ne vous en débarrassez pas pour la seule raison qu'ils ne vous aient pas convaincu initialement. Soyez patient : s'habituer à certains de ses instruments nécessitera parfois un peu de temps.

Commencez à pratiquer avec le crayon

Effectuer une série de gribouillis est une bonne méthode pour vous habituer à manier vos crayons. Lorsque vous sélectionnez la qualité de mine d'un crayon, recherchez-en une glissant sans effort sur le papier. Si vous travaillez sur votre table à dessin pendant une longue période de temps, vous devrez vous assurer que vous ne souffrirez pas de crampes dans la main, par conséquent un crayon glissant sans effort sera particulièrement bienvenu. Dans cette section, je vous présenterai plusieurs exercices simples d'assouplissement du poignet à effectuer pour vous échauffer.

Suivez les directions suivantes pour effectuer le premier exercice :

> **Réalisez une série de gribouillis en utilisant différents types de crayons graphite, comme à la figure 3-1.**
>
> Explorez les différents styles de lignes (fines et épaisses) que vous obtiendrez lorsque vous tracerez vos traits en appuyant plus ou moins sur votre crayon. À la figure 3-1, j'ai utilisé un crayon graphite 3H pour obtenir des traits plus légers et plus fins, puis j'ai tracé progressivement des lignes plus foncées et plus larges avec une mine plus tendre 4B.

Figure 3-1 :
Échauffez-vous en faisant des gribouillis spontanés avec différents types de mines de crayons graphite.

Vous pourrez remarquer les avantages et les inconvénients des mines dures et tendres en les utilisant en alternance. Bien que les mines les plus dures nécessitent davantage de temps d'acclimatation en raison de la légèreté des lignes qu'elles tracent, vous aurez davantage de maîtrise au niveau des détails, et vous effacez plus facilement les lignes superflues après l'encrage. Malheureusement, vous risquez également d'égratigner la surface du papier si vous appuyez trop fort sur votre crayon. Les mines tendres produisent des lignes plus foncées et plus épaisses, pouvant sembler brouillonnes, et que vous aurez davantage de difficultés à effacer. Je vous recommande d'essayer ces deux extrêmes pour évaluer ce que vous pourrez tirer de cet instrument.

Lorsque vous serez prêt, passez à l'exercice suivant :

> **Dessinez un petit cercle que vous utiliserez comme noyau central pour les cercles légèrement plus grands que vous tracerez au pourtour, comme à la figure 3-2.**
>
> Ne vous précipitez pas. Prenez votre temps en vous assurant de tracer les cercles aussi ronds et symétriques que possible, en élaborant cette série d'« anneaux » pour former un grand cercle.

Figure 3-2 :
Échauffez-vous en dessinant des lignes circulaires en « anneaux » autour d'un cercle plus petit.

Terminez votre échauffement avec le dernier exercice proposé dans cette section :

> **Utilisez votre poignet comme point d'appui pour dessiner une série de traits rapides ombrés en zigzag, en augmentant progressivement la pression sur la mine, du tendre au dur, comme à la figure 3-3.**

Figure 3-3:
Assouplissez votre poignet en effectuant un rapide mouvement d'avant en arrière.

L'astuce est de conserver la souplesse du poignet lors de cet exercice. Vous devriez expérimenter un « mouvement rapide du poignet » en progressant rapidement de gauche à droite. Tandis que la pression appliquée au crayon s'accentuera, vous constaterez que les ombres deviennent plus foncées (vous obtiendrez plus ou moins de contraste en fonction de la qualité de la mine du crayon que vous aurez choisi).

Rien n'est plus revitalisant et décontractant que de secouer votre main et votre poignet de temps en temps au cours de longues sessions de dessin. L'excès de pression accumulée dans vos doigts et votre poignet après avoir tenu trop fermement votre crayon sur une durée de temps peut provoquer des douleurs et des pincements de nerfs. Référez-vous au chapitre 2 pour d'autres conseils ergonomiques vous permettant de travailler confortablement et efficacement à votre table à dessin.

Exercices d'utilisation de votre règle

Une règle semble être un morceau de plastique simple et droit, cependant vous découvrirez bientôt ses possibilités illimitées vous permettant d'obtenir de super effets. Assurez-vous d'avoir une règle transparente pour effectuer ces exercices. Voici quelques astuces pour l'utiliser avec efficacité :

✔ La pointe du crayon doit être parfaitement appuyée contre le bord de la règle lorsque vous dessinez des lignes droites, comme indiqué à la figure 3-4.

✔ Comme il est montré à la figure 3-5a, l'encre a tendance à se diffuser sous la règle posée sur le papier. Afin de résoudre ce problème, retournez la règle et posez-la sur l'envers, son bord droit à présent décollé légèrement du papier, comme à la figure 3-5b.

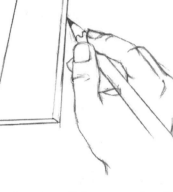

Figure 3-4 :
Assurez-vous que la pointe de votre crayon soit parfaitement appuyée contre le bord de la règle.

✔ Certaines règles ont un bord biseauté qui empêche l'encre de baver en dessous. Si vous en avez les moyens, investissez quelques euros supplémentaires dans une règle de qualité. Si vous utilisez des plumes ou une plume d'oie, assurez-vous d'essuyer soigneusement votre règle avec un morceau d'essuie-tout ou un chiffon toutes les deux lignes que vous encrerez, sinon l'encre accumulée coulera et bavera sur votre feuille de papier.

Figure 3-5 :
Évitez que l'encre ne se glisse sous votre règle en retournant celle-ci sur l'envers contre la feuille de papier.

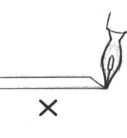

a

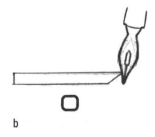

b

✔ Si votre règle se dérobe en cours d'utilisation, entourez ses deux extrémités avec un petit élastique pour l'empêcher de glisser sous la pression (comme illustré à la figure 3-6a), ou utilisez un adhésif spécial ne risquant pas d'endommager le papier, afin de la fixer sur la feuille sans risque pour le dessin (comme à la figure 3-6b).

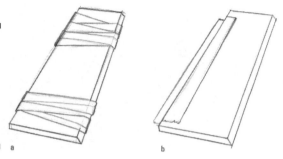

Figure 3-6: Quelques astuces utiles pour empêcher votre règle de glisser sur le support.

a   b

Tracez et encrez les lignes droites de base

À présent, essayez l'exercice suivant :

1. **Tracez au crayon de droite à gauche une série de lignes équidistantes l'une de l'autre (comme à la figure 3-7a).**

   Ne vous précipitez pas – soyez plutôt le plus précis possible.

2. **Tracez une deuxième série de lignes, en augmentant légèrement la distance qui les sépare (comme à la figure 3-7b).**

3. **Tracez une troisième série de lignes, présentant des intervalles plus étroits et plus larges en alternance (comme à la figure 3-7c).**

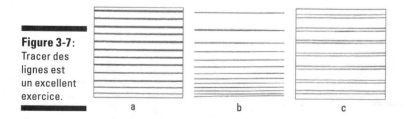

Figure 3-7: Tracer des lignes est un excellent exercice.

a   b   c

4. **Pratiquez la technique d'encrage en traçant par-dessus les lignes au crayon avec un marqueur de 0.**5 mm, tout en conservant précisément la distance entre les lignes (voir figure 3-8).

   N'oubliez pas de retourner votre règle (sinon l'encre se glissera en dessous en produisant des bavures entre les lignes).

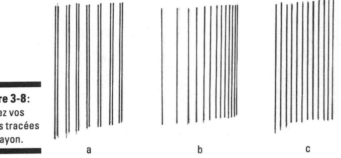

Figure 3-8:
Encrez vos lignes tracées au crayon.

a   b   c

TRUC

La largeur de vos lignes au crayon ne sera pas parfaitement ajustée à l'épaisseur de vos marqueurs. Cela est tout à fait normal – le but de l'encrage est de s'habituer à utiliser les lignes au crayon comme guides, plutôt que de vous concentrer inutilement à repasser fidèlement et parfaitement par-dessus. Votre challenge est de suivre aussi fidèlement que possible vos lignes au crayon. Cependant, si le décalage s'accentue radicalement, au point que votre ligne encrée commence à déborder sur les lignes au crayon se trouvant à proximité, considérez l'utilisation d'un marqueur plus fin.

Tandis que vous vous habituerez à encrer vos propres illustrations, vous constaterez peut-être à l'avenir que vous n'avez pas besoin d'ajouter trop de détails ou de peaufiner vos crayonnés car vous saurez comment les encrer précisément dans le rendu final.

Encrez des traits épais et fins

Dans cette section, vous essaierez d'utiliser le *G-Pen* si populaire (la plume la plus largement utilisée par les mangakas). Comme je l'ai mentionné au chapitre 2, Deleter, Nikko, Tachikawa et Zebra sont les grands fournisseurs de cette plume spécifique.

La figure 3-9a en illustre la méthode d'utilisation, après avoir trempé la plume dans la bouteille d'encre. Essayez de ne pas trop charger votre plume en encre (voir figure 3-9b) : car si cela se produit, l'excédent coulera sur votre papier. Afin d'alléger cet excédent, tapotez simplement votre plume contre l'intérieur de l'ouverture de la bouteille d'encre.

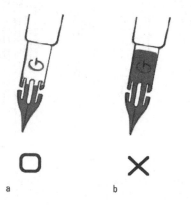

Figure 3-9 :
« Remplis-sez » votre plume d'encre.

a   b

À la différence du marqueur, le G-Pen nécessitera du temps pour se familiariser, sa pointe métallique ne glissant pas souplement sur le papier au départ. Des fibres minuscules de papier resteront accrochées entre les deux pointes resserrées de métal. Pour les enlever, pressez doucement et traînez la plume contre une surface lisse et dure, afin que les deux parties métalliques s'écartent légèrement et libèrent ainsi les fragments de papier.

Essayez l'exercice suivant pour vous familiariser à cette technique d'encrage :

> **En travaillant de haut en bas, tracez une série de lignes verticales équidistantes, les traits passant en alternance du fin à l'épais et de nouveau au fin (comme à la figure 3-10).**

Pensez à retourner votre règle sur l'envers contre la feuille de papier.

Figure 3-10 :
Utilisez le
G-Pen pour
tracer des
fluctuations
de lignes, du
fin à l'épais,
au fin.

Commencez en appliquant très peu de pression sur votre
porte-plume, en utilisant le poids de votre index. Ces plumes
produisent de superbes lignes nettes en effleurant à peine la
surface du papier. L'astuce pour maîtriser parfaitement les
épaisseurs de lignes est d'appliquer une pression progressive
avec votre index sur votre porte-plume. Pour les lignes plus
épaisses, laissez le poids de votre main se transférer au porte-
plume. N'utilisez pas celui de votre corps et ne forcez pas la
pression sur la plume – vous risqueriez de l'endommager ou
d'en réduire la durée de vie.

Ces plumes sont très aiguisées et peuvent aisément vous
percer la peau avec peu de pression. Soyez prudent en
utilisant cet instrument (plus particulièrement en présence
d'enfants en bas âge). Les plumes sont minuscules et
représentent un danger potentiel si elles sont avalées par un
enfant ou un animal domestique.

La technique du putoisage

Les règles ne servent pas uniquement à tracer des lignes
droites. Vous pourrez utiliser le bord de votre règle pour
obtenir un effet de « putoisage » avec une brosse plate. Cette
technique fonctionne avec de l'encre blanche ou de l'encre
noire standard. Si l'encre blanche est sèche, vous pourrez
l'humidifier en ajoutant de l'eau et en laissant reposer avant

de la mélanger (vous ne pourrez pas récupérer l'encre noire en utilisant ce procédé, car elle est indélébile après séchage). Pour obtenir un effet de putoisage, suivez les indications ci-dessous :

1. **Trempez une petite brosse dans l'encre, comme à la figure 3-11.**

   Si vous n'avez pas de petite brosse disponible, une vieille brosse à dents fera l'affaire.

Figure 3-11 :
Trempez votre brosse plate dans l'encre noire ou blanche.

2. **Tenez la règle au-dessus de la zone d'intervention sur la feuille et frottez les poils raides de la brosse dans un mouvement de va-et-vient rapide sur le bord, ce qui projettera de petites éclaboussures sur votre dessin (voir figure 3-12).**

   Dans la figure 3-12a, je montre le mouvement rapide de la brosse contre la règle. Si vous vous servez d'une brosse à dents, vous pourrez également utiliser votre pouce contre les poils. La figure 3-12b vous montre le résultat obtenu.

Figure 3-12 :
Effet de putoisage sur un fond noir représentant l'entrée de la galaxie.

a

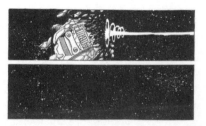

b

Cette technique fonctionne plus efficacement avec un contraste des valeurs (de l'encre noire sur fond blanc, ou de l'encre blanche sur fond noir). À la figure 3-12, j'ai utilisé la technique de putoisage à l'encre blanche sur un fond noir pour obtenir une constellation.

Vous pourrez également utiliser la technique de putoisage à l'encre noire pour représenter des éclaboussures de sang ou de boue.

Le truc pour réussir cette technique est d'incliner la règle (vers vous), légèrement éloignée du papier. Je vous recommande de vous entraîner sur plusieurs feuilles avant de l'appliquer à vos œuvres originales.

Créez des motifs

Tout comme un athlète s'échauffant par une série d'étirements, le *mangaka* (le dessinateur de manga) possède également une série d'exercices standard amusants à effectuer, où vous pourrez utiliser à tout moment chacun de vos instruments.

Dans cette section, je vous montrerai quelques exercices pour créer différents types de hachures et de lignes graphiques. Je vous recommande de commencer avec un crayon graphite ou un marqueur fin (de 0.3 ou 0.5 mm). Lorsque vous vous serez familiarisé à tracer des lignes à la plume, vous pourrez également l'utiliser pour effectuer ces exercices.

Lorsque vous serez enfin arrivé à un niveau plus avancé, partez à la découverte des fabuleux logiciels graphiques manga pour intégrer numériquement de supers motifs, ainsi que d'autres dessins tramés pour vos arrières plans. Ces logiciels incluent également différentes ombres et tonalités, vous permettant d'apporter des ombres, un caractère ethnique et de la personnalité à vos personnages. S'habituer à l'usage de ces instruments nécessitera du temps, cependant ils pourront ultérieurement vous en faire gagner, et vous éviteront des frustrations et des dépenses supplémentaires à long terme.

Motifs de trame enchevêtrée

Entraînez-vous en suivant ces instructions afin d'obtenir un motif de trame enchevêtrée. Cette technique de manga est connue sous le nom de *Nawa-ami* :

1. **Dessinez cinq lignes courtes et obliques, parallèles et équidistantes, comme à la figure 3-13.**

2. **À partir de chacune de ces lignes, tracez une autre ligne un peu plus en oblique, créant ainsi une autre série de segments, en alternant la direction.** Répétez ce procédé en changeant à nouveau de direction.

À la figure 3-14a, j'ai utilisé des angles subtils pour les lignes, afin que le motif tramé général se courbe en douceur. À la figure 3-14b, j'ai inversé la direction des motifs.

Figure 3-13:
Commencez le motif tramé en traçant des lignes parallèles.

Figure 3-14:
Alternez la direction des lignes pour terminer le motif tramé général.

a

b

Motifs en demi-tons

Le mangaka utilise fréquemment dans ses images des motifs en demi-tons (ou des variations de ceux-ci), comme alternative à un fond noir solide. Le manga étant imprimé en noir et blanc, les mangakas ont découvert des manières créatives de représenter une grande variété de tonalités entre-deux, connues sous le nom de demi-tons.

Dessinez des motifs en demi-tons hito-keta (une-unité)

La technique d'ombre *hito-keta* est utilisée pour accentuer les ombres et assombrir l'arrière-plan. L'effet produit est net, et la réalisation en est amusante et relativement facile à maîtriser. La traduction littérale est « une-unité », et son effet sera plus léger qu'avec la technique de motifs en demi-tons *futa-keta* (deux-unités) (voir la prochaine section).

Pour maîtriser cette technique, commencez par les étapes suivantes :

1. **Dessinez un cadre manga de 80 x 80 mm (référencé sous le nom de *koma*.)**

2. **Commencez au centre de votre *koma*, en y dessinant cinq à sept petites lignes courtes, parallèles et équidistantes, comme indiquées à la figure 3-15.**

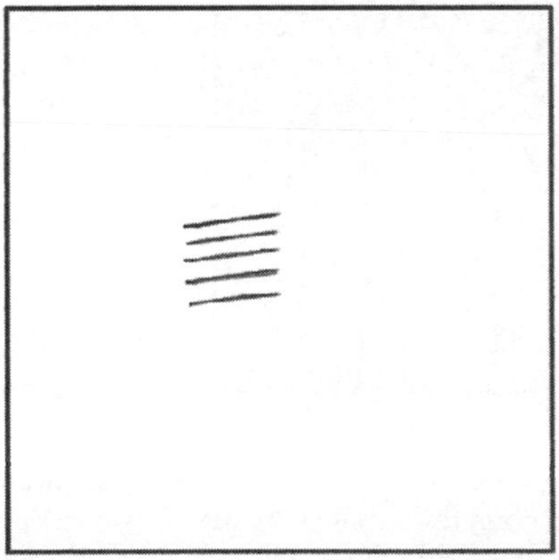

Figure 3-15 :
Commencez
le motif
hito-keta.

3. **Ajoutez à la série initiale cinq à sept lignes perpendiculaires, puis répétez le même procédé, illustré à la figure 3-16.**

Figure 3-16:
Ajoutez la série suivante de lignes à votre motif *hito-keta*.

Tandis que vous suivez les instructions pour répéter l'étape 3, continuez en ajoutant davantage de lignes au hasard – assurez-vous seulement que chaque série soit reliée à la série de lignes précédente, et remplissez tous les espaces vides (voir figure 3-17).

Figure 3-17:
Terminez votre motif tramé *hito-keta*.

Les lignes ne seront pas toutes de la même longueur car vous aurez à remplir tous les espaces blancs. Ces motifs doivent se multiplier jusqu'à ce que l'intégralité de votre *koma* soit remplie.

Certaines lignes seront peut-être perpendiculaires, tandis que d'autres ne serviront qu'à occuper les espaces vides.

Un peu plus vers le sombre avec les motifs en demi-tons futa-keta (deux-unités)

Si vous souhaitez obtenir une nuance plus sombre que celle du motif hito-keta, vous n'aurez pas besoin de tout recommencer. Travaillez à partir du motif hito-keta (voir la section précédente) et appliquez le concept futa-keta en suivant ces étapes :

1. **Pour chaque série de lignes parallèles, ajoutez la même quantité de lignes en les croisant perpendiculairement (voir figure 3-18).**

Figure 3-18 : Commencez la technique du futa-keta basée sur le motif *hito-keta*.

Cette seconde série de lignes vous permettra d'assombrir la surface générale de votre motif tramé.

2. **Continuez en répétant le même procédé, en ajoutant des lignes sur l'ensemble de la surface du motif afin d'obtenir un arrière-plan plus foncé, comme illustré à la figure 3-19.**

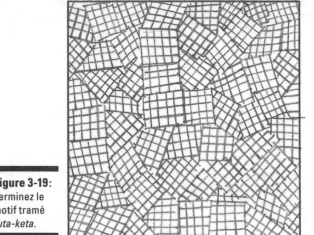

Figure 3-19:
Terminez le
motif tramé
futa-keta.

Réparez vos erreurs

Il arrive que le mangaka professionnel ou amateur fasse des erreurs – c'est après tout l'apanage du genre humain. Pour chaque ligne ratée ou tache d'encre, vous aurez généralement un moyen pour y remédier. Plus vous vous familiariserez avec vos instruments, vous apprendrez à minimiser les erreurs dues à la négligence et à gérer les accidents de parcours inévitables. Indépendamment du type d'erreur, gardez toujours votre sang-froid. Dans cette partie, je vous présenterai quelques techniques pour corriger les fausses manoeuvres les plus communes.

Recouvrez-les avec du fluide correcteur

Comme je l'ai mentionné au chapitre 2, vous devrez avoir deux pinceaux identiques à disposition, exclusivement réservés à la correction. Vous bénéficierez ainsi d'un excellent contrôle sur la zone où vous voulez appliquer du fluide correcteur. N'utilisez pas les pinceaux destinés à l'encrage car l'encre risquera de s'écouler du pinceau et de contaminer le flacon de fluide correcteur blanc.

Les lignes les plus communes que vous devrez effacer sont les lignes débordant du *koma* (le cadre manga) – voir la figure 3-20a. Je vous présenterai à la figure 3-20b un exemple typique de bavures et de taches d'encre.

Vous pourrez facilement corriger vos erreurs en trempant votre pinceau dans le fluide correcteur blanc, et en appliquant une fine couche sur la partie du dessin concernée. La figure 3-21 vous montre les images après correction du *koma* et des bavures.

Figure 3-20: Voici quelques exemples typiques parmi tant d'autres d'erreurs d'encrage.

a   b

En pratique, les lignes réapparaissent parfois à travers le fluide correcteur, en dépit de l'étiquette vantant les pouvoirs couvrants de ce produit. Dans ce cas, attendez simplement le séchage complet avant d'y appliquer finement une seconde couche.

Figure 3-21: Les erreurs d'encrage corrigées au fluide correcteur blanc.

a   b

Certains fluides correcteurs ne sont pas indélébiles. Si vous repassez par-dessus à l'encre, vous risquez d'étaler la couche de correction. Si cela se produit, utilisez du fluide correcteur de papeterie (en flacon ou en crayon) mentionné au chapitre 2.

Vous rencontrerez quelques difficultés pour trouver du fluide correcteur chez les fournisseurs de matériel pour artistes (et même parfois dans les grandes chaînes de magasins spécialisés), essayez d'obtenir un produit indélébile pour commencer. Celui fabriqué par Deleter, et est particulièrement approprié car il vous permettra d'encrer directement sur les zones corrigées.

Découpez l'image

Vous devrez parfois redessiner la totalité d'une case. Appliquer du fluide correcteur nécessitant du temps (et la surface paraîtra peu soignée si vous l'appliquez excessivement à certains endroits), vous pourrez éventuellement découper la case originale et la remplacer par une nouvelle fraîchement dessinée. Suivez ces indications pour découper et remplacer une image :

1. **Placez votre image originale sur la boîte lumineuse (voir chapitre 2 pour les détails concernant cette pièce d'équipement) et redessinez-la en la corrigeant.**

   Lorsque vous dessinerez l'image de remplacement (comme celle de la figure 3-22), assurez-vous qu'elle aille jusqu'au bord du *koma* (cadre). Cependant, ne dessinez pas ce cadre.

2. **Découpez l'image originale à l'aide d'un cutter et d'une règle, comme à la figure 3-23.**

   La clé du succès de cette technique est de découper l'image à l'intérieur de la ligne du *koma*, sans ce cadre.

   N'oubliez pas de placer un tapis de découpe sous l'image. Les lames de cutter peuvent endommager la surface de votre table à dessin. Si vous n'avez pas de tapis de découpe à votre disposition, un morceau de carton fera très bien l'affaire.

3. **Découpez l'image de remplacement au cutter et à la règle.**

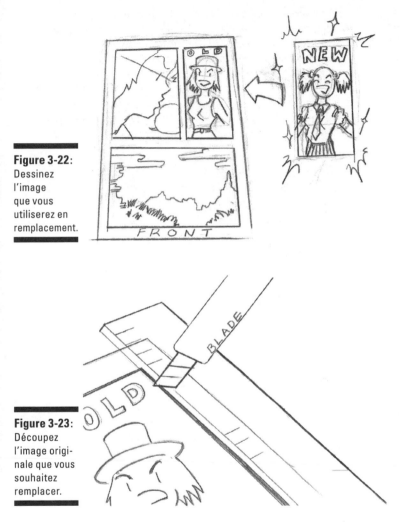

Figure 3-22:
Dessinez
l'image
que vous
utiliserez en
remplacement.

Figure 3-23:
Découpez
l'image origi-
nale que vous
souhaitez
remplacer.

4. **Adaptez l'image de remplacement dans l'espace vide laissé par l'image originale découpée, et utilisez du ruban adhésif à l'arrière de votre feuille de papier afin de la fixer (voir figure 3-24a).**

À la figure 3-24b, vous pouvez voir le dos de l'image de remplacement.

Si vous disposez de matériel d'infographie, je vous recommande *vivement* d'utiliser un logiciel comme Adobe Photoshop, afin d'effectuer ce procédé de découpe et de remplacement. Scannez la planche originale et l'image corrigée ; découpez l'image de la planche originale que vous désirez remplacer ou redimensionner, et intégrez l'image corrigée à l'intérieur du cadre original. Ce logiciel d'une grande efficacité vous épargnera un temps précieux tout en vous permettant d'obtenir un rendu soigné.

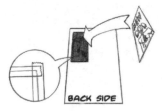

Figure 3-24:
Ajustez et fixez l'image corrigée avec du ruban adhésif.

Deuxième partie

À votre table à dessin

Dans cette partie...

À présent que vous voilà équipé de tout le matériel nécessaire : un crayon graphite bien taillé et une gomme « mie de pain » – et peut-être déjà installé à votre table à dessin, face à une nouvelle feuille blanche de papier Bristol, vous vous demandez sûrement : « Alors, par où commencer ? ». Je pense pouvoir vous aider.

Dans cette partie, je vais vous montrer comment démarrer, que vous soyez débutant en dessin ou un créateur expérimenté de B.D. désireux d'explorer un nouveau style graphique. Si vous voulez prendre de l'avance, un conseil : commencer par activer vos neurones. Plus spécifiquement, je vous montrerai la manière de vous lancer en dessinant l'un des traits caractéristiques les plus spécifiques au visage manga – ces adorables yeux de biche.

Vous les remarquerez sur de nombreux personnages, leur donnant une super originalité ! Personnellement, j'adore la manière dont ils permettent de communiquer une grande variété d'expressions, en dépit de leur apparente simplicité.

Après la maîtrise de la technique de la représentation des yeux, il vous faudra aborder l'ensemble des traits du visage traditionnel manga, puis je poursuivrai avec le corps. À la fin de cette partie, vous serez en mesure de dessiner tous les types de personnages en fonction de votre propre style.

Aiguisez vos crayons, installez-vous à votre table à dessin (si ce n'est déjà fait !), afin de vous lancer dans cette première expérience dans l'univers du manga.

Chapitre 4

Commençons par la tête

Dans ce chapitre :

▶ Découvrez les caractéristiques de base des visages mangas

▶ Explorez les différences entre les traits du visage masculin et féminin

▶ Communiquez une grande variété d'expressions de visage dans le style manga

*L*a tête et ses particularités regroupent les traits de visage les plus immédiatement reconnaissables qui classifieront un personnage dans la catégorie « manga », comme ces yeux de biche caractéristiques, ainsi qu'un tout petit nez et une bouche minuscule adorables. Les personnages de B.D. américains ont généralement des traits plus réalistes. Nombre de mes élèves préfèrent le manga en raison de son efficacité à transmettre une grande variété d'expressions de visage tout en faisant usage de peu de lignes et de réalisme. Ils attestent tous que le manga est vraiment simple à dessiner. Vous vous en rendrez également compte vous-même! Ce chapitre me donnera l'occasion de vous conduire de A à Z à la représentation de la tête et des traits de visage traditionnel manga.

Mission Manga

Dans cette section, je vous orienterai dans la bonne direction en vous apprenant à dessiner la structure d'une tête d'homme et de femme.

Dans la tendance principale contemporaine du manga, la plupart des traits semblent androgynes (particulièrement chez les personnages d'adolescents). Cependant, certaines caractéristiques distinctes permettent de différencier les personnages masculins des personnages féminins. En vue de cette diversité, j'ai eu recours à une tête d'homme pour vous montrer son contraste de structure par rapport à la tête d'une jeune femme encore proche de l'adolescence. Je vous montrerai tout d'abord comment dessiner une tête de femme (que vous pourrez également utiliser pour les personnages masculins à caractère androgyne).

Dessinez une tête de femme

Pour représenter la tête de base d'une femme (ou d'androgyne) selon trois angles de vue différents (de face, de côté et de 3/4), suivez ces étapes :

1. **Dessinez une forme ronde légèrement ovale, suivie de deux formes ovales légèrement plus larges (voir figure 4-1).**

   Assurez-vous que la distance entre ces ovales corresponde approximativement à 3 cm. Bien que les formes dans les figures 4-1b et 4-1c soient plus larges que la figure 4-1a, elles doivent être toutes de la même hauteur.

2. **Dessinez quatre lignes droites horizontales traversant ces trois formes.**

   Comme indiqué à la figure 4-1, divisez les ovales approximativement en tiers, par quatre lignes droites horizontales tracées de haut en bas. Elles vous permettront de placer les traits caractéristiques de base du visage. À partir du haut, marquez ces lignes de A à D.

3. **Tracez une autre ligne de repère E en dessous de la ligne D.**

   La distance entre DE est égale à la distance entre BC et CD. Poursuivez en traçant une ligne centrale verticale passant au centre de chaque ovale, comme aux figures 4-2a et 4-2b.

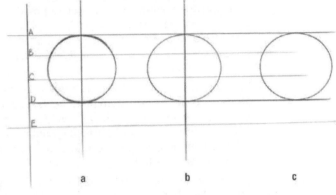

Figure 4-1 :
Ces ovales
représentent
la vue de face,
de côté et
de 3/4 de la
tête de votre
personnage.

a   b   c

4. **Esquissez légèrement la mâchoire, le menton, les oreilles et le cou pour la vue de face (comme à la figure 4-2a).**

Tracez deux lignes commençant des côtés opposés de l'ovale pour représenter les lignes de contour du visage partant de C et rejoignant D. À partir de la ligne de repère D, dessinez les lignes de la mâchoire inférieure suivant un angle, convergeant au point d'intersection de la ligne de repère E et de la ligne centrale verticale. Dessinez la forme des oreilles approximativement entre C et D (le bord supérieur est situé légèrement plus haut que la ligne C, dans les trois cas).

Pour le cou, indiquez le point central situé entre la ligne du centre verticale et le côté gauche de l'ovale. Répétez ce procédé afin de localiser le point central situé entre la ligne du centre et le côté droit de l'ovale. À partir de ces deux points, tracez les lignes du cou en dessous du menton. La distance entre ces deux points déterminera la largeur du cou.

5. **Dessinez la mâchoire, le menton, les oreilles et le cou de la tête vue de profil (comme à la figure 4-2b).**

Débutez par le contour de la mâchoire, démarrant à la ligne de repère C, au point médian situé entre la ligne du centre verticale et le côté gauche de l'ovale. Dessinez la ligne de la mâchoire supérieure en oblique, allant rejoindre la ligne de repère D. À partir de D, la mâchoire inférieure part en oblique pour rejoindre la ligne de repère E, approximativement au point médian entre la ligne centrale verticale et le côté droit de l'ovale. Le bas du front se courbe légèrement à partir de C pour rejoindre l'extrémité de la ligne de la mâchoire (le menton) sur E.

Formez l'oreille à l'arrière de la ligne de la mâchoire supérieure, se terminant au point central de la ligne verticale et du bord gauche de l'ovale. Commencez à indiquer l'avant du cou à partir du point central de la ligne de la mâchoire inférieure. La nuque commence juste à l'arrière des oreilles.

J'ai crayonné la forme de l'oreille vue de profil inclinée afin qu'elle s'harmonise à la ligne oblique de la mâchoire supérieure. La plupart des débutants font souvent l'erreur de dessiner les oreilles complètement à la verticale. Je conseille toujours aux élèves d'observer les oreilles en vue de profil pour mieux les connaître. Une autre erreur typique est de dessiner le cou droit plutôt que légèrement incliné. Le port de tête des personnages ayant un cou droit, en vue de profil, semblera raide et peu naturel. Une légère inclinaison permettra d'accentuer et d'équilibrer naturellement la posture.

6. **Travaillez les formes de la mâchoire, du menton, des oreilles et du cou pour représenter la vue de 3/4 de la tête (comme à la figure 4-2c).**

Pensez à la vue de 3/4 de la tête comme étant la synthèse de la vue de face et de profil. Sur la gauche de l'ovale, esquissez une ligne de repère légèrement courbe afin d'indiquer le centre du visage vu sous cet angle. Dessinez le côté gauche du visage légèrement en oblique en dessous de la ligne D, puis se rabattant abruptement vers la pointe du menton sur la ligne E. Terminez l'autre moitié du visage en dessinant la ligne de la mâchoire supérieure et inférieure allant rejoindre le menton sur la ligne E. Dessinez l'oreille à l'arrière de la ligne de la mâchoire supérieure.

Assurez-vous que le menton soit bien aligné avec la ligne de repère courbe au centre du visage.

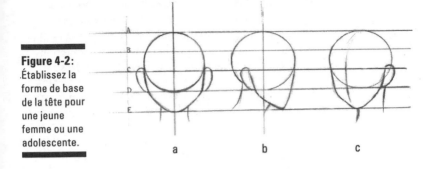

a   b   c

Dessinez une tête d'homme

Dans cette section, je vous montrerai la méthode pour
représenter la tête d'un personnage mature masculin et viril.
Ce type d'individu présentant cette forme de tête approchent
de la trentaine ou de la quarantaine. Si le procédé est
virtuellement identique à celui utilisé pour la tête de femme,
expliqué ci-dessus, notez cependant les changements de forme
au niveau de la ligne de la mâchoire. Pour les étapes suivantes,
commencez par dessiner les trois formes ovales et les lignes
de repère indiquées aux étapes 1 à 3 de la section précédente.

Esquissez les trois formes ovales et les lignes de repère que
vous pouvez voir à la figure 4-1, tout en y apportant deux
modifications. Les lignes de A à D divisent les formes ovales
exactement en tiers (c'est-à-dire que toutes les lignes seront
équidistantes). Et la distance entre les lignes D et E est
augmentée de 50 % par rapport aux intervalles entre les lignes
A à D. Tracez ces lignes, puis entraînez-vous à dessiner la
forme de tête de base des personnages masculins.

1. **Dessinez la mâchoire, le menton, les oreilles et le cou
   de la vue de face (comme à la figure 4-3a).**

   Tracez deux lignes dans le prolongement des côtés
   gauche et droit de l'ovale pour former les contours du
   visage, à partir de la ligne C puis descendant à la ligne D.
   Gardez à l'esprit que la longueur du visage est allongée
   de 50 % de plus que pour une femme. Dessinez la ligne de

la mâchoire inférieure en oblique vers le bas pour aller former le dessous du menton suivant la ligne E.

L'astuce pour vieillir et rendre la forme de tête masculine encore plus virile est de dessiner la ligne de la mâchoire de manière à ce qu'elle rejoigne la ligne E décalée sur la gauche ou sur la droite de la ligne centrale verticale (et en fonction du côté du visage que vous dessinerez). Lorsque je relie les lignes de la mâchoire inférieure sur les côtés gauche et droit, j'obtiens un menton carré plutôt que pointu. Si vous souhaitez en accroître la masculinité, augmentez l'espacement entre les lignes de contour de la mâchoire inférieure le long de la ligne E, et vous obtiendrez ainsi un menton plus large.

La position de l'oreille masculine ne diffère pas de celle de la femme, cependant, sa forme sera plus étroite et inclinée (comme vous pouvez le voir aux figures 4-3b et 4-3c).

Les personnages aux traits particulièrement masculins présentent un cou plus court et épais comparé aux personnages féminins. À la figure 4-3a, j'ai dessiné le cou dans le prolongement du point où se rejoignent le côté du visage et la ligne de la mâchoire inférieure, lui donnant ainsi une largeur quasi similaire à celle de la tête!

2. **Dessinez la mâchoire, le menton, les oreilles et le cou sur la tête vue de profil (comme à la figure 4-3b).**

Dessinez la ligne de la mâchoire supérieure partant de la ligne C, et se prolongeant en dépassant de moitié la ligne D.

Pour vous assurer que la longueur et la forme de la mâchoire supérieure et inférieure sont correctement reportées sur les deux autres angles de vue indiqués à la figure 4-3, dessinez une ligne partant du haut de la mâchoire inférieure comme à la figure 4-3a, puis prolongez-la aux figures 4-3b et 4-3c. Utilisez-la comme repère pour vous assurer que vous n'allongez pas ou ne raccourcissez pas trop les lignes de la mâchoire.

Représentez la mâchoire inférieure en joignant la ligne E au côté droit de l'ovale, approximativement au point médian avec la ligne centrale verticale. Le devant du visage est légèrement incliné pour rejoindre la ligne E.

Terminez le menton carré en reliant l'espacement entre le bas de la mâchoire inférieure à la pointe du menton.

Les oreilles sont situées à l'arrière de la ligne de la mâchoire supérieure. N'oubliez pas de dessiner l'oreille vue de profil légèrement inclinée afin qu'elle s'ajuste à la ligne oblique de la mâchoire supérieure.

3. **Dessinez la mâchoire, le menton, les oreilles et le cou sur la vue de 3/4 de la tête (comme à la figure 4-3c).**

   Tracez une ligne médiane légèrement courbe indiquant le milieu du visage vu de 3/4. Le côté gauche du visage dépasse la ligne D avant de se rabattre légèrement pour aller rejoindre la ligne E (sur la gauche de la ligne médiane). Terminez le menton large en joignant le bas du visage à l'extrémité de la ligne de la mâchoire inférieure. Finalement, dessinez l'oreille à l'arrière de la mâchoire supérieure. Assurez-vous que la ligne médiane se trouve bien alignée à l'extrémité du menton plat.

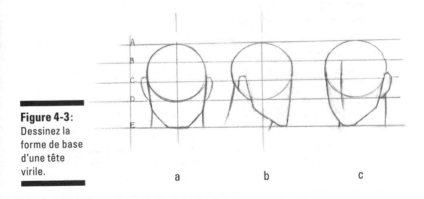

Figure 4-3: Dessinez la forme de base d'une tête virile.

a   b   c

Des yeux fabuleux !

Dans l'art du manga, les yeux sont particulièrement attirants. Vous pourrez les exploiter pour transmettre diverses émotions. Un regard triste sera très différent d'un regard heureux ou effrayé. Dans cette section, je vous montrerai comment les dessiner. J'explorerai également les différents styles utilisés fréquemment dans l'univers contemporain du manga.

Commencez par la structure de base de l'œil

En créant les yeux, vous devrez vous baser sur la structure du globe oculaire et de la paupière. Le globe oculaire est lui-même composé de la pupille et de l'iris. Lorsque vous aurez gagné en assurance en dessinant une multitude d'yeux, vous vous apercevrez peut-être que représenter le globe oculaire à chaque fois que vous composerez votre personnage ne sera plus nécessaire. Cependant, pour ce chapitre, apprenez à dessiner un œil en commençant par le début. Gardez à l'esprit qu'une solide structure de base est sous-jacente à toute chose, et surtout à un joli minois.

Les grands yeux mangas si séduisants ont un air plutôt féminin. Cependant, le mangaka (le dessinateur de manga) les applique également à des personnages masculins, plus particulièrement aux jeunes héros. Cela étant dit, deux différences essentielles permettent de distinguer l'œil masculin de l'œil féminin :

- ✔ Les yeux des personnages masculins ne présentent pas de cils à la longueur exagérée.
- ✔ Les mangakas leurs attribuent parfois des sourcils plus épais.

Suivez les étapes proposées ci-dessous pour dessiner un œil manga :

1. **Dessinez deux cercles identiques rapprochés l'un de l'autre au centre de votre feuille de papier.**

   Ces cercles représentent la vue de face et de profil de l'œil. Leur diamètre est d'environ 3 cm, ainsi que l'intervalle les séparant.

   Pour plus de précisions, je vous conseille d'utiliser un trace-cercles (référez-vous au chapitre 2). La plupart des gabarits indiquent les diamètres pairs et impairs à côté de chaque forme proposée.

2. **Dessinez deux formes ovales (l'une à l'intérieur de l'autre) dans chaque cercle afin de représenter l'iris et la pupille (voir figure 4-4).**

Dessinez l'ovale le plus large légèrement plus étroit que celui qui se trouve à l'intérieur. Il représente l'iris, la partie la plus visible et colorée de l'œil. L'ovale plus petit et plus rond placé au centre de l'iris est la pupille, qui se dilate et se contracte en fonction de la quantité de lumière pénétrant dans l'œil. Ombrez la *pupille* en noir, comme illustré aux figures 4-4a et 4-4b. Pour représenter l'iris, j'ai dessiné au hasard une série de lignes irradiant du centre de l'iris vers le contour extérieur de l'ovale.

Dans le style manga, l'iris et la pupille sont représentés en proportions exagérées, c'est la raison pour laquelle ils occupent davantage d'espace dans l'œil qu'en réalité. Lorsque le regard de votre personnage se déplace latéralement (quand l'iris et la pupille sont plus arrondis ; voir figure 4-4a), la forme de l'iris et de la pupille se rétrécit en longueur (comme à la figure 4-4b).

Figure 4-4 :
Dessinez ces deux vues distinctes du globe oculaire, de la pupille et de l'iris.

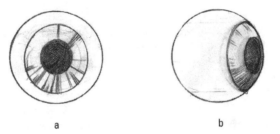

a   b

3. **Dessinez la paupière inférieure sur le globe oculaire, en ayant à l'esprit qu'il s'agit d'un « morceau de chair » enveloppant cette forme sphérique (voir figure 4-5).**

4. **À présent, dessinez la paupière supérieure de l'œil (comme à la figure 4-5), formant une légère courbe du contour gauche au contour droit de l'œil.**

5. **Ajoutez en touches finales les cils au coin de la paupière supérieure, ainsi que des ombres foncées sur l'iris et la pupille.**

   À partir de la vue de face à la figure 4-5a, j'ai dessiné trois cils pointus qui s'épaississent et s'allongent au fur et à mesure que la paupière enveloppe le globe oculaire. Pour la vue de profil, les cils sont recourbés sur l'avant (comme à la figure 4-5b).

Dessinez l'ombre foncée de l'œil en arc traversant le centre de l'iris et de la pupille. Cette ombre est produite par la paupière supérieure et sa noirceur se fondant à celle de l'iris donne l'impression qu'ils ne sont qu'une seule et même forme.

Note : N'ajoutez pas trop de cils ni de cils trop épais pour un personnage masculin, à moins que vous ne souhaitiez accentuer son caractère *yaoi* (androgyne).

Figure 4-5:
Les paupières supérieure et inférieure enveloppent le globe oculaire.

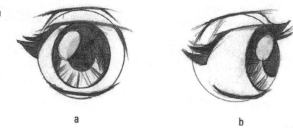

a

b

6. **Indiquez un reflet de lumière à l'œil en haut à gauche de la pupille, puis effacez les contours du globe oculaire.**

Ajoutez des reflets de lumière est une étape intéressante – s'apparentant à ajouter le glaçage sur un gâteau. Cet effet permettra de faire briller l'œil et lui apportera une touche de réalisme. Avec une gomme propre, effacez la zone où vous voulez indiquer un reflet de lumière. Vous pouvez utiliser de nombreuses formes et dimensions ; pour ma part, j'ai choisi un ovale plutôt allongé. Si vous désirez représenter un personnage au bord des larmes, augmentez les proportions de vos accents de lumière ou ajoutez de petits reflets supplémentaires superposant en partie l'iris et la pupille.

7. **Dessinez les sourcils (comme à la figure 4-6).**

Le sourcil est une forme courbe allongée suivant l'orbite de l'œil puis redescendant à proximité du milieu du front. Assurez-vous de bien avoir effacé toutes traces de la forme ovale du globe oculaire à présent abritées derrière les paupières.

L'astuce pour que les yeux reflètent bien la personnalité de votre personnage est de porter attention aux sourcils qui, plus épais ou angulaires suggéreront la force et la confiance en soi. Les sourcils plus fins et plus arrondis transmettront plutôt la douceur et une certaine élégance.

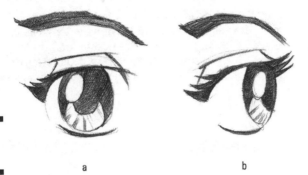

Figure 4-6:
Dessinez les
sourcils.

a   b

Les yeux dans les yeux

Lorsque vous rassemblerez l'œil droit et l'œil gauche, la distance qui les sépare lorsqu'ils sont perçus de face correspond approximativement à la largeur d'un œil manga (voir figure 4-7).

Si vous n'êtes pas sûr de la précision des proportions de l'œil que vous voulez dessiner, esquissez légèrement au crayon un œil symbolique comme repère entre les deux yeux.

L'un des plus grands challenges rencontré pour aboutir à la représentation les yeux vus de face est de vous assurer qu'ils sont aussi symétriques que possible l'un de l'autre. Pour réussir à établir cette symétrie, essayez les suggestions suivantes :

✔ **Après avoir dessiné les deux yeux, présentez votre dessin face à un miroir**. Vérifiez que leur position soit correcte dans l'image ainsi inversée. Si l'un d'entre eux semble décalé, sélectionnez l'œil qui vous plaît le moins, puis ajustez-le pour qu'il s'harmonise à l'autre.

- ✔ **Utilisez du papier calque et tracez l'un des yeux avec un crayon graphite tendre.** Puis retournez le tracé et superposez l'image ainsi inversée à l'emplacement de l'œil à intégrer. Avec un crayon bien aiguisé, passez sur le calque posé à l'envers en suivant le dessin initial. Un œil absolument identique sera alors transféré sur le papier.

- ✔ **Retournez et présentez à la lumière la feuille de papier où vous avez dessiné les deux yeux.** Vous verrez alors l'image inversée de votre dessin. Vérifiez les zones asymétriques de l'image avant de la retourner sur l'endroit et d'y apporter les corrections nécessaires.

Figure 4-7:
Prendre comme repère un œil ima-ginaire vous per-mettra d'évaluer la distance séparant les deux yeux mangas.

De toutes les formes et de toutes les dimensions

Les yeux typiquement manga ne sont pas tous dessinés dans le même style ou de dimensions identiques. Dans le courant principal actuel, ils se déclinent du grand au plus grand. Cependant, d'autres genres de mangas présentent des yeux plus petits et plus rapprochés, plus proches de la réalité. Dans cette section, je vous présenterai divers styles d'œil manga.

Les méga yeux mangas

Le choix de dimensions des méga yeux typiquement manga est illimité. De grands yeux étant synonymes d'innocence, certains jeunes personnages féminins ont des yeux tellement immenses qu'il ne reste plus assez de place pour ajouter le restant des traits du visage! Je vous présente un exemple de ce personnage aux yeux gigantesques à la figure 4-8 pour illustrer mon propos.

Figure 4-8:
Avez-vous vu ces grands yeux extraordinaires?

Il arrive parfois que ce qui rend le *shôjo manga* (B.D. destinée aux jeunes filles) particulièrement différent des autres genres n'est pas seulement la dimension des yeux, mais également l'épaisseur des cils (voir figure 4-9).

Figure 4-9:
Ces yeux pourraient-ils être encore plus grands? Assurément!

En règle générale, plus les yeux sont surdimensionnés, plus la forme et les proportions de la coiffure sont exagérées afin de trouver un équilibre.

Des yeux plus réalistes

Les personnages n'ont pas besoin d'avoir de grands yeux pour être classifiés sous le label manga. Si vous lisez des mangas orientés vers l'action, vous pourrez constater que les yeux des protagonistes sont plus petits et représentés de manière plus réaliste (voir figure 4-10).

Figure 4-10: Un traitement plus réaliste, présentant la même structure typique appliquée aux différents styles d'yeux mangas.

Les yeux dont les paupières présentent une inclinaison vers le haut (comme à la figure 4-11) indiquent généralement un caractère réservé, une attitude distante ou la froideur. Vous pouvez imaginer ces yeux appartenant à une femme au cœur de pierre qui n'aura aucun scrupule à dire à son protagoniste qu'elle vient de le trahir parce qu'il n'a pas été à la hauteur. Ces yeux apparaissent souvent dans les *shônen manga* (B.D. destinées aux jeunes garçons).

Figure 4-11: Certains sourcils sont anguleux plutôt qu'arrondis.

Les personnages des histoires traitant de sujets plus sérieux
et destinées aux adultes ont des yeux beaucoup plus réalistes
(voir figure 4-12).

Généralement parlant, plus les yeux sont larges ou grands,
plus le personnage semblera pur, jeune et innocent. Plus les
yeux seront étroits ou petits, plus il semblera sage ou rusé, ou
même parfois malveillant.

Des yeux incroyablement simplifiés

Si le réalisme n'est pas votre tasse de thé, n'ayez crainte, le
manga vous offrira d'autres alternatives. Les yeux de style
manga peuvent parfois sembler totalement à l'opposé de
la simplicité. De nombreux *yonkoma manga* (des bandes
dessinées de quelques cases publiées dans les journaux
japonais) présentent des personnages aux yeux simplifiés.
Cependant, ils permettent de transmettre leurs émotions
et leurs traits de caractère tout aussi efficacement que les
yeux les plus typiques de manga. Bien qu'ils ne soient pas les
plus élaborés esthétiquement ou particulièrement travaillés,
ces yeux communiquent des émotions complexes, qui sinon
nécessiteraient davantage d'expressivité si vous utilisiez des
yeux mangas plus réalistes.

Je vous présente à la figure 4-13 des exemples de personnages
de *yonkoma manga* que j'ai créés. À la figure 4-13a, la simplicité
du dessin est un moyen très efficace permettant d'attirer et
surtout de retenir l'attention des banlieusards pressés lisant
leurs journaux du matin ; représenter le « doute » n'a nécessité
que trois lignes de crayon. Le trait de la figure 4-13b est discret,
cependant la structure de l'œil y est respectée.

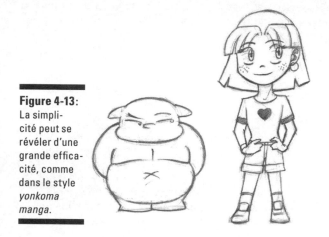

Figure 4-13:
La simplicité peut se révéler d'une grande efficacité, comme dans le style *yonkoma manga.*

Intégrez les traits du visage

Le moment est venu de vous indiquer comment dessiner les formes du nez et de la bouche pour accompagner les yeux. Aussi grands que soient les yeux du manga traditionnel, le nez et la bouche sont proportionnellement petits. Cependant, comme je le démontrerai, vous pourrez dessiner ces traits de visage typiques du manga contemporain de manière traditionnelle ou réaliste.

Mettez le nez partout

Le nez est l'une des parties du visage la plus amusante à dessiner. Le mangaka sélectionne fréquemment les dimensions et les formes de nez suivant la personnalité de ses protagonistes. Les nez les plus petits sont généralement associés à la beauté, l'innocence et la jeunesse, et sont par conséquent appropriés pour les jeunes filles en fleur et les garçons. Parallèlement, les nez plus grands indiqueront la maturité, la complexité et l'âge d'un personnage. Continuez votre lecture pour apprendre la méthode de représentation de quelques formes de base de nez typiquement mangas, ainsi que pour en découvrir les utilisations appropriées.

Le nez retroussé

Qu'il soit retroussé ou en trompette, ce nez s'applique
principalement (voir figure 4-14) aux personnages plus jeunes
(plus particulièrement aux personnages principaux de filles).
Entraînez-vous à dessiner ce petit nez retroussé en suivant les
étapes proposées ci-dessous :

1. **Dessinez une ligne légèrement courbe ressemblant à
   une virgule, comme à la figure 4-14a.**

2. **Ajoutez une ligne courbe reliée à la ligne précédente
   afin de représenter le dessous du nez (voir figure 4-14b).**

   L'extrémité de cette ligne doit s'aligner à la verticale
   au début de la première ligne que vous avez dessinée à
   l'étape 1.

3. **Ajoutez plusieurs lignes obliques sur l'arête du nez,
   comme à la figure 4-14c.**

   Ces lignes suggèrent la surface plane de l'arête du nez.

Figure 4-14:
Les petits nez
retroussés
sont tellement
simples et si
mignons.

a   b   c

Voici quelques astuces à garder à l'esprit lorsque vous
dessinerez des nez retroussés :

- ✔ Plus ils sont petits, plus ils sont mignons – ne les exagérez
  pas !

- ✔ N'ébauchez jamais les narines. Les trous de nez du
  personnage ainsi offerts à la vue du lecteur seront
  totalement inappropriés. Dans le doute, s'abstenir !

- ✔ Tracez des lignes courtes et fines. Si vous les faites trop
  longues ou trop épaisses, le nez sera trop accentué.
  Le joli minois d'une princesse en rougirait d'embarras !

- ✔ La pointe du nez retroussée vers le haut doit être
  atténuée. De profil, le nez doit suivre une pente douce.

✔ N'oubliez pas de dessiner les lignes fines obliques sur l'arête du nez juste avant que le nez ne commence à se retrousser. Ces lignes permettront d'accentuer le mouvement du nez vers le haut, et y ajouteront davantage de volume.

Les nez ombrés

Vous remarquerez principalement ce type de nez sur les personnages arrivant en fin d'adolescence et les jeunes adultes. Je vous en présente deux exemples aux figures 4-15 et 4-16. Le mangaka dessine généralement une fine ligne de contour pour suggérer la forme extérieure du nez en y ajoutant une ligne pour cerner la forme de l'ombre produite par la source de lumière. À la figure 4-15, la forme ombrée est située sur le côté du nez. À la figure 4-16, elle est située sous le nez.

Suivez les étapes proposées afin de dessiner ces deux nez ombrés, en commençant par la figure 4-15 :

1. **Dessinez un segment de ligne courbe indiquant l'arête du nez, comme à la figure 4-15a.**

   L'arête du nez est indiquée par une ligne courbe verticale dont la section médiane est légèrement incurvée vers la droite avant de revenir à son parcours initial.

2. **Terminez le nez en ajoutant une forme ombrée sur la droite de l'arête, comme à la figure 4-15b.**

   En commençant par le haut de l'arête du nez, dessinez l'ombre en utilisant une courbe plus accentuée afin que la forme générale du nez apparaisse tridimensionnelle. Terminez cette forme en joignant l'extrémité inférieure de sa ligne de contour à la partie basse de l'arête du nez.

Figure 4-15:
Le nez ombré
verticalement.

a

b

À présent, essayez l'autre style de nez ombré proposé à la figure 4-16 :

1. **Dessinez au centre de votre feuille de papier une petite courbe de 1.5 cm représentant la pointe du nez, comme indiqué à la figure** 4-16a.

2. **Dessinez la forme de l'ombre à quatre côtés comme indiquée à la figure 4-16b**.

   En commençant par les deux extrémités de la petite courbe, figurez les côtés ombrés en esquissant deux lignes courtes s'évasant en oblique vers le bas.

   Terminez la forme de l'ombre en dessinant deux lignes supplémentaires légèrement en oblique se rejoignant au centre, indiquant le dessous du nez.

Figure 4-16 :
Le nez ombré
plus large.

a   b

Voici quelques astuces utiles pour dessiner ce style de nez et ses parties ombrées, et pour le placer correctement, comme un nez au milieu de la figure :

- ✔ Ne soulignez jamais les narines. Tout comme avec le nez retroussé (voir la section précédente), exposer ainsi à la vue du lecteur les trous de nez d'un personnage sera totalement déplacé.

- ✔ Le nez doit être un peu plus allongé et présenter une pointe plus accentuée vers le haut avant d'amorcer le retour vers la bouche.

- ✔ En fonction de l'effet recherché, vous pouvez indiquer les ombres avec des trames (cf. chapitre 2), en relation avec l'éclairage naturel et le décor ou remplir les ombres avec du noir afin d'accentuer l'état émotionnel ou dramatiser la situation du personnage. Lorsque vous vous trouvez en

présence d'une situation banale, libre à vous de laisser
l'ombre neutre.

✔ Si vous voulez seulement que l'ombre apporte de la
définition au nez, dessinez d'abord le nez avec l'ombre.
Lorsque vous en serez satisfait, il ne vous restera plus qu'à
effacer le nez. Si vous ne savez pas où le situer précisément,
vous devrez deviner l'emplacement de l'ombre.

Le nez réaliste

Vous trouverez généralement le nez réaliste (voir la figure 4-17)
sur les personnages adultes ne présentant pas de traits de
visage exagérés ou caricaturaux. Vous pourrez voir ce type
de nez dans le shōnen manga et les récits ayant pour sujet
le monde des affaires. Effectuez les étapes suivantes pour
apprendre à dessiner un nez réaliste :

1. **Dessinez à main levée une ligne droite inclinée à un
   angle de 45°, comme à la figure 4-17a.**

   Remarquez que l'arête du nez ne se recourbe pas vers
   le haut comme le petit nez retroussé (Voir « Le nez
   retroussé » précédemment dans ce chapitre pour plus de
   détails).

2. **Dessinez le dessous du nez comme à la figure 4-17b.**

   À l'extrémité de l'arête, j'ai dessiné un arc court pour
   indiquer le bout du nez se recourbant vers le visage.
   Dessinez cet arc suivant un angle de 45°. Pour que ce nez
   soit convaincant, cet arc court ne doit pas être trop long
   pour rester aligné verticalement à l'extrémité haute de
   l'arête du nez.

3. **Ajoutez une petite courbe pour indiquer la narine
   comme à la figure 4-17c.**

Figure 4-17 :
Le nez réaliste
présente
davantage de
détails que les
autres types
de nez manga.

a   b   c

Vous trouverez ci-dessous d'autres trucs et astuces pour dessiner des nez particulièrement réalistes :

- ✔ Représentez les narines par de petites courbes arquées. Ne les dessinez jamais comme des formes rondes bizarroïdes ombrées d'encre noire – elles manqueraient terriblement d'élégance !

- ✔ Le bout du nez peut être arrondi plutôt qu'atténué ou pointu. Les personnages masculins doivent posséder un nez légèrement plus arrondi que celui des personnages féminins.

- ✔ Les personnages féminins élégants présentent une arête du nez plus droite que celle des personnages masculins.

Prêtez-moi une oreille attentive

La plupart des personnages de mangas aux traits caricaturaux ont de minuscules oreilles offrant très peu de détails. En vérité, vous ne verrez jamais les oreilles de certains protagonistes (plus particulièrement celles des personnages féminins). C'est une bonne nouvelle si vous n'aimez pas dessiner ces formes complexes. Cependant, je souhaiterais démystifier aux sections suivantes ces caractéristiques du visage. Dessiner des oreilles constituera en fait une expérience très amusante, une fois que vous aurez fait plus ample connaissance !

L'oreille en forme de 6

Vous remarquerez l'oreille en forme de 6 principalement sur les personnages jeunes et innocents, fréquemment associée à de grands yeux, un petit nez et une bouche minuscule. Le chiffre 6 représente essentiellement l'oreille sous sa forme la plus épurée. En dehors de la ligne de contour du conduit auditif et de la forme extérieure du pavillon de l'oreille, des replis simplifiés complètent ce type de forme – il vous suffira de dessiner le chiffre « 6 ». Effectuez les étapes suivantes pour vous entraîner :

1. **Dessinez la forme extérieure de l'oreille comme à la figure 4-18a.**

Pensez à la forme extérieure de l'oreille comme étant un demi-cercle déformé. Assurez-vous que l'extrémité basse de la ligne du demi-cercle se prolonge légèrement au-delà de son extrémité haute. Cela garantira que la position de l'oreille s'alignera correctement à la ligne légèrement oblique de la mâchoire de la tête de base.

Pour le style « macho », simplifiez l'oreille par une forme plus anguleuse (voir figure 4-18c).

2. **Dessinez un chiffre « 6 » au centre comme à la figure 4-18b.**

   J'ai placé mon chiffre « 6 » de manière à ce que le côté gauche soit parallèle à l'extrémité haute de la ligne de contour du pavillon de l'oreille. Cette forme représente la version simplifiée du creux de l'oreille.

   Pour terminer le style « macho », dessinez un chiffre « 6 » plus anguleux pour représenter les replis de l'oreille (voir figure 4-18d).

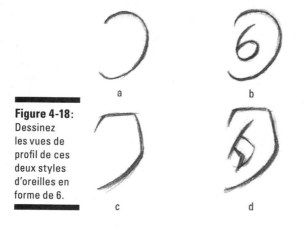

a   b

Figure 4-18 :
Dessinez les vues de profil de ces deux styles d'oreilles en forme de 6.

c   d

Lorsque vous dessinez l'oreille en forme de 6 vue de face, vous pouvez encore percevoir en partie le creux de l'oreille. Afin de la représenter sous cet angle de vue, suivez ces étapes :

1. **Dessinez la ligne de contour extérieure du pavillon de l'oreille, comme à la figure 4-19a.**

La forme vue de face du pavillon de l'oreille s'apparente à celle de la vue de profil, mais comprimée horizontalement pour s'amincir verticalement. Imaginez que vous prenez dans vos mains une forme sphérique de terre en l'aplatissant légèrement.

La figure 4-19d présente une oreille de style plus masculin.

2. Dessinez une courbe représentant la partie du cartilage avant de l'oreille légèrement inclinée, et placez-la au centre du pavillon de l'oreille (voir figure 4-19b).

Imaginez l'oreille comme étant un tube circulaire (semblable à un beignet en anneau – en beaucoup moins appétissant !). Lorsque vous dessinez cette courbe, gardez à l'esprit que l'espace situé à gauche représente la partie de l'oreille vous faisant directement face. Toutes les indications sur la droite sont orientées latéralement vers l'extérieur.

Reportez-vous à la figure 4-19e pour la version plus anguleuse.

3. Terminez la forme du creux de l'oreille en y ajoutant une courbe plus petite, comme à la figure 4-19c.

En partant du bas de la courbe initiale, dessinez une courbe plus petite en arrondi dans la direction opposée. Cette forme représente le creux de l'oreille, et occupe approximativement la moitié de la hauteur de la courbe plus longue indiquant la partie avant de l'oreille vue sous cet angle.

La figure 4-19f présente l'oreille « macho » terminée vue de face.

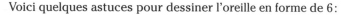

Voici quelques astuces pour dessiner l'oreille en forme de 6 :

✔ N'utilisez que deux lignes lorsque vous dessinerez cette oreille.

✔ Lorsque vous représenterez un enfant dont la tête et les traits de visage ne sont pas encore complètement développés, simplifiez l'oreille en effaçant en partie basse la ligne courbe indiquant le repli avant du pavillon.

✔ Pour les garçons de caractère plus « macho », vous pourrez éliminer les courbes et les remplacer par des obliques afin d'obtenir un dessin plus anguleux.

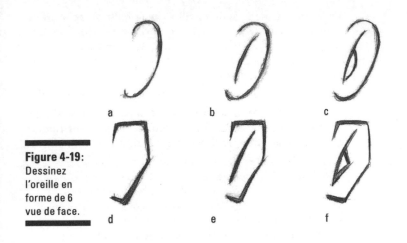

Figure 4-19:
Dessinez
l'oreille en
forme de 6
vue de face.

L'oreille ombrée

Ce type d'oreille s'observe principalement chez les
personnages de collégiens dessinés de manière plus réaliste.
Le creux de l'oreille est simplifié par une forme ombrée.
Foncez cette zone avec des trames (cf. chapitre 2 pour plus
de détails) en fonction de l'éclairage et de l'environnement, ou
avec du noir afin d'accentuer l'état émotionnel ou la situation
dramatique du personnage.

Entraînez-vous à dessiner la vue de profil de l'oreille ombrée
(comme à la figure 4-20) en suivant les étapes ci-dessous :

1. **Dessinez un demi-cercle déformé pour représenter le
   pavillon de l'oreille, comme à la figure 4-20a.**

   Observez le léger creux situé en bas à droite du
   contour de l'oreille. Il apporte davantage de précision
   et de réalisme à la forme générale, comparé à l'oreille
   plus simplifiée en forme de 6, présentée à la section
   précédente.

2. **Dessinez la courbe représentant le repli avant de
   l'oreille, comme à la figure 4-20b.**

   Vers le bas de la courbe, précisez la forme. La fonction
   de cette partie de l'oreille est de la protéger contre
   la poussière, en recouvrant partiellement le conduit
   auditif menant à l'oreille interne. Cette forme est plutôt

abstraite ; pensez à un rectangle coupé en deux et dissocié.

3. **Dessinez la partie ombrée du creux de l'oreille (voir figure 4-20c).**

   Commencez par la partie courbe avant de l'oreille, en laissant un fin intervalle en partie haute entre l'ombre et la ligne de contour extérieure. La ligne de contour sinueuse de l'ombre est légèrement inclinée vers le haut, avant de redescendre en oblique et de revenir vers la courbe avant de l'oreille, pour s'arrêter au niveau du conduit auditif.

Figure 4-20 : La forme de l'ombre ressemble à une clé à molette vue de profil.

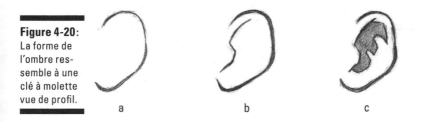

a   b   c

Lorsque vous représenterez la vue de face, assurez-vous que la forme ombrée soit visible (comme indiqué à la figure 4-21). Suivez les instructions ci-dessous :

1. **Dessinez le contour extérieur du pavillon ressemblant à celui de l'oreille en forme de « 6 », mais avec des bords plus anguleux (voir figure 4-21a).**

   Remarquez le lobe de l'oreille se recourbant vers le haut (en crochet).

2. **Dessinez la courbe avant du repli du cartilage de l'oreille, comme à la figure 4-21b.**

   Notez les formes courbes du devant plus droites pour donner à l'oreille un aspect anguleux plutôt qu'arrondi comme l'oreille en forme de 6. La forme du pavillon de l'oreille y est similaire (voir la section précédente pour plus de détails).

3. **Dessinez la forme ombrée du creux de l'oreille (voir figure 4-21c).**

En partant du sommet de la forme courbe avant, dessinez la ligne de contour de l'ombre descendant vers le bas (quasiment au niveau du lobe de l'oreille), avant de remonter en oblique vers cette forme courbe. Notez l'intervalle régulier entre la forme du creux de l'oreille et la ligne de contour du pavillon.

Évitez les erreurs les plus communes aux débutants en réservant suffisamment d'espace en partie basse pour le lobe de l'oreille.

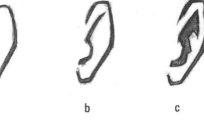

Figure 4-21 : L'oreille ombrée vue de face.

a   b   c

Voici quelques trucs et astuces que vous devez garder à l'esprit lorsque vous dessinez l'oreille ombrée :

✔ Assurez-vous que l'entrée du conduit auditif soit plus étroit que pour l'oreille en forme de 6.

✔ La partie supérieure ombrée des replis de l'oreille suit un angle aigu, semblable à la pointe d'une flèche.

✔ Remarquez le léger débord indiquant le lobe. Assurez-vous de lui réserver un espace suffisant, car votre personnage y portera peut-être des boucles d'oreilles.

L'oreille réaliste

Le dessin réaliste de l'oreille permet de la représenter plus précisément et à un niveau plus élaboré. Vous pourrez y voir une distinction nette de formes permettant de bien discerner l'oreille du conduit auditif. Suivez les instructions pour dessiner l'oreille réaliste comme à la figure 4-22 :

1. **Dessinez un demi-cercle déformé pour représenter le contour extérieur du pavillon de l'oreille, comme à la figure 4-22a.**

Cette forme est plus arrondie que dans le cas de l'oreille ombrée présentée à la section précédente. De plus, le lobe de l'oreille n'est pas si recourbé.

2. **Dessinez la courbure du repli avant de l'oreille réaliste, comme à la figure 4-22b**.

Plutôt que de figurer la ligne courbe à un angle, je l'ai rallongée de manière à ce qu'elle suive le contour intérieur du pavillon de l'oreille. Ne joignez pas les extrémités de cette ligne en boucle, mais laissez-la ouverte. Le bord supérieur de l'oreille doit ressembler à un tube. En supplément, j'ai également simplifié le pavillon en partie basse au niveau de la courbe avant. À la différence de la forme rectangulaire de l'oreille ombrée, l'extrémité basse de la ligne intérieure de cette oreille s'apparente à la forme du nez retroussé présenté précédemment dans ce chapitre.

3. **Représentez les replis de cartilage et le creux de l'oreille réaliste (voir figure 4-22c)**.

Dessinez la forme ombrée foncée située en avant de l'oreille, en vous assurant que sa ligne de contour supérieur forme une pointe. Le restant de la forme ombrée suit approximativement la ligne de contour du pavillon. J'ai indiqué diverses ombres pour donner du volume aux formes du cartilage de l'oreille. Comme références, observez vos oreilles pour représenter toutes ces tonalités.

Figure 4-22:
Les replis de l'oreille réaliste – plus elle présentera de détails, plus elle semblera réaliste.

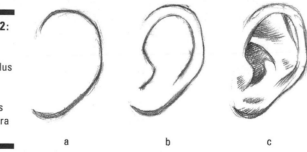

a b c

À présent, découvrons la méthode pour représenter de manière réaliste l'oreille vue de face. Pour qu'elle le soit, vous devrez y ajouter un maximum de détails. Comme vous pouvez le voir à la figure 4-23, les plus grandes formes sont divisées en des formes plus petites et plus complexes. Utilisez les étapes suivantes pour la représenter :

1. **Dessinez la courbure avant de l'oreille, comme à la figure 4-23a.**

   Cette partie peut faire penser à un mégot de cigarette en oblique. Vous dessinerez la partie arrière à l'étape 4 pour compléter la forme extérieure de l'oreille.

2. **En commençant sur le côté extérieure et en bas à droite de cette courbure, dessinez la partie de l'oreille faisant saillie au-devant du conduit auditif (voir figure 4-23b).**

   Dans ce cas, la forme en saillie s'apparente à celle du nez retroussé. Notez sa proportion légèrement plus grande et plus arrondie lorsque vous dessinez de manière réaliste.

3. **Dessinez la ligne de contour extérieur du repli de l'oreille se recourbant et allant rejoindre l'extrémité de la ligne de la partie en saillie au-devant du conduit auditif (voir figure 4-23c).**

4. **Complétez la partie inférieure du pavillon de l'oreille, comme à la figure 4-23d.**

   Il s'agit d'un procédé en deux temps. Lors de la première étape, dessinez une ligne partant du haut du pavillon et s'arrêtant au niveau du creux de l'oreille. Gardez à l'esprit que cette ligne ne se termine pas là, mais se poursuit pour se diriger à l'arrière du repli faisant saillie par rapport au pavillon. Commencez la seconde étape en dessinant la ligne de contour extérieure émergeant de l'arrière de cette forme en saillie. Rappelez-vous de réserver un espace pour indiquer le lobe de l'oreille.

Voici quelques astuces à garder à l'esprit lorsque vous reproduirez l'oreille réaliste :

✔ Plus vous y ajouterez de détails, plus le résultat sera réussi.

✔ Assurez-vous que certaines lignes se recoupent. Ce procédé apportera davantage de volume à l'oreille représentée.

✔ Comme références, observez votre oreille avec un miroir ou prenez une photo en gros plan de celle d'un copain avec votre appareil numérique.

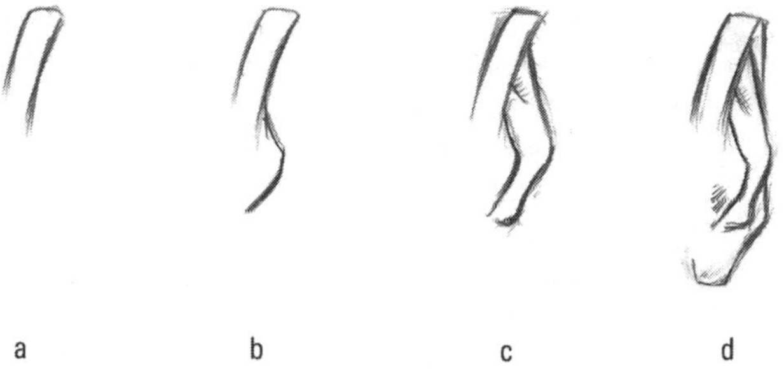

Figure 4-23:
Élaborez la
vue de face
de l'oreille
réaliste, ligne
après ligne et
forme après
forme.

Figure 4-23:
Élaborez la
vue de face
de l'oreille
réaliste, ligne
après ligne et
forme après
forme.

a   b   c   d

Apprenez à dessiner la bouche

La bouche de style manga est généralement très simplifiée.
Parfois, son esquisse est tellement minimaliste qu'elle est
uniquement suggérée par un petit point ou une ligne courte.
Selon le genre de manga, elle sera même parfois invisible. En
effet, le mangaka ne la représente pas toujours. Il privilégiera
plutôt les yeux gigantesques comme moyen d'expression. De
ce fait, si dessiner les bouches n'est pas votre tasse de thé et
que vous vous intéressez au dessin de manga, vous êtes plutôt
chanceux !

Malgré sa simplicité, la bouche manga est expressive : le plus
petit mouvement de ligne peut apporter une énorme différence
à l'expressivité délicate et subtile d'un visage. Si vous dessinez
une bouche manga à vos personnages, vous vous demanderez
peut-être avec perplexité si une bouche manga réussie n'est
vraiment rien d'autre qu'une simple ligne. Que vous le croyiez
ou non, un créateur de manga accompli possède de solides
bases de connaissances concernant la structure de la bouche
humaine. Je vous présenterai initialement un rapide aperçu de
cette structure de base.

Dessinez la structure de base de la bouche

La bouche est composée de deux parties – la lèvre supérieure
et la lèvre inférieure. Ne vous représentez pas la mâchoire
inférieure et supérieure comme des éléments plans
bidimensionnels. En tâtant votre propre mâchoire, vous pouvez

constater qu'elle présente une structure arrondie partant de l'avant des dents pour se diriger vers l'arrière du cou. Suivez les étapes ci-dessous en observant la figure 4-24 pour représenter la structure de la bouche manga :

1. **Dessinez un cylindre court comme à la figure 4-24a.**

   Ce cylindre représente la forme de base schématisée des mâchoires.

2. **Dessinez une ligne centrale horizontale à l'intérieur de ce cylindre (voir figure 4-24b).**

   Cette ligne représente le dessus de la lèvre inférieure.

3. **Dessinez le dessous de la lèvre inférieure, en vous basant sur mon illustration à la figure 4-24c.**

   J'ai dessiné le dessous de la lèvre inférieure en esquissant de gauche à droite une courbe soulignant la ligne au-dessus.

   Si vous souhaitez obtenir des lèvres plus épaisses, incurvez davantage cette courbe vers le bas, ou abaissez-la complètement.

4. **Dessinez la lèvre supérieure superposée à la lèvre inférieure, comme je l'ai illustré à la figure 4-24d.**

   Commencez en dessinant le dessous de la lèvre supérieure *débordant* sur la lèvre inférieure. Le centre de la lèvre supérieure fait saillie sur l'avant et se recourbe vers le bas, recouvrant ainsi en partie la lèvre inférieure.

   Puis continuez en figurant le dessus de la lèvre supérieure, dont les extrémités commencent à partir des coins de la bouche, et rejoignent le centre en oblique. Au lieu de réunir ces deux lignes au centre, reproduisez l'arc central superposé à la lèvre inférieure mais légèrement plus large afin d'unifier la forme générale de la bouche. Les lignes de contour de la lèvre supérieure rallient cet arc de chaque côté.

   Les lignes de contour de la lèvre supérieure s'apparentent à un « M » en rejoignant le centre.

5. **Effacez toutes les parties de la lèvre inférieure recouvertes par la lèvre supérieure (voir figure 4-24d).**

6. **Ajoutez des accents de lumière sur la lèvre inférieure pour donner l'impression d'une surface brillante ou humide (comme à la figure 4-24e).**

En règle générale, les surfaces perpendiculaires à une source lumineuse accrochent davantage la lumière (et par conséquent présentent des reflets plus importants). Comme je vous le montrerai plus tard à la figure 4-25, la lèvre inférieure est davantage exposée à la lumière que la lèvre supérieure.

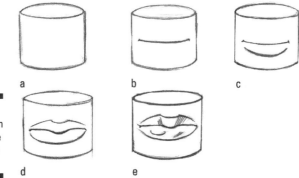

a   b   c

Figure 4-24 : Démonstration de la méthode de dessin des lèvres.

d   e

Faites de votre mieux pour ajuster le « M » de la lèvre supérieure au centre de la lèvre inférieure et qu'il y soit superposé en partie. Sinon, la bouche manquera de volume.

Dessiner des objets ou des formes se superposant vous permettra d'obtenir un effet tridimensionnel. L'application de ce principe simple à vos dessins fera des merveilles.

Je montre ici des lèvres vues sous deux angles différents. À la figure 4-25a, la ligne supérieure de la lèvre se courbe légèrement avant de redescendre en oblique vers le centre de la lèvre inférieure. Remarquez également la manière dont la lèvre supérieure déborde par rapport à celle-ci.

Dans la vue de 3/4 du visage à la figure 4-25b, vous pouvez remarquer la manière dont les reflets de lumière sur la lèvre inférieure ainsi que la fluctuation d'épaisseur des lignes permettent d'apporter du volume et du réalisme à un dessin plan bidimensionnel.

Tout ce qui est charmant étant d'une importance capitale dans l'univers du manga, voici quelques trucs et astuces que vous pourrez utiliser pour représenter des bouches aussi adorables que possible :

✔ Ajoutez de petites fossettes à proximité des commissures des lèvres. Pour représenter ces fossettes, j'indique de chaque côté de la bouche de petites pointes de flèche ressemblant aux signes > et <, particulièrement efficaces pour représenter une bouche souriante.

✔ Recourbez les coins de la bouche vers le haut lorsque vous voulez représenter un sourire. La courbe la plus légère ou subtile fonctionnera à merveille.

✔ Ne dessinez jamais les dents en détail. Dessinez plutôt la rangée de dents du haut et du bas comme une bande unie. Je dessine une ligne simple horizontale derrière les lèvres lorsque la bouche du personnage est ouverte (comme à la figure 4-27c). Dans les cas où les mâchoires sont serrées, je représente les rangées de dents du haut et du bas soudées en un seul élément (comme à la figure 4-27a).

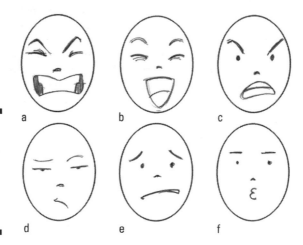

Figure 4-27 :
Amusez-vous à représenter différentes bouches simplifiées mangas expressives.

a   b   c

d   e   f

✔ Essayez d'expérimenter avec des formes à la fois symétriques et asymétriques pour suggérer diverses expressions de visage.

↙ Utilisez les illustrations présentées à la figure 4-27 comme modèles pour combiner les différents types de lignes, de points et autres courbes simples, afin de créer votre propre répertoire d'expressions de visage. N'essayez pas pour le moment de représenter un visage de manière réaliste ou de lui donner un aspect fini. Que se passe-t-il lorsque vous soulevez un sourcil plus haut que l'autre ? Pourquoi ne disposeriez-vous pas sa forme triangulaire en oblique de manière à ce que l'une des extrémités soit plus accentuée ?

Une bonne coupe de cheveux

La coiffure que vous choisirez en dira long sur les traits de caractère et la personnalité de vos personnages, ainsi que sur le style de votre manga. Les formes et les couleurs choisies vous permettront de présenter votre « créature » comme un rebelle militant, un solitaire, un intellectuel ou une petite brute.

La culture androgyne *yaoi* joue un rôle fondamental dans l'univers de la mode masculine manga, plus particulièrement en ce qui concerne la coiffure. Comme je vous le montrerai dans cette section, les coiffures *yaoi* (accompagnées par ces yeux gigantesques typiques) abolissent parfois toutes différences entre une apparence féminine ou masculine.

Dans la figure 4-28, vous pouvez voir une sélection des nombreux styles de coiffures *yaoi*. De manière générale, les formes plus lisses ou en arrondi suggéreront une tenue soignée et un quotient intellectuel plus élevé. Les cheveux peuvent tomber jusqu'aux épaules. Les styles de coiffure présentant des contours plus hérissés ou ébouriffés, et généralement courts, seront particulièrement adaptés à un jeune échevelé passant la majeure partie de son existence la tête dans les nuages.

Afin de bien démarrer cette section, vous aurez besoin de vous baser sur les formes de têtes complètes que je vous ai présentées au début de ce chapitre. Si vous n'avez jamais dessiné une tête manga auparavant, lisez la section « Mission Manga ».

Figure 4-28:
Différents styles de coiffures au look androgyne.

À la figure 4-29, je vous montrerai les étapes à suivre pour dessiner les cheveux sur les formes de têtes de base. Effectuez les étapes suivantes pour représenter la coiffure hérissée « sauvage yaoi », en vous basant sur la forme de tête androgyne vue de 3/4 :

1. **Localisez et marquez d'un « X » le point où les mèches de cheveux commenceront (vous pouvez l'appeler la « tonsure »); prenez modèle sur la figure 4-29a.**

   Cet endroit se situe généralement juste après le sommet du crâne. Je dessine ma première mèche de cheveux à environ 1 cm au-dessus du point « X », par un signe parfois utilisé pour cocher une case.

2. **En commençant par ce point initial, dessinez les contours des mèches des côtés gauche et droit de la chevelure, comme indiqué à la figure 4-29b.**

   En commençant sur la gauche du signe « X » et en dessinant de ce côté vers le devant de la tête, j'ai tout d'abord dessiné deux lignes courbes aux extrémités en pointe. Tandis que les cheveux se rapprochent du front, j'ai dessiné davantage de pointes de mèches se recourbant vers la tête, et moins de lignes courbes.

   Je suis revenu ensuite au sommet sur la droite du signe « X », et j'ai dessiné le contour de la partie arrière de la chevelure. Ma première ligne courbe est la plus longue;

elle se termine par une pointe aiguë juste au-dessus de l'oreille. Trois mèches supplémentaires se recourbent vers la tête. Assurez-vous de prévoir suffisamment d'espace entre le scalp et le contour des cheveux.

J'ai remarqué que la distance entre la tête et la chevelure augmente vers l'avant, en se réduisant juste au-dessus du « X ».

3. **Dessinez les bouts des mèches ébouriffées, comme à la figure 4-29c.**

De gauche à droite, j'ai esquissé une série de formes pointues pour représenter les pointes des mèches. Ces formes sont plus fines et plus longues que le reste de la chevelure. Lorsque je les ai dessinées, j'ai joué de mon poignet comme pivot afin de représenter les pointes aiguës dans un mouvement de va-et-vient et de bas en haut. Deux ou trois mèches recouvrent en partie les yeux.

Voici quelques astuces pour représenter des mèches de cheveux ébouriffées convaincantes :

- ✔ Commencez par le haut avec des mèches ébouriffées plus petites.
- ✔ Faites alterner la direction des pointes des mèches, tournées vers le haut ou vers le bas.
- ✔ Les mèches doivent s'allonger et s'amincir en retombant.
- ✔ Tournez votre feuille de papier sur le côté pour terminer les mèches.
- ✔ La forme générale de la chevelure doit être arrondie ou légèrement ovale.

Figure 4-29 : Dessinez le style de coiffure ébouriffée yaoi, en traçant d'abord la ligne de contour extérieure de la chevelure.

a   b   c

Commencez par dessiner la tête, en prenant exemple sur celle que j'ai utilisée à la figure 4-30a, puis concentrez-vous sur les étapes suivantes pour dessiner le style de coiffure « Lisse yaoi » :

1. **Commencez juste sur la gauche de la ligne centrale verticale du visage, et dessinez d'abord les mèches de cheveux séparées par une raie.**

   Les mèches séparées par la raie doivent être longues. Dans la figure 4-30b, les deux mèches réparties de chaque côté de la raie sont clairement visibles. Pour celles situées à gauche, j'ai dessiné ce que j'appelle des « mèches torsadées ». Je commence par ébaucher une mèche de cheveux courte et pointue. À cette extrémité pointue, je raccorde une forme similaire plus courte et orientée dans la direction opposée. Je poursuis par une ondulation longue, puis par une ondulation très courte. Avant d'aborder le côté droit, j'ai ajouté de petites lignes en-dessous des mèches initiales courtes et aiguës, pour indiquer la ligne de naissance des cheveux.

   La forme générale de la mèche située à droite ressemble à la queue d'un cheval. Dessinez une série de pointes courtes et graphiques rassemblées en une forme plus importante et arrondie vers le bas de cette mèche. Terminez ce côté en indiquant en haut du front les petites lignes graphiques de la naissance des cheveux.

2. **Dessinez et terminez les deux côtés de la chevelure (voir figure 4-30c).**

   Commencez par le point où se rejoignent les deux côtés des mèches. J'ai dessiné ici de chaque côté quatre à cinq lignes s'étirant vers l'arrière de la tête. L'arrière de la chevelure est lisse et de volume subtil. L'ensemble de la coiffure suit généralement de près la forme de la tête (à la différence du style « ébouriffé *yaoi* », où la chevelure est plus éloignée du crâne). Le seul endroit où les cheveux semblent plus volumineux se situe derrière les oreilles. J'ai terminé l'arrière de la chevelure en allongeant la courbe en douceur vers le bas de la nuque, et en l'arrêtant juste au niveau du menton.

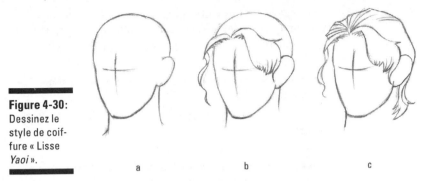

a   b   c

Des émotions très révélatrices

Une fois que vous aurez élaboré un personnage de base,
donnez-lui vie en le mettant en action. Dans cette section,
nous allons mettre en jeu plusieurs expressions permettant
de suggérer les émotions appropriées chez votre personnage.
Installez-vous donc dans votre fauteuil de metteur en scène, et
apprêtez-vous à diriger le tournage. Lumière, Caméra, Action !

Avant que nous examinions quelques exemples d'émotions
classiques, essayez cet exercice visuel simple : improvisez
une émotion par l'expressivité de votre visage durant 15
minutes, face à un miroir. Observez ce qui se produit. Dans
le cas d'émotions extrêmes, comme la rage ou la peur, un œil
semblera plus haut que l'autre. Observez comment la bouche
et les narines se tordent en une grimace qui ferait hurler votre
mère ! Amusez-vous bien, puis installez-vous à nouveau à votre
table à dessin !

Le visage neutre

Imaginez le visage d'une jeune fille venant juste de sortir
de chez elle pour se rendre au travail. Elle ne semble ni
particulièrement heureuse ni triste. Bien que le lecteur ne
connaisse pas exactement les émotions qui l'habitent, son
visage neutre lui transmet qu'elle est en accord avec la société
ou du moins avec son environnement immédiat.

Effectuez les étapes suivantes pour apprendre à dessiner l'expression neutre d'un visage, comme illustré à la figure 4-31 :

1. **Dessinez la forme de tête androgyne pour votre personnage.**

2. **Dessinez les yeux regardant droit devant et les sourcils formant un arc.**

   Dessinez les sourcils parfaitement arqués suivant la forme des yeux.

3. **Dessinez le petit nez retroussé.**

4. **Dessinez la bouche simplifiée, légèrement recourbée vers le haut en un sourire subtil.**

   J'ai esquissé une petite courbe pour indiquer la bouche, soulignée d'un arc plus petit suggérant le dessous de la lèvre inférieure, lui apportant ainsi davantage de volume.

5. **Dessinez les oreilles en forme de 6.**

6. **Dessinez les mèches de la frange et les couettes.**

   Les couettes sont amusantes et relativement simples à dessiner. La chevelure est proche de la forme de la tête, d'où elles émergent à l'arrière. J'ai dessiné de longues formes pointues pour représenter les mèches de la frange. J'ai intégré certaines mèches torsadées, comme dans le style de coiffure « Lisse *Yaoi* », descendant jusqu'au niveau du menton. Afin d'apporter du volume à l'arrière de la chevelure, j'ai dessiné des lignes commençant des côtés de la tête et allant rejoindre la forme rectangulaire représentant l'attache des couettes.

Figure 4-31 :
Dessinez le visage neutre.

Le visage sérieux

À présent, supposons que votre personnage arrive à son lieu de travail et y ressente une atmosphère bizarre. Ses amis hésitent à lui annoncer la mauvaise nouvelle. À la différence de l'expression neutre qu'elle présentait auparavant, ses émotions deviennent plus apparentes lorsqu'elle arbore un visage sérieux. Les lecteurs ressentiront la tension ainsi créée. Le sourire ayant à présent totalement disparu, les traits du personnage commencent à nous transmettre que quelque chose ne va pas comme prévu. L'expression de son visage n'est pas particulièrement subtile.

Effectuez les étapes suivantes pour transformer le visage neutre en un visage sérieux, comme illustré à la figure 4-32 :

1. **Recourbez légèrement les sourcils vers le bas pour suggérer un léger froncement subtil juste au-dessus des yeux.**

2. **Recourbez la bouche vers le bas.**

   Cette bouche est la version inversée du sourire subtil du visage neutre (voir la section précédente). Observez comment j'ai inversé le petit arc indiquant la lèvre inférieure afin qu'il en accentue encore l'expression.

Figure 4-32 :
Dessinez
le visage
sérieux.

Le visage courroucé

Vous allez à présent percevoir l'origine de la colère de votre personnage, tandis que son visage arbore maintenant une expression de fureur. Elle n'a pas obtenu la promotion qu'on lui avait promise au bureau ! Effectuez les étapes suivantes pour transformer le visage sérieux en un visage courroucé, comme présenté à la figure 4-33 :

1. **Dessinez les sourcils pour qu'ils soient plus droits et se froncent davantage au milieu du front.**

   Notez que l'extrémité des sourcils se recourbe obliquement vers la naissance des cheveux, en s'éloignant du milieu du front.

2. **Ajoutez une série de hachures au-dessus du nez pour suggérer un changement soudain de température (dans ce cas virant au rouge).**

   N'ajoutez pas trop de lignes à ce stade (vous devez les réserver aux émotions encore plus intenses à venir). Pour le moment, j'ai juste dessiné cinq lignes courtes en diagonale.

3. **Transformez la bouche en recourbant légèrement vers le bas le centre de la lèvre supérieure, et en redressant les commissures des lèvres vers le haut.**

   En supplément, j'ai remonté le centre et recourbé la ligne de contour de la lèvre inférieure vers le bas afin d'exposer la rangée de dents.

Figure 4-33 :
Dessinez
le visage
courroucé.

Le visage furax

À présent, votre personnage est passé d'une humeur courroucée à un état furax proche de la démence. Elle découvre que le collègue ayant bénéficié de la promotion qu'elle désirait n'est rien moins que le fils de l'exécutif en chef! Et pour encore aggraver la situation, il fut autrefois son petit ami! À présent, elle l'invective tandis qu'il se dirige d'un pas léger vers son nouveau bureau privé pour s'installer dans un luxueux siège en cuir.

Suivez les étapes ci-dessous pour transformer le visage courroucé en un visage furax, comme illustré à la figure 4-34 :

1. **Inclinez encore davantage les sourcils froncés entre les yeux.**

   Lorsqu'un personnage devient aussi fou furieux, les sourcils obscurcissent en partie les yeux.

2. **Recourbez les paupières inférieures pour indiquer la contraction des muscles des joues étirés vers le haut.**

   Modifiez les paupières inférieures en inversant leur ligne courbe de manière à ce qu'elle soit parallèle à celle des paupières supérieures. À présent, elle est tellement furieuse que sa vision s'obscurcit également en partie basse.

3. **Dessinez une série de hachures en dessous des yeux.**

Figure 4-34 :
Dessinez le
visage furax.

4. **Dessinez la bouche ouverte avec le centre de la lèvre supérieure recourbé vers le bas afin de montrer les dents en crocs.**

Lorsque vous représentez une bouche exprimant une fureur noire, soulignez-en l'ouverture plus large en partie basse qu'en partie haute. De petits crocs ajoutés aux deux rangées de dents produiront un effet très impressionnant.

Le visage triste

L'accablante fait ainsi surface tandis que votre personnage s'affaisse sur son vieux siège minuscule, dans son recoin de bureau rempli à craquer – le poste dont elle rêvait s'est à présent volatilisé. Suivez les étapes ci-dessous pour transformer le visage neutre en un visage triste, comme illustré à la figure 4-35 :

1. **Dessinez de grands yeux gigantesques.**

Indiquez un reflet de lumière à l'angle gauche en haut de l'œil et un plus petit en bas à droite, suggérant qu'elle est au bord des larmes.

2. **Dessinez des sourcils droits en oblique à 45°.**

3. **Ajoutez de légères hachures en dessous de chaque œil suggérant qu'elle refoule ses larmes et qu'elle est prête à éclater en sanglots.**

Figure 4-35:
Dessinez le visage triste.

4. **Ajoutez une bouche triste en dessinant un arc de cercle ressemblant à la forme d'un boomerang.**

   Tracez une ligne courte juste en dessous de la bouche, afin d'accentuer encore la moue.

Le visage encore plus sombre

Votre personnage vient juste de raccrocher après une conversation téléphonique avec sa mère où elle lui annonce qu'elle ne rentrera pas à la maison ce week-end, car elle n'a pas obtenu de promotion ni le poste qu'elle convoitait. Effectuez les étapes suivantes pour transformer l'expression du visage attristé en une expression encore plus morose, comme à la figure 4-36 :

1. **Dessinez de petites larmes se formant aux coins des yeux.**

   Lorsque vous dessinez les yeux, remontez la paupière inférieure afin d'accentuer l'impression qu'elle ne peut plus retenir ses larmes.

2. **Dessinez les lignes des sourcils légèrement déformées et rapprochées des yeux.**

3. **Ajoutez davantage de hachures en dessous des yeux.**

4. **Dessinez la forme de la bouche tournée vers le bas (ressemblant à une petite saucisse apéritif) et plus étroite en largeur que pour la bouche du visage triste.**

Figure 4-36 : Dessinez le visage encore plus triste.

Le visage totalement désespéré

Pour ajouter encore à l'insulte, l'ex-petit ami et maintenant supérieur hiérarchique de votre personnage lui ordonne d'aller lui chercher un café. Quelle humiliation, quelle honte ! Tirez profit du désespoir total de l'infortunée tandis qu'elle s'exécute, en courant vers le café du coin, tout en pleurant à chaudes larmes. Effectuez les étapes suivantes pour transformer le visage encore plus triste en une expression de désespoir infini, comme illustré à la figure 4-37 :

1. **Représentez les yeux plissés en les dessinant comme des parenthèses à l'horizontale.**

2. **Ajoutez des larmes coulant le long des joues**.

    Commencez par le coin des yeux fermés, et assurez-vous que le flot de larmes suive le contour des joues bien arrondies.

    Accentuez l'expression d'innocence des yeux en épaississant la ligne des paupières « en parenthèses » (plus particulièrement si vous dessinez un personnage principal *shôjo*).

3. **Dessinez la forme allongée de la bouche béante et hurlante**.

    Le milieu de la lèvre supérieure s'incline obliquement en pointe vers le bas. Lorsque vous reproduisez la bouche ouverte sous cet angle, assurez-vous que les deux côtés recourbés soient bien parallèles. Pour terminer, j'ai dessiné la rangée de dents du haut et la langue.

Figure 4-37: Dessinez le visage exprimant le désespoir total.

Quelques indications à garder à l'esprit lorsque vous soulignerez la bouche :

- ✔ Dessinez la lèvre supérieure recourbée vers le bas.
- ✔ Montrez la rangée de dents du haut.
- ✔ Représentez la langue.
- ✔ Assurez-vous que la partie inférieure de la bouche est plus large que la partie supérieure.

Le visage exprimant le choc ou la surprise

Votre personnage apprend par un collègue bienveillant que son abominable ex-petit ami voleur de promo vient juste d'être pris en flagrant délit d'accepter des dessous-de-table de la part d'investisseurs. Il a été appréhendé et à présent, le poste qu'elle convoitait est potentiellement à portée de main ! Lorsque vous voulez représenter une expression de choc ou de surprise, accentuez principalement les yeux.

Suivez les étapes ci-dessous pour imprimer au visage totalement désespéré en une expression de surprise ou de choc, comme illustré à la figure 4-38 :

1. **Dessinez les yeux écarquillés**.

   Observez que les yeux sont plus petits que d'habitude et ne touchent ni le haut ni le bas des paupières. Tracez de fins sourcils très hauts, afin d'attirer l'attention des lecteurs sur l'expressivité du visage.

2. **Dessinez la bouche grande ouverte**.

Quelques indications à garder à l'esprit lorsque vous représenterez cette bouche :

- ✔ Formez la ligne courbe supérieure de la lèvre retombant légèrement et dépassant de la largeur inférieure de la bouche.
- ✔ La partie inférieure de la bouche doit être recourbée comme pour esquisser un sourire.
- ✔ Dessinez la langue assez large pour qu'elle occupe la majeure partie de la bouche ouverte.

Figure 4-38:
Dessinez le visage exprimant le choc ou la surprise.

Le visage radieux

Il semblerait que les choses s'arrangent finalement pour votre petite princesse ; elle a été informée que le poste qu'elle désirait vient de lui être assigné. Effectuez les étapes suivantes pour transformer le visage neutre en un visage radieux, comme illustré à la figure 4-39 :

1. **Dessinez les yeux, en vous assurant que les sourcils s'écarquillent vers le haut.**

   Remarquez que la paupière inférieure remonte dans cette expression.

2. **Dessinez la bouche au sourire réjoui.**

Voici quelques indications à garder à l'esprit lorsque vous dessinerez la bouche :

✔ Évitez de dessiner les dents en détail. Croquez-les toujours simplifiées en une rangée unie.

✔ Lorsque vous dessinez un visage jubilant, représentez les joues légèrement bombées vers l'extérieur.

Figure 4-39:
Dessinez
le visage
radieux.

Le visage rayonnant de bonheur

Lorsque les émotions de votre personnage la conduisent
à l'extase, les yeux se ferment complètement de plaisir,
indiquant que le bonheur la submerge. Ses sourcils sont
très recourbés. Comme pour le visage triste et courroucé
cité précédemment dans ce chapitre, lorsqu'ils représentent
ce visage irradiant de satisfaction, la plupart des mangakas
dessinent plusieurs traits légers sur chaque joue pour
indiquer un changement de couleur ou de température.
Finalement, le dessus de la bouche se recourbe vers les joues
plus qu'à l'accoutumée, produisant un sourire encore plus
large. Les lecteurs ont l'impression que ses émotions sont
tellement intenses qu'elle est prête à éclater de rire. En effet,
elle ne devrait pas s'en priver – elle vient juste de recevoir son
premier chèque correspondant à sa nouvelle promotion !

Effectuez les étapes proposées ci-dessous pour transformer le
visage radieux en un visage resplendissant de bonheur, comme
à la figure 4-40 :

1. **Dessinez les arcs des yeux rayonnants de bonheur**.

   Assurez-vous d'arquer les « parenthèses » des yeux plus
   haut que dans le visage exprimant le désespoir total,
   mentionné précédemment dans ce chapitre.

2. **Lorsque vous dessinerez la bouche, la lèvre supérieure devra être recourbée bien plus haut que dans l'expression du visage radieux.**

   La lèvre supérieure de la bouche souriante doit être aussi légèrement plus large, vous donnant ainsi davantage d'espace pour indiquer la rangée des dents et la langue.

Figure 4-40 :
Dessinez le visage res-plendissant de bonheur.

Chapitre 5

De super physiques : le corps manga de base

Dans ce chapitre :
▶ Initiez-vous aux proportions du corps
▶ Établissez la structure du corps en utilisant des formes géométriques de base
▶ Contorsionnez les silhouettes dans les positions que vous voulez

S i vous êtes fin prêt à aborder le dessin de votre premier corps manga, vous êtes à la bonne adresse.

Chaque chose en son temps : vous devrez d'abord assimiler la méthode d'application des proportions de base à vos personnages. Un mangaka (dessinateur de manga) confirmé sait comment créer non seulement un superbe visage attrayant, mais également un corps qui y soit adapté. Que votre personnage soit grand ou petit, gros ou mince, a peu d'importance. Son allure doit être convaincante et naturelle au cours de votre manga. Établissez d'abord la structure du squelette, puis ajouter des muscles et des courbes sera presque un jeu d'enfant.

Dans ce chapitre, je vous présenterai la manière de construire vos personnages en trois étapes. En premier, je vous montrerai comment établir des proportions précises en utilisant une silhouette générale de base. À la deuxième étape, je vous présenterai la méthode pour élaborer la structure du corps de votre personnage avec des formes géométriques. Finalement, je vous montrerai comment intégrer la définition musculaire.

Combien de têtes ? Établissez les proportions de votre personnage

Qu'est-ce que les *proportions* ? Il s'agit essentiellement du rapport de proportion tête/corps de votre personnage. Mesurer les proportions signifie utiliser une partie distincte du corps (généralement la tête) comme unité de mesure pour en établir la taille.

Mesurer les proportions d'une personne commence généralement par estimer le *nombre de têtes* – en mesurant la hauteur de la tête (du sommet du crâne jusqu'au-dessous du menton), et en utilisant cette unité de mesure pour établir la hauteur totale du corps. Si vous participez à un cours de dessin de modèle vivant, vous pourrez observer les élèves tenant généralement un crayon le bras tendu devant eux, pour mesurer en fermant un œil les proportions du modèle. Après s'être servi du crayon pour estimer la dimension de la tête, l'artiste utilise cette longueur pour mesurer le reste du corps.

Effectuez une observation sur le terrain si vous résidez à proximité d'un musée d'art exposant des sculptures ou de petites statues du corps humain. Choisissez-en une, et en utilisant un crayon pour en prendre les mesures, voyez si vous pouvez en déterminer les proportions. Je vous conseille d'observer les œuvres provenant de plusieurs cultures et époques.

Dans l'univers du manga, les personnages simples mesurent généralement de 2 à 4 têtes de hauteur, comme vous pouvez le voir à la figure 5-1a. Par contraste, les personnages principaux de mangas d'action sont dessinés mesurant une hauteur vertigineuse de 10 à 15 têtes, comme à la figure 5-1b. Selon l'échelle de proportion que vous utiliserez, vous pourrez obtenir une silhouette simplifiée ou plus proche de la réalité, la figure humaine mesurant de 7 à 8.5 têtes de haut.

Dans ce livre, lorsque j'aborderai la longueur et la largeur des parties spécifiques du corps, j'utiliserai pour cette silhouette particulière la dimension de la tête comme unité de mesure standard. Prendre note de la hauteur et de la largeur de la tête de mon personnage m'épargnera d'en reprendre les mensurations.

Figure 5-1 :
Le manga classique et le manga d'action utilisent différentes échelles de proportions.

a   b

Lorsque vous abordez les proportions, voici quelques indications à garder à l'esprit :

✔ Plus les proportions seront simplifiées, plus l'aspect de votre personnage sera caricatural.

✔ Les personnages plus simples possèdent des accoutrements symboliques (au niveau coiffure, vêtements, bijoux, etc.).

✔ Plus vos proportions seront proches de la réalité, plus vous devrez dessiner avec précision les caractéristiques physiques.

Si vous dessinez du manga pour la première fois de votre vie, et n'avez pas suivi de cours de dessin au préalable, je vous recommande de ne pas essayer d'aborder le manga réaliste avant que vous ne vous sentiez à l'aise avec le style de représentation exagéré plus classique.

Dessiner de manière réaliste présuppose généralement de passer davantage de temps à effectuer des recherches (des références pour les vêtements, les précisions d'anatomie, etc.). Trop de détails peuvent nuire à l'image d'ensemble.

Quel que soit le genre de manga que vous choisissiez d'illustrer, déterminer le nombre de têtes constituant la hauteur de vos personnages est une étape cruciale. Les mangakas renommés se font un devoir d'étoffer leurs personnages en fonction d'angles de vue différents dans leurs *fiches d'échelle de proportions des personnages*. À la figure 5-2, je vous présente en exemple une fiche de référence établie pour mon personnage Java et sa fidèle complice La-Té. L'objectif de cette étude est de vérifier le dessin de ces personnages selon des angles de vue différents tout en conservant les mêmes proportions. Remarquez le nombre de têtes sur les silhouettes situées sur les côtés. En commençant de gauche à droite, sont présentés Swizz Mizz, Astronomus, Java, La-Té et Mickey, les protagonistes de ma série *JAVA!* Ces schémas m'apporteront une meilleure idée de la stature et de la taille de mes personnages comparativement les uns aux autres, lors de leurs prochaines aventures.

Commencez en dessinant la vue de face de l'un de vos personnages, puis poursuivez en réalisant votre propre fiche d'échelle de proportions, en les représentant l'un à côté de l'autre, comme je l'ai fait à la figure 5-2. Ne vous préoccupez pas pour l'instant des détails dans le but de réaliser un dessin terminé – vous voulez uniquement comparer les proportions de vos personnages, les uns par rapport aux autres. Contentez-vous pour le moment de dessiner uniquement leurs contours.

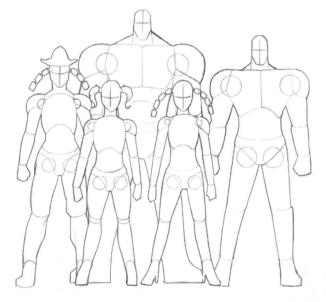

Figure 5-2: Exemple de fiche d'échelle de proportions des personnages.

Une approche de haut en bas

Quel est le meilleur point de départ pour dessiner votre premier corps manga ? Selon moi, il faut partir « du haut », pour deux raisons essentielles :

✔ Premièrement, le style manga accentue énormément le visage - à un tel point que s'il n'est pas correctement représenté, il risquera d'influer sur votre inspiration lorsque vous commencerez à dessiner le reste du corps.

✔ La deuxième raison peut être résumée en peu de mots : les lois de la gravité. Votre main et vos yeux seront d'autant plus efficaces si vous travaillez en fonction de l'attraction de la pesanteur naturelle. Je peux vous le démontrer : choisissez un simple objet dans la pièce. Commencez à le dessiner sur votre bloc de papier, tout en travaillant du bas vers le haut (plutôt que de haut en bas). Remarquez que, lorsque vous procédez ainsi, vous ressentez au niveau du poignet une contraction désagréable et que votre main est plutôt maladroite. Travailler à l'encontre de la gravité vous fatiguera le bras plus rapidement.

Dessinez une silhouette générale épurée

Après avoir établies les proportions de votre personnage (référez-vous à la section précédente), votre prochaine étape est de réaliser une *silhouette générale épurée*. Une telle structure est mieux décrite comme étant une représentation simplifiée du squelette. Comme exposé dans cette section, il s'agit d'un instrument rapide et précis vous permettant d'établir la position du corps de votre personnage avec exactitude et en fonction de ses proportions.

L'un des avantages d'une silhouette générale épurée est qu'elle permet de représenter indifféremment les deux sexes. De plus, il vous sera plus facile d'obtenir la position d'action désirée en utilisant cette silhouette simplifiée avant d'aborder une session d'anatomie plus avancée. Dans ce chapitre, j'ai dessiné simultanément la vue de face et de profil, afin que vous puissiez comparer cette silhouette filiforme sous des angles différents.

Note : Si vous n'avez pas lu le chapitre précédent concernant le dessin des visages manga, vous n'avez pas besoin de revenir en arrière, car vous n'aurez pas à indiquer à ce stade les traits du visage. En revanche, vous devrez consacrer du temps au chapitre 4, avant de commencer à créer vos propres personnages de A à Z.

Le dessin du corps n'est pas un art que vous pourrez maîtriser du jour au lendemain. Pour la plupart d'entre vous, cela nécessitera de la pratique et de la patience. Même en faisant votre miel de mes exemples et des conseils, vous devrez pratiquer pour vous familiariser à l'utilisation et à la maîtrise de vos instruments, afin de parvenir à l'expressivité et à la précision des lignes et des formes que vous dessinerez.

Êtes-vous prêt à commencer ? Suivez les indications ci-dessous pour dessiner la silhouette générale épurée, qui servira de squelette de base à votre personnage.

1. **Dessinez une forme légèrement ovoïde pour la tête**.

   Dessinez la vue de face, comme à la figure 5-3a. Vous utiliserez cet ovale comme unité de mesure pour les proportions du corps.

Patience, sauterelle !

Je ne peux suffisamment insister sur l'importance d'être patient au cours de cet apprentissage du dessin. J'encourage toujours mes élèves à se concentrer sur le cours qu'ils suivent. À la différence de quelques cours académiques, potasser ne suffira pas pour maîtriser un sujet ou une capacité artistique. Évoluer suivant votre propre rythme sera fondamental, ainsi qu'une pratique constante et quotidienne. Si votre agenda est chargé, vous devriez cependant toujours dessiner durant 15 minutes par jour au minimum. Si vous n'avez pas le temps de vous asseoir à votre table à dessin, transportez un petit carnet de croquis et un critérium sur vous. Au cours d'une pause ou de quelques jours de congé, profitez-en pour effectuer quelques esquisses !

Assurez-vous de réserver suffisamment d'espace sur votre feuille de papier en-dessous de la tête, afin de pouvoir y ajouter le corps entier. Sinon, vous dessinerez involontairement celui-ci en le déformant pour qu'il s'adapte à cet espace réduit.

2. **Dessinez deux lignes en croix indiquant approximativement l'emplacement des traits du visage vu de face.**

   Dessiner ces lignes croisées vous permettra de suggérer l'orientation du visage.

3. **Dessinez une deuxième tête vue de profil à côté de celle vue de face (comme à la figure 5-3b).**

   Assurez-vous de laisser suffisamment d'espace entre ces deux têtes. Dessinez-les de forme ovale identique. Cependant, pour la vue de profil, tracez une ligne légèrement moins courbe sur le côté droit de la forme ovale (représentant le devant du visage), et rejoignant l'ovale en oblique pour indiquer le menton. Référez-vous au chapitre 4 pour plus d'informations sur la méthode de représentation de la tête.

4. **Dessinez le cou.** En commençant par la base de la tête, dessinez une ligne indiquant la longueur du cou.

   Utilisez un cou plus long pour les personnages féminins et plus courts pour les personnages masculins et d'adolescents. J'ai choisi par défaut un cou plus court pour les illustrations présentées à la figure 5-3.

   N'allongez pas trop le cou. S'il est trop long, il déséquilibrera le reste du corps.

Figure 5-3 : Dessinez la tête et le cou de la silhouette générale épurée.

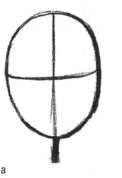

a   b

5. **Dessinez une ligne horizontale indiquant les épaules**.

   Plus les épaules seront larges, plus le personnage semblera masculin et de forte corpulence. Utilisez de préférence des carrures d'épaules plus étroites pour les personnages féminins. La mesure par défaut est de 2.5 têtes de large (voir figure 5-4a). La carrure d'épaule est indiquée dans la vue de profil (comme illustré à la figure 5-4b) par une ligne plus courte, en fonction de l'angle différent.

6. **Dessinez la colonne vertébrale à partir du milieu du cou**.

   En vue de face (voir figure 5-4a), la colonne vertébrale est représentée par une ligne droite. Cependant, comme vous pouvez le voir dans la vue de profil à la figure 5-4b, elle présente une ligne légèrement courbe en forme de « S », partant de la tête vers le bas du dos en oblique.

   Pour les personnages féminins, la courbe en « S » de profil est légèrement plus inclinée.

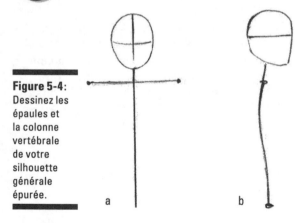

Figure 5-4 : Dessinez les épaules et la colonne vertébrale de votre silhouette générale épurée.

a   b

Pour la silhouette générale, la longueur de la colonne vertébrale doit mesurer 2.5 têtes à partir de la ligne des épaules. Plus le personnage sera jeune, plus elle sera courte. Chez les ados, par exemple, elle peut parfois ne mesurer que 1.5 tête.

7. **À partir du bas de la colonne vertébrale, tracez une ligne pour indiquer les hanches**.

Cette ligne parallèle à la ligne des épaules est un peu plus courte. Dessinez-la légèrement au-dessus de l'extrémité de la colonne vertébrale, comme à la figure 5-5a.

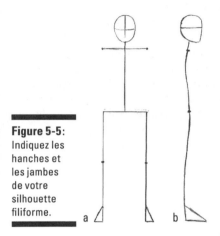

Figure 5-5 :
Indiquez les hanches et les jambes de votre silhouette filiforme.

8. **Dessinez les jambes à partir des deux extrémités de la ligne des hanches (voir figures 5-5a et 5-5b).**

   Voici une bonne méthode pour déterminer la longueur de la jambe droite de la silhouette : elle doit être approximativement identique à la mesure partant du sommet de la tête jusqu'à la fin de la colonne vertébrale. L'entrejambe (le point d'intersection entre la colonne vertébrale et la ligne des hanches) correspond au point central de votre silhouette.

9. **Indiquez les articulations des genoux et ajoutez les pieds.**

   Comme je vous le montre à la figure 5-5, utilisez des points pour indiquer l'emplacement des articulations. Vous pouvez déterminer la position de celles des genoux en mesurant 1.5 tête à partir des hanches. Pour les pieds, utilisez la forme simple triangulaire que j'ai dessinée à la figure 5-5. Ce triangle est légèrement déformé – le côté intérieur est plus droit que le côté extérieur.

10. **Dessinez les bras.**

    Ils doivent mesurer 2 têtes de long (voir figure 5-6a), le haut du bras et l'avant-bras mesurant chacun une tête.

Lorsque vous placez les bras le long du corps sans indiquer les mains (voir figure 5-6b), ils doivent s'arrêter juste au niveau de l'extrémité de la colonne vertébrale.

11. **Finalement, dessinez les mains.**

Pour le dessin de la silhouette générale, utilisez des triangles similaires à ceux des pieds (voir figure 5-6). Le côté intérieur faisant face au corps doit être plus droit que le côté extérieur. Une excellente méthode pour déterminer la longueur de la main est de vous reporter à la dimension du visage. À l'aide de votre crayon, mesurez l'espace (en hauteur) occupé par le visage, puis appliquez cette mesure à la dimension des mains.

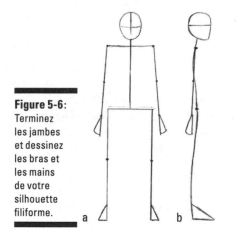

Figure 5-6 : Terminez les jambes et dessinez les bras et les mains de votre silhouette filiforme.

Une fois que vous aurez terminé le dessin de la silhouette générale épurée de votre personnage, étoffez-la d'un peu de chair et de muscles en lui faisant effectuer de la gymnastique, pour une bonne remise en forme – en formes géométriques, pour être plus précis ! Poursuivez votre lecture pour plus d'informations à ce sujet.

Mises en formes géométriques

Lorsque vous observez les choses qui vous entourent, les objets vous semblent peut-être compliqués et surchargés de détails. Prenez le corps humain, par exemple. Saviez-vous que votre corps contient 206 os ? Un enfant en bas âge en possède même encore davantage – 350 (les os fusionnent ensemble au cours de la croissance). Il y a de quoi vous faire trembler d'effroi ! Mais en dépit de tous ces détails, les éléments complexes comme la structure de votre corps peuvent être représentés globalement par des formes géométriques simples et fondamentales. C'est ce à quoi je vais vous initier dans cette section

La simplification est la réponse à ce monde de complexités. Vous n'aurez besoin de connaître que quelques indications de géométrie. Les quatre formes géométriques basiques auxquelles vous allez vous familiariser sont : le cylindre, le cube, la sphère et le cône (voir figure 5-7).

Figure 5-7 :
Les cylindres, les cubes, les sphères et les cônes deviendront vos meilleurs amis !

En utilisant ces formes, vous serez capable de créer toutes sortes de personnages, d'animaux, d'accessoires de haute technologie ou de décors d'arrière-plan. Essayez et vous y parviendrez sûrement !

Pratiquez en dessinant les formes géométriques proposées à la figure 5-7. Représentez-les de différentes hauteurs et largeurs. Par exemple, à quoi ressemblerait une sphère s'il s'agissait d'une balle en caoutchouc écrasée ? Et qu'en serait-il d'un haut cylindre plié en avant comme un slinky (*N.d.T.* : jouet constitué d'une longue spirale de métal flexible pouvant descendre les marches d'un escalier). Essayez également de dessiner par exemple un cône la tête en bas ou sous des angles différents.

Tout en pratiquant avec ces formes, je vais vous présenter deux types d'ombre vous permettant de leur apporter volume et réalisme ; les *ombres propres de l'objet* (provoquées par une source de lumière à proximité) et les *ombres portées* (l'ombre portée par l'objet sur le sol ou le mur de fond), qui vous permettront d'obtenir un effet tridimensionnel. Voir des exemples de ces ombres à la figure 5-8.

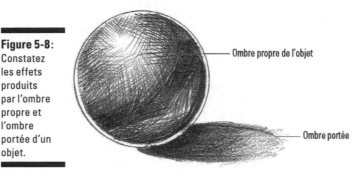

Figure 5-8: Constatez les effets produits par l'ombre propre et l'ombre portée d'un objet.

Ombre propre de l'objet

Ombre portée

Au cours de cette initiation, j'utilise le terme *boule d'articulation* afin de représenter les points d'articulation des différentes parties du corps en mouvement. Cet élément indicatif permettra de simplifier la complexité de la structure articulation/ligament existante. Cette section vous aurait sans aucun doute semblé particulièrement longue et ennuyeuse si je l'avais abordée d'un point de vue purement anatomique.

Apportez davantage de définition à la tête

Je vous ai déjà présenté en détail la structure de la tête au chapitre 4. Souvenez-vous que la tête est une sphère en trois dimensions et non pas simplement un cercle. Ce concept se complique lorsque vous dessinez certaines positions où votre personnage tournera ou inclinera la tête. Les lignes de repère croisées des traits du visage apporteront des indications concernant son orientation.

Commencez par la tête en dessinant trois formes ovales allongées, comme à la figure 5-9.

J'ai dessiné le bas de l'ovale en pointe, afin de suggérer le menton, ainsi que les lignes croisées des traits du visage en fonction du contour de la forme de la tête vue de 3/4.

L'emplacement des lignes croisées sur la forme ovale vous donnera une meilleure indication de la position des traits du visage. N'y ajoutez pas encore de caractéristiques à ce stade ; l'ensemble de votre dessin doit être uniquement représenté par des formes géométriques.

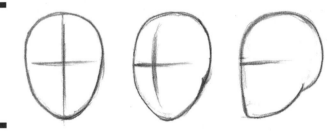

Attaquez-vous au torse

Le *torse*, correspondant à la partie haute du corps, est essentiellement constitué par la cage thoracique. Il mesure approximativement 1.5 tête de hauteur et 2 têtes de large, et présente une forme sphérique légèrement ovoïde.

De manière similaire à la ligne des épaules dans la silhouette filiforme, la largeur du torse pourra être augmentée pour s'adapter aux proportions d'un personnage plus costaud et râblé. Cette largeur se réduira en conséquence pour les personnages féminins et d'adolescents.

Suivez les étapes ci-dessous pour dessiner le torse vu sous des angles différents :

1. **Dessinez trois sphères distinctes légèrement ovoïdes, comme à la figure 5-10.**

   Ayant dessiné le torse vu de face en position debout (au premier dessin à gauche de la figure 5-10), en observant sa vue de 3/4 (au centre) et de profil (à droite), vous pourrez remarquer que ces deux représentations sont légèrement

inclinées, prenant ainsi en compte la ligne courbe en
« S » de la colonne vertébrale de la silhouette filiforme
de base (voir « Dessinez une silhouette générale épurée »
précédemment dans ce chapitre pour plus d'informations).

2. **Dessinez une forme découpée en demi-lune au centre de
la partie inférieure des sphères, comme à la figure 5-11.**

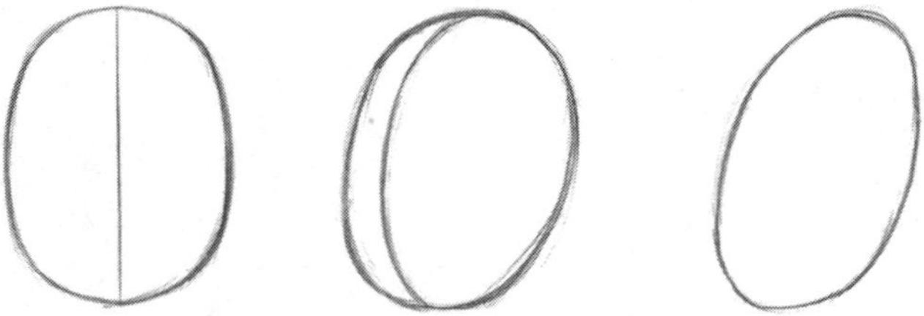

Figure 5-10 :
L'inclinaison
du torse vue
sous diffé-
rents angles –
de face, de 3/4
et de profil.

Cette forme découpée a deux fonctions. Tout d'abord, elle
reprend le découpage existant au niveau de la structure
de la cage thoracique. Puis, elle crée ainsi l'espace
nécessaire pour intégrer le ventre. Remarquez que,
dans la vue de profil (troisième dessin à la figure 5-11),
la découpe présente est toutefois invisible.

Figure 5-11 :
Indiquez une
forme décou-
pée en partie
basse du
torse en vue
de face, de 3/4
et de profil (où
elle n'est pas
visible).

3. **Dessinez une forme découpée en partie supérieure
droite et gauche du torse et ajustez-y une boule
d'articulation pour chacune des épaules.**

Prenez garde à ne pas placer les trous pour les bras trop
haut sur le torse. Assurez-vous également qu'ils soient
bien de niveaux l'un avec l'autre (voir figure 5-12).

Figure 5-12 :
Dessinez une
ouverture
pour y adapter
les bras.

« Rentrez » le ventre

Le ventre est essentiellement représenté par une sphère –
rien de plus ! Cependant, ne vous laissez pas tromper par son
apparente simplicité – il joue un rôle particulièrement crucial
pour établir la posture de votre personnage avec efficacité. Il
fonctionne comme une grosse *boule d'articulation* située entre
le torse et les hanches, afin que votre personnage puisse se
pencher en avant, en arrière et sur les côtés. À la figure 5-13,
vous pouvez voir comment le ventre s'articule au torse, de face,
de 3/4 et de profil.

Figure 5-13 :
Ajustez la
sphère du
ventre dans
l'ouverture du
torse prévue à
cet effet.

Tout est dans le mouvement des hanches

Les hanches sont essentiellement composées de demi-
sphères, et ressemblent une fois terminées à une culotte.
Représentez-les en suivant les étapes ci-dessous :

1. **Dessinez trois sphères séparées**.

   Les figures 5-14a, b et c présentent ces sphères vues
   de face, de 3/4 et de profil.

2. **Effacez la moitié supérieure de chaque sphère, et utilisez la moitié restante pour représenter les hanches comme illustré aux figures 5-14d, e et f.**

3. **Dessinez des découpes en partie inférieure de chaque demi-sphère pour y adapter les jambes.**

4. **Dessinez une boule d'articulation de chaque côté, comme illustré aux figures 5-14g, h et i.**

   Pensez à chaque boule d'articulation comme correspondant à l'emboîtement du fémur à la hanche. Dessinez-les plus petites que les ouvertures des trous.

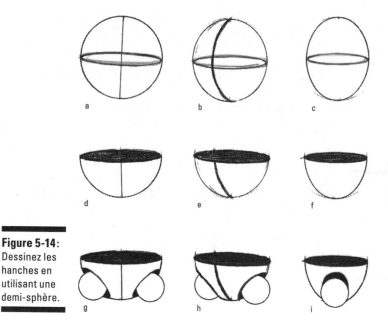

Figure 5-14:
Dessinez les hanches en utilisant une demi-sphère.

Entraînez les biceps

Pensez aux bras comme étant des cylindres. Le haut du bras (les biceps) va de votre épaule vers votre coude. Sa partie inférieure (l'avant-bras) part du coude pour rejoindre le poignet. Comment représenter ces deux formes et les relier ensemble fera l'objet de la section suivante.

Dessinez le haut du bras (biceps)

Suivez ces instructions pour former le haut du bras comme à la figure 5-15 :

1. **Dessinez deux ovales de forme allongée horizontalement, séparés l'un de l'autre par une longueur d'une tête et un tiers (comme indiqués sur la droite à la figure 5-15a).**

   Les deux ovales sont de dimension identique. Afin de m'assurer qu'ils sont correctement espacés, j'ai dessiné sur la gauche de chaque ovale deux formes de tête jointes verticalement me servant d'unité de mesure.

2. **Reliez ces deux ovales par des lignes légèrement courbes afin de terminer le cylindre pour le biceps (comme à la figure 5-15b).**

   Assurez-vous que ces deux lignes sont bien parallèles l'une à l'autre.

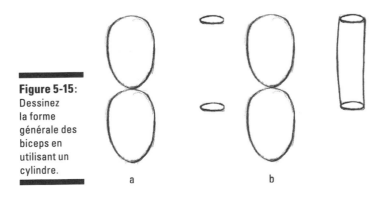

Figure 5-15 : Dessinez la forme générale des biceps en utilisant un cylindre.

a   b

Représentez la partie inférieure du bras (l'avant-bras)

Dans la séquence suivante présentée à la figure 5-16, je vous montre la manière de dessiner l'avant-bras en utilisant un second cylindre. Remarquez que la partie haute de l'avant-bras est plus large que l'extrémité du poignet. Démarrez à partir du haut du bras présenté à la section précédente, puis suivez ces étapes :

Évitez de représenter des parties du corps se touchant, en dessinant les membres légèrement écartés du corps. Les postures sembleront plus stables et mieux campées lorsque les jambes et les bras seront écartés pour former une composition plus triangulaire. Pour commencer sur de bonnes bases, dessinez les ovales des genoux légèrement séparés l'un de l'autre.

3. **Dessinez les deux côtés du cylindre afin de terminer la cuisse.**

   Remarquez que la ligne extérieure de la cuisse monte plus haut que la ligne intérieure.

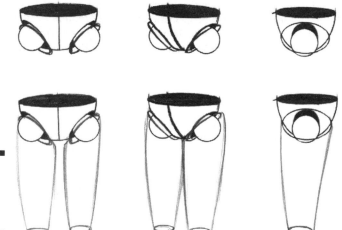

Figure 5-17 :
Dessinez la cuisse en la raccordant aux hanches.

Les mollets

Dans la figure 5-18, remarquez combien semble étroite cette structure cylindrique comparée à celle de la cuisse. Avant d'aborder le dessin des mollets, assurez-vous d'avoir établi les hanches et adapté aux cuisses une boule d'articulation, comme je vous l'ai montré à la section précédente.

Pour représenter les mollets, suivez simplement ces indications et les vues de face, de 3/4 et de profil présentées de gauche à droite :

1. **Dessinez une boule d'articulation à l'extrémité basse de la cuisse (comme à la figure 5-18a).**

   Cette boule d'articulation s'adapte étroitement à l'intérieur de l'extrémité basse de la cuisse, comme une rotule.

2. **Dessinez la partie haute du cylindre représentant le mollet s'encastrant sur la moitié inférieure de cette boule d'articulation (voir figure 5-18b).**

3. **Dessinez le bas du cylindre représentant le mollet à 1.5 tête du haut.**

   Comme illustrée à la figure 5-18b, l'ouverture basse du cylindre est plus étroite que celle du haut.

4. **Dessinez les deux côtés du cylindre pour terminer le mollet (voir figure 5-18c).**

   Le mollet est légèrement plus long que la cuisse. La plupart des débutants présument à tort qu'ils sont de la même longueur.

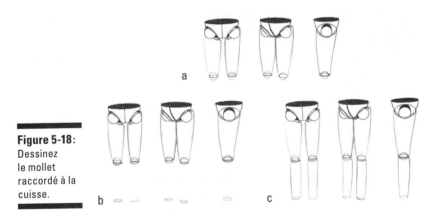

Figure 5-18:
Dessinez le mollet raccordé à la cuisse.

Les mains en action

Les mains correspondent probablement à la partie du corps la plus sophistiquée. Je vous indique à la figure 5-19 la méthode pour en simplifier la structure, mais afin d'obtenir le meilleur résultat lorsque vous les dessinerez, autant vous dire qu'il ne faudra pas avoir un poil dans la main! La pratique est indispensable. Parfois, le sujet sur lequel vous travaillez a moins d'importance que la manière dont vous pratiquez. Dans ce cas, représentez schématiquement la main par des formes géométriques. Emportez avec vous un petit carnet de croquis dans tous vos déplacements. On ne sait jamais à quel moment vous ressentirez l'envie de vous asseoir et de dessiner.

Pratiquer afin d'améliorer votre technique de dessin des mains vous permettra de transmettre une grande diversité d'émotions. Par exemple, vous pourrez suggérer la colère en dessinant des poings serrés. Lorsque vous êtes heureux, vous frappez des mains de gratitude. Si vous vous êtes bien entraîné à dessiner les mains, cela vous permettra d'évoquer les émotions de vos personnages sans avoir nécessairement à montrer leurs visages.

Afin de clarifier mon propos, j'ai divisé cette section en deux parties : la paume et les doigts vous offrant l'opportunité à chaque section de dessiner le sujet de main de maître!

Permettez-moi de vous révéler un secret. La main bouge et fonctionne selon plusieurs cas de figure en nombre limité – n'allant pas au-delà de dix, selon mon expérience. Les autres positions sont peu communes, impraticables ou simplement peu attractives. Plus vous en représenterez, plus vous commencerez à identifier ces attitudes sur vos propres mains, et en les ajoutant à votre répertoire, vous pourrez aisément les dessiner de mémoire ou sans avoir à utiliser de références.

La paume

La paume (tout comme la main entière) possédant une structure anatomique particulièrement détaillée peut se simplifier en trois sections de base. Consacrer du temps pour bien assimiler ces sections vous permettra de comprendre le fonctionnement du reste de la main. Chacune des sections de la figure 5-19a possède une fonction spécifique :

- **La section A** favorise le mouvement latéral et vertical du pouce
- **La section B** regroupe l'index et le majeur
- **La section C** regroupe l'annulaire et l'auriculaire

Remarquez le changement de forme et de mouvement en position « recourbée », produit par les trois sections de la paume vue de face (comme illustré à la figure 5-19b).

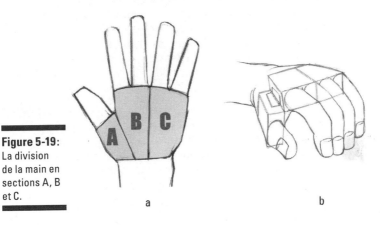

a   b

Commencez à l'angle supérieur gauche de votre feuille de croquis (si vous êtes gaucher, prenez l'angle supérieur droit), et suivez les étapes proposées ci-dessous :

1. **Dessinez le contour général simplifié de la paume (comme à la figure 5-20a).**

2. **Dessinez une ligne droite verticale passant au centre de la paume (comme à la figure 5-20b).**

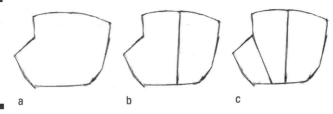

a   b   c

Les sections de division sont placées comme suit : B sur la gauche et C sur la droite.

3. **Divisez la section B par une ligne en diagonale comme à la figure 5-20c.**

La section A est ainsi créée sur la gauche.

Les doigts

Pour parvenir à comprendre la structure des doigts, observez comment ils sont regroupés et fonctionnent en relation l'un avec l'autre. Leurs nombreux mouvements complexes sont plutôt intimidants pour la plupart des débutants. L'une de mes élèves détestait représenter les mains, car il y avait tout simplement « trop de doigts à dessiner ». Dans cette section, je vous enseignerai la méthode pour que vous n'ayez pas à vous en mordre les doigts !

Observez la manière dont les doigts bougent en synchronisation avec leurs sections respectives. En accord avec les lettres de codification utilisées dans le paragraphe sur la paume, chaque doigt imitera ou suivra naturellement le mouvement de l'autre doigt présent dans la même section. Le pouce est quant à lui, seul dans la section A.

Observez le mouvement de vos mains en pointant du doigt, tenant une tasse de café, faisant coucou, etc. Effectuez des gestes simples et décontractés. Observez les mouvements qui se produisent entre l'index et le majeur (appartenant à la section B) et entre l'annulaire et l'auriculaire (appartenant à la section C).

La figure 5-21a montre la manière dont les articulations des doigts suivent le mouvement « recourbé » produit simultanément par les trois sections de la paume. (J'ai indiqué les articulations des doigts pour que la courbure ainsi formée soit bien nette). À la figure 5-21b, vous pourrez observer la manière dont l'index et le majeur se lèvent en relation avec l'inflexion de la section B. Détendez votre main. Puis, en la regardant de profil, levez l'index ou le majeur, et observez ce qui se passe. Vous devriez découvrir qu'en fonction du doigt que vous bougez, l'autre doigt suivra le mouvement. Même lorsque les doigts d'une section particulière sont situés plus hauts que les doigts de l'autre section, la forme arquée sera conservée.

Cette forme arquée permettra de représenter une main bien équilibrée et bien dessinée. Privée de cet équilibre, elle semblera maladroite et manquera de naturel.

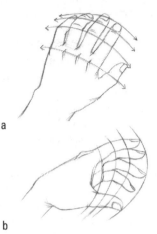

a

Figure 5-21 :
Observez les
mouvements
des doigts de
votre main.

b

La main est bien plus grande qu'on ne le pense. La plupart des débutants font l'erreur de dessiner les mains de leurs personnages beaucoup trop petites. Ne laissez pas un poignet trop étroit ou les petits os de votre main vous tromper. La main est en vérité aussi grande que le visage du personnage, comme dans la réalité. Vous ne me croyez pas ? Vérifiez en vous regardant dans un miroir, la main ouverte devant votre visage.

À présent, pratiquez en dessinant les doigts. Vous devrez utiliser comme point de départ la paume de la main dont j'ai fait la démonstration à la section précédente. Suivez les indications ci-dessous :

1. **Dessinez une ligne verticale se prolongeant vers l'extérieur à partir de la ligne de division entre les sections B et C (comme à la figure 5-22a).**

2. **Indiquez les points centraux des sections B et C par de petits traits, à partir desquels vous prolongerez deux segments de lignes, comme indiqué à la figure 5-22b.**

3. **À partir de chaque point central, dessinez une forme cylindrique allongée pour représenter le majeur et l'annulaire (voir la figure 5-22c).**

Dessinez le majeur légèrement plus long que l'annulaire. Utilisez les lignes de division que vous avez tracées aux sections B et C pour déterminer la largeur des doigts.

4. **Ajoutez l'index sur la gauche du majeur, et l'auriculaire sur la droite de l'annulaire (voir figure 5-22d).**

   Ces deux doigts sont plus courts que le majeur et l'annulaire. L'auriculaire est le plus court des quatre doigts. Leur épaisseur devra commencer à partir du milieu des sections B et C pour s'arrêter au bord extérieur en haut de la paume.

5. **Dessinez la forme cylindrique représentant le pouce (figure 5-22e).**

   La largeur de la base du pouce est identique à celle du haut de la section A. J'ai dessiné le côté droit du pouce (face à la paume) en prolongeant vers le haut la ligne en diagonale du côté droit de la section A, s'éloignant vers l'extérieur. Le côté du pouce tourné à l'opposé de la paume est incliné vers l'intérieur, presque perpendiculairement, et vers le haut. Terminez l'extrémité du pouce par un segment court parallèle à sa base en connectant les lignes extérieure et intérieure. La longueur du pouce est approximativement identique à celle de sa base.

6. **Dessinez quatre lignes arquées (comme indiquées à la figure 5-22f), pour déterminer l'emplacement des articulations des doigts.**

   Le premier arc correspond à la première articulation du pouce et du haut de la paume, le second à la première articulation des autres doigts. Le troisième arc correspond à la deuxième articulation de l'index, du majeur et de l'annulaire, ainsi qu'à l'extrémité de l'auriculaire. Le quatrième et dernier arc passe au-dessus des extrémités des quatre doigts moins le pouce. Cette ligne arquée finale sera placée à un intervalle légèrement plus grand par rapport aux trois premières.

   Ces lignes arquées permettront d'établir correctement le dessin d'ensemble et la main représentée. Chaque fois que vous aurez un doute, utilisez-les pour vérifier le dessin de vos mains.

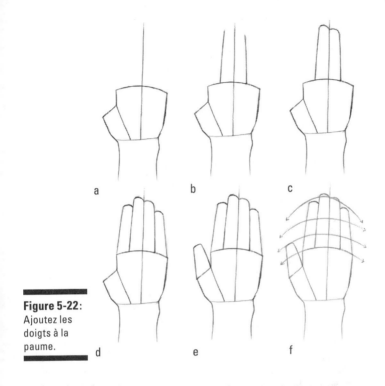

Figure 5-22 :
Ajoutez les doigts à la paume.

a   b   c

d   e   f

Tirez-vous d'un mauvais pas !

Dans de nombreux albums de bande dessinée, j'ai pu remarquer que certains dessinateurs rajoutent judicieusement des nuages de fumée ou des nappes de brume au niveau du sol, afin de dissimuler les pieds. Heureusement pour eux queles scènes de bataille sont nombreuses ! Mais lorsqu'un fan à un salon de B.D. vous demande de réaliser un dessin rapide d'un personnage, et que vous no oavoz pas comment en dessiner les pieds, vous risquez indubitablement de nuire à votre réputation. C'est l'une des raisons importantes pour laquelle chaque artiste devrait apprendre à dessiner d'après nature. Continuez de pratiquer et sortez de votre bulle pour rechercher des styles de chaussures à la mode que vous pourriez utiliser pour accessoiriser les pieds de vos personnages.

Démarrez du bon pied

Les pieds seront essentiels pour représenter votre personnage manga dans une position bien campée. La plupart des débutants et même certains professionnels rechignent à dessiner les pieds car ils présentent parfois une forme complexe, selon l'angle de vue sous lequel ils sont présentés. Autant vous dire que pour eux, ce n'est pas le pied !

Des pieds bien ancrés au sol !

Avoir les pieds bien ancrés au sol aidera à établir vos personnages en relation avec leur environnement. Privés de pieds, ils ne pourraient pas se tenir debout, ceux-ci soutenant le poids de leur corps. Une certaine posture nécessitera parfois que le corps soit davantage penché d'un côté que de l'autre. Vous devrez ajuster les pieds de votre personnage en conséquence afin de compenser le déplacement de poids du corps. Si vous n'avez pas l'habitude de dessiner les pieds, vous aurez quelques problèmes à en deviner l'emplacement correct.

Vos pieds doivent être en synchronisation l'un avec l'autre pour que vous puissiez vous tenir confortablement debout avec aplomb. Feuilletez des magazines de sport ou regardez les compétitions sportives retransmises à la télévision. Notez la position des pieds des athlètes se préparant avant l'action. Par exemple, comment un lanceur de base-ball place-t-il ses pieds pour garder son équilibre, après avoir lancé une balle à une vitesse de 160 km/heure ? Comment une ballerine place-t-elle la pointe de ses pieds afin d'empêcher le centre d'équilibre de son corps de se désaxer lorsqu'elle effectue des pirouettes ?

La structure de la plante des pieds

Commencez à dessiner le pied à partir de son point d'origine – l'extrémité de la jambe. En commençant par la vue de face du pied, revenez à la section précédente concernant le mollet, puis effectuez les étapes suivantes pour y ajouter le pied :

1. **Dessinez une boule d'articulation à l'extrémité de la jambe (comme à la figure 5-23a).**

   Il s'agit de la cheville qui maintient le pied en place.

2. **Dessinez une forme courte ressemblant à une cravate, en partie basse de la boule d'articulation (comme à la figure 5-23b).**

Cette forme « en cravate » correspond au pied vu de face. La pointe de cette forme dévie vers le côté droit. Le gros orteil s'adaptant à cette pointe, vous en déduirez que je dessine le pied droit du personnage. Par conséquent, si vous voulez dessiner le pied gauche, vous devrez inverser la forme « en cravate » afin que la pointe soit située sur la gauche.

Faites attention de ne pas dessiner la forme « en cravate » générale du pied trop allongée. Cette règle ne s'applique pas aux personnages portant des talons hauts.

3. **Dessinez un arc simple précédant la pointe du pied (voir figure 5-23c).**

Cette méthode est similaire à celle utilisée pour indiquer les articulations des doigts (voir « Les doigts » précédemment dans ce chapitre). Cette ligne arquée servira de repère pour la partie avant du pied, précédant les orteils.

4. **Placez chaque orteil, en commençant par le gros orteil à l'angle du pied (voir figure 5-23d).**

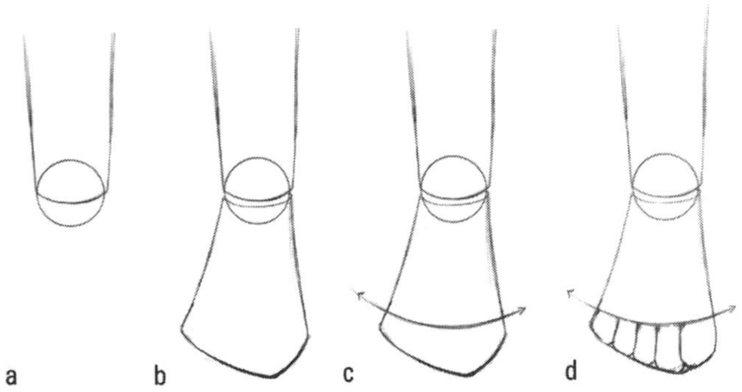

Figure 5-23 :
Ajustez le pied vu de face à l'extrémité de la jambe.

a   b   c   d

Voici à présent la vue de profil du pied. Utilisez la vue de face comme référence en commençant par l'extrémité de la jambe. Je vous montrerai les deux faces vues de profil du pied, par conséquent, vous devrez avoir deux extrémités de jambe à votre disposition pour commencer. Représentez l'extrémité de la jambe en suivant ces indications :

1. **Dessinez une boule d'articulation à l'extrémité de chaque jambe (comme à la figure 5-24a).**

   Il s'agit de la cheville qui maintient le pied en place.

2. **Dessinez une forme en triangle (avec la pointe tronquée), comme à la figure 5-24b.**

3. **Indiquez les courbures du pied (voir la figure 5-24c).**

   J'affine le pied en arrondissant le contour en dessous des talons et en dessinant l'arc de la voûte plantaire au centre. J'ai également ajouté une pente subtile, partant de la cheville et se dirigeant vers la pointe des orteils. La longueur du pied est approximativement identique à celle de l'avant-bras.

4. **Sélectionnez une vue de profil du pied, et dessinez le gros orteil (comme à la figure 5-24d) pour en représenter la face interne.**

   Vous ne pouvez pas percevoir les autres doigts de pied, dissimulés par le gros orteil. Et voilà ! La vue de la face interne du pied est déjà terminée !

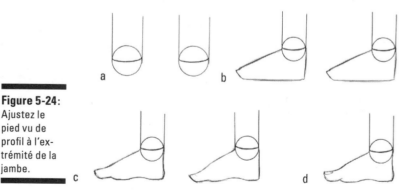

Figure 5-24 :
Ajustez le pied vu de profil à l'extrémité de la jambe.

a   b

c   d

5. **Pour représenter la face externe du pied, utilisez la seconde vue de profil et dessinez une ligne de repère en arc, comme à la figure 5-25a.**

6. **Dessinez les doigts de pied, du petit orteil (comme à la figure 5-25b) jusqu'au gros orteil.**

   Les orteils possèdent également des articulations. Bien qu'on leur prête beaucoup moins d'attention qu'aux articulations des doigts (du fait que les personnages sont fréquemment chaussés), elles leur permettent de se plier.

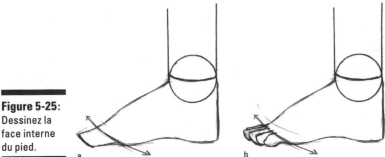

Figure 5-25:
Dessinez la
face interne
du pied.

a   b

Chaque fois que je dessine des formes se superposant, je commence par l'élément le plus grand et le plus proche de moi. Il n'existe pas une manière « correcte » de dessiner, essayez plutôt de trouver une manière « futée » de travailler.

Mettez en forme votre silhouette filiforme

La seconde étape d'élaboration de votre personnage commence à présent. Dans cette section, vous utiliserez la silhouette filiforme (expliquée précédemment dans ce chapitre à la section « Dessinez une silhouette générale épurée ») en y assemblant toutes les parties du corps représentées géométriquement. Ce procédé s'apparente à habiller une poupée. Voici comment dessiner votre personnage manga de A à Z :

1. **Donnez une position à votre silhouette filiforme (voir figure 5-26).**

   Commencez par une position simple. Évitez les postures d'action complexes produisant des raccourcis ou des déformations du corps. J'ai adopté une position standard avec les bras du personnage retombant le long du corps.

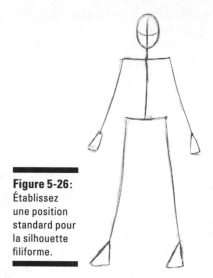

Figure 5-26:
Établissez
une position
standard pour
la silhouette
filiforme.

2. **Dessinez le cou, le torse et le ventre (voir figure 5-27).**

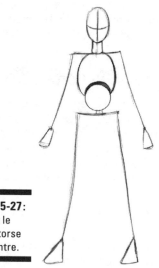

Figure 5-27:
Ajoutez le
cou, le torse
et le ventre.

3. **Dessinez les hanches, les jambes et les pieds (voir figure 5-28).**

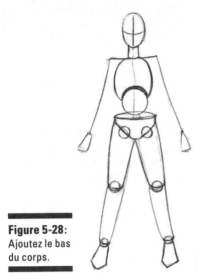

Figure 5-28 :
Ajoutez le bas
du corps.

4. **Ajoutez le bras gauche et droit, ainsi que les mains (voir figure 5-29).**

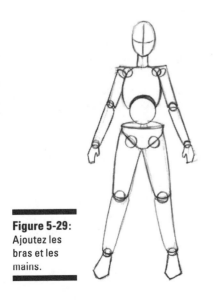

Figure 5-29 :
Ajoutez les
bras et les
mains.

Et voilà! En utilisant une position simple, vous pourrez vous concentrer sur les problèmes de proportions dans votre dessin, avant d'aborder des postures plus complexes.

Etoffez avec du muscle et un rythme linéaire

À la troisième étape de développement de votre personnage, vous définirez ses caractéristiques physiques en établissant une structure musculaire de base. Votre personnage est-il fort ou mince? Vous êtes entièrement libre de choisir son apparence.

Au cours de cette section, je vous présenterai la structure musculaire de base, que je pense sera la clé pour comprendre les dynamiques et le rythme linéaire du dessin du personnage. Toute partie du corps que vous choisirez d'exagérer devra en communiquer l'essence même. Tous les muscles n'ont pas besoin d'être accentués. J'encourage certainement tous les artistes (étudiants et professionnels) à étudier l'anatomie et la physiologie humaine et à dessiner à partir de modèles vivants, mais ne vous surchargez pas d'une multitude d'informations, au point de perdre entièrement de vue l'objectif de vos études.

Prenez garde à ne pas travailler à l'excès les détails musculaires si vous dessinez des personnages de manga pour la première fois. Commencez par dessiner des formes simplifiées se rapprochant des proportions réelles plutôt que de bombarder vos lecteurs potentiels avec des détails compliqués de musculature.

Dans cette section, je vous montrerai comment apporter de la définition au corps de votre personnage, et je présenterai les différences entre les figures masculine et féminine. Les hommes et les femmes partagent la même structure anatomique de base, mais vous devrez rester conscient des différences majeures évidentes. Je citerai certains groupes principaux de muscles que vous pourrez utiliser, en commençant par le cou.

Le cou

La clé du succès est d'ajuster la largeur des muscles *sterno-cléido-mastoïdiens* et *trapèze* du cou pour suggérer la force d'un homme. Intégrer ces muscles chez des personnages féminins peut également suggérer l'élégance et la beauté. Vous bénéficierez de davantage de marge de manœuvre quant à la dimension de ces muscles lorsque vous dessinerez des personnages masculins. Suivez les étapes ci-dessous pour dessiner le cou :

1. **Comme présenté à la figure 5-30a, dessinez deux bandes de muscles (les sterno-cléido-mastoïdiens) partant de l'arrière de la mâchoire et passant sous l'oreille en descendant au centre pour s'arrêter juste en haut du torse du personnage.**

2. **À partir de chaque bande de muscles, dessinez deux lignes légèrement courbes (comme indiqué à la figure 5-30b) au niveau des épaules, représentant la forme du muscle trapèze.**

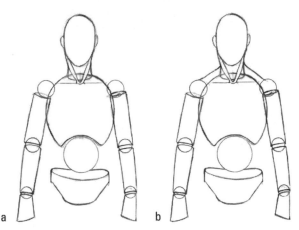

Figure 5-30: Dessinez les sterno-cléido-mastoïdiens et le trapèze.

a   b

La poitrine

Les personnages d'action du shônen manga présentent fréquemment une belle musculature au niveau du torse. Ces muscles appartiennent au groupe des *pectoraux* – il faut toutefois reconnaître qu'ils ne sont pas aussi impressionnants dans la réalité. Comme vous pouvez le voir à la figure 5-31, ce groupe de muscles se rattache au centre de la cage thoracique, et se connecte en dessous du muscle de l'épaule, où est située une boule d'articulation. Plus le personnage sera costaud, plus ses muscles seront saillants. Suivez les étapes ci-dessous pour dessiner une poitrine musclée :

1. **Dessinez une ligne divisant de moitié le torse en groupes de muscles pectoraux gauche et droit (voir figure 5-31a).**

2. **Ajoutez les muscles pectoraux pour terminer la partie haute du torse (voir figure 5-31b).**

   Lorsque vous dessinerez les groupes gauche et droit des pectoraux, assurez-vous qu'ils passent légèrement en superposition sur le haut du bras. Il est important que les lignes de contour externes hautes et basses de ces groupes partent en oblique en se dirigeant l'une vers l'autre, avant de se connecter au haut du bras.

3. **En touche finale, ajoutez deux lignes juste en dessous du torse ou de la cage thoracique, afin d'apporter de la définition à la structure générale.**

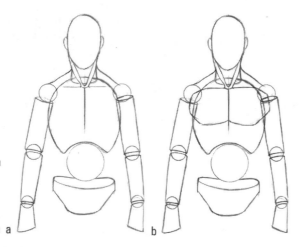

Figure 5-31 :
Étirez les
pectoraux sur
le torse.

a   b

Le ventre

Le ventre est constitué de deux groupes de muscles (*grands droits de l'abdomen*) ayant la forme de larges bandes, parallèles l'une à l'autre. Comme je vous en fais la démonstration à la figure 5-32, les muscles pectoraux superposent en partie haute les muscles abdominaux. C'est pour cette raison que vous pouvez admirer des abdos tablettes de chocolat formés de six carrés plutôt que de huit dans les magazines de fitness. Effectuez les étapes suivantes pour représenter le grand droit de l'abdomen :

1. **Esquissez légèrement trois lignes verticales partant du centre du torse vers le bas et rejoignant le milieu des hanches (comme indiqué à la figure 5-32a).**

2. **Dessinez légèrement trois lignes horizontales divisant en tiers les lignes précédemment tracées, suggérant les divisions du muscle (comme à la figure 5-32b).**

3. **Déterminez les lignes à conserver ou à effacer.**

   À la figure 5-32c, j'ai effacé certaines lignes afin d'éviter d'ajouter trop de menus détails. Une anatomie générale trop fouillée distraira le lecteur. Parfois, il vaut mieux savoir se contenter de peu !

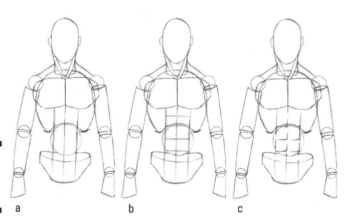

Figure 5-32: Dessinez le grand droit de l'abdomen.

a   b   c

Les hanches

Ajoutez trois points de repère sur le corps, lorsque vous préciserez les hanches. Premièrement, tracez le *grand oblique de l'abdomen*. Ne vous laissez pas intimider par ce terme. Comme illustré à la figure 5-33, il s'agit seulement de deux petites bosses situées de chaque côté au-dessus des hanches. Indiquez-les de petite dimension et de manière subtile. Le second point de repère, le muscle *psoas iliaque*, inclue les deux lignes indiquant le devant de l'os iliaque (ou de la hanche), faisant légèrement saillie sous la peau. Le dernier point de repère est la courbe de la région de l'aine, portant le nom de *symphyse pubienne*. Suivez les étapes ci-dessous pour dessiner les hanches :

1. **Dessinez deux lignes connectant les côtés du torse aux hanches (comme à la figure 5-33a).**

2. **Ajoutez deux saillies indiquant le grand oblique de l'abdomen (comme à la figure 5-33b).**

   Si vous dessinez ces saillies trop proéminentes, elles ressembleront à des poignées d'amour, et il me semble évident que vous préférerez éviter cela (à moins que votre personnage ne possède une énorme bedaine de buveur de bière !).

3. **Tracez deux traits en oblique sur le devant des hanches (comme à la figure 5-33c).**

4. **Dessinez la ligne courbe de la région de l'aine (comme à la figure 5-33d).**

Une bonne méthode pour vérifier l'emplacement correct de l'ossature des hanches est de les comparer en rapport avec les lignes et traits de repère de la région du torse et du ventre. Le dessin de l'ensemble des groupes de muscle du torse et de l'abdomen doit ressembler au dessous d'une carapace de tortue.

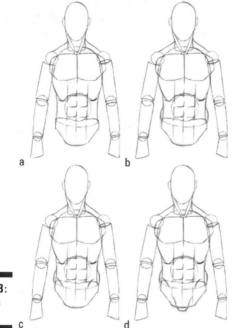

a   b

Figure 5-33:
Indiquez les
hanches.

c   d

Les jambes et les pieds

Selon moi, les jambes constituent l'une des parties les plus
amusantes à dessiner du corps entier et présentent un rythme
linéaire intéressant, commençant à partir des hanches pour
se diriger vers les pieds. Dessinez-les en suivant les étapes
ci-dessous :

1. **Dessinez la ligne de contour des muscles vastes
   externes (*vaste latéral/médial*), partant de la cuisse
   et traversant diagonalement à partir de la face externe,
   en partie basse de la hanche, vers l'intérieur de la
   jambe pour aller rejoindre la rotule (voir figure 5-34a).**

   Vous observerez que la forme superposée s'étend
   légèrement au-delà du cylindre de la cuisse en se
   dirigeant vers les genoux. Il s'agit de la forme la plus
   large du muscle du mollet, soutenant essentiellement
   l'ensemble du haut du corps.

2. **Dessinez une légère courbe à l'extérieur du mollet (comme à la figure 5-34b) afin de montrer l'assemblage des plus petits muscles connus sous le nom de muscles *antérieurs*.**

3. **Représentez les chevilles en dessinant une bosse de chaque côté, juste au-dessus des pieds (comme à la figure 5-34c).**

   La bosse sur la face interne de la jambe (la *malléole médiale*) est située plus haut que celle de la face externe (la *malléole latérale*).

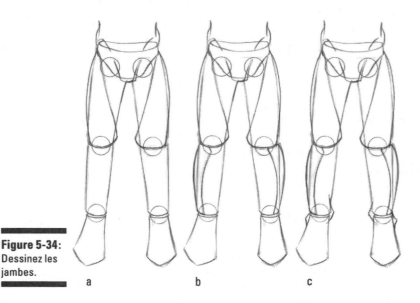

Figure 5-34:
Dessinez les jambes.

a   b   c

Voici à présent un exercice intéressant. Voyez si vous pourrez identifier les lignes courbes rythmiques identiques s'enroulant autour des jambes à partir des hanches vers les chevilles, en utilisant les points de repère structurels que vous venez d'indiquer. Ces courbes présentent une forme curviligne en « S ». Reportez-vous à la figure 5-35.

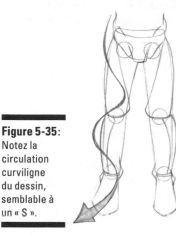

Figure 5-35 :
Notez la
circulation
curviligne
du dessin,
semblable à
un « S ».

Les bras

Je traite les bras de cette posture particulière en dernier, car ils sont plus insignifiants.

Voici quelques questions sur lesquelles méditer lorsque vous établirez la structure de votre personnage :

- ✔ Quelle est la partie du corps soutenant le plus de poids ?
- ✔ Quelle est la partie du corps, si elle était déplacée, qui provoquerait le déséquilibre du personnage ?
- ✔ Quelle est la partie du corps, si elle était déplacée, qui n'affecterait en rien l'équilibre du personnage ?

Dans cette position particulière, ce personnage peut tout à fait agiter les bras en l'air sans perdre son équilibre ou tomber.

Afin de dessiner les bras, effectuez les étapes ci-dessous en suivant les illustrations à la figure 5-36 :

1. **Comme indiqué à la figure 5-36a, couvrez la boule d'articulation de l'épaule par une structure musculaire en forme de calotte appelée** *deltoïde*.

   Pensez au deltoïde comme à une épaulette de hockey. Notez également que son extrémité basse forme une pointe.

2. **Tracez une ligne divisant le haut du bras afin de représenter deux groupes musculaires (comme illustré à la figure 5-36b).**

   La partie arrière du haut du bras est appelée le *triceps*. La partie avant est appelée le *biceps*. Selon l'angle sous lequel vous dessinerez le haut du bras, la partie la plus exposée devra être dessinée plus large que l'autre.

3. **Poursuivez par l'avant-bras en traçant une ligne de division partant du centre des biceps vers le poignet (comme à la figure 5-36c).**

   Observez soigneusement la manière dont les muscles divisés de l'avant-bras s'entrecroisent en partie haute pour s'ajuster entre le triceps et le biceps.

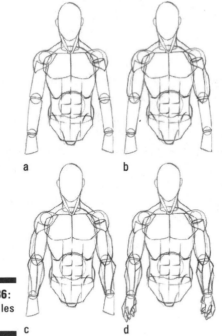

a   b

c   d

Figure 5-36:
Structurez les bras.

4. **Terminez les bras en dessinant les mains (comme à la figure 5-36d).**

Assurez-vous de ne pas confondre la main droite avec la main gauche lorsque vous les ajusterez aux poignets. En règle générale, le pouce en position détendue fait toujours face à l'avant du corps.

Apportez quelques courbes féminines

Plutôt que de redessiner certaines des étapes déjà décrites, je me contenterai de rappeller quelques-unes des différences essentielles lorsque vous élaborerez une silhouette féminine :

- **Un cou plus fin** : le cou est mince. Les lignes du sterno-cléido-mastoïdien peuvent être indiquées, mais subtilement.

- **Les épaules** : elles doivent être étroites. Remarquez que le trapèze est moins prononcé. Dessinez également les deltoïdes plus petits.

- **Le torse/le ventre** : notez que le torse est incliné un peu plus sur l'avant. La taille est plus étroite et plus fine. Représentez la poitrine comme deux demi-sphères posées sur le torse.

- **Les hanches** : dessinez des hanches plus larges. Les personnages féminins adultes doivent présenter une silhouette curviligne de rêve.

- **Les jambes** : dessinez des jambes plus minces et plus longues (même si vous devez représenter le torse un peu raccourci), ainsi que les pieds plus petits. Ne dessinez pas les muscles de la cuisse trop proéminents.

- **Les bras/les mains** : Notez comment les bras et plus particulièrement les mains sont plus minces et moins définis. À moins que votre personnage féminin ne soit une catcheuse professionnelle sous stéroïdes, donnez-lui autant que possible une silhouette tout en courbes.

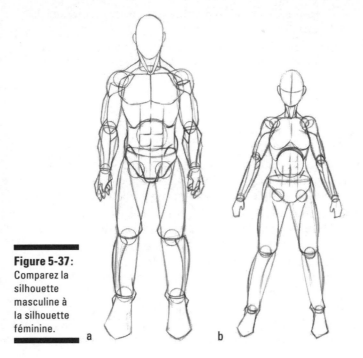

Figure 5-37 :
Comparez la
silhouette
masculine à
la silhouette
féminine.

a   b

C'est dur de vieillir !

Au fil du temps, des changements au niveau physique
s'opèrent en direct sous vos yeux. L'exploration de certains
de ces changements vaut largement l'investissement de votre
temps pour deux raisons. Premièrement, vous souhaiterez
peut-être dessiner votre personnage différemment, disons
représenté une décennie plus tard. Lorsque les lecteurs y
seront accrochés, ils souhaiteront tout connaître sur lui
(y compris ce qui lui arrivera à l'avenir). Deuxièmement, vous
devez considérer d'autres protagonistes, probablement d'âges
différents, pour accompagner votre héros.

Je vous présente à la figure 5-38 des exemples de personnages
de mangas à différents âges.

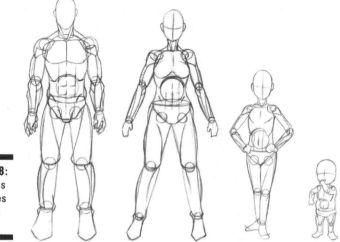

Figure 5-38 :
Observez les personnages à différents âges.

Voici quelques caractéristiques utiles à garder à l'esprit lorsque vous étudierez les proportions des enfants :

- Leur taille est généralement de 3.5 têtes.
- Les muscles des bras et des jambes ne sont pas définis.
- Le front et l'arrière du crâne sont remarquablement surdimensionnés.
- Comme en réalité, la tête est disproportionnée par rapport au corps.

Voici quelques caractéristiques utiles à garder à l'esprit lorsque vous étudierez les proportions des adolescents :

- Leur taille est généralement de 6.5 têtes.
- La structure musculaire est relativement délicate.
- Vers la fin de l'adolescence, les hommes commencent à développer leur musculature sur l'ensemble du corps (plus particulièrement au niveau du torse).
- La poitrine commence à se former relativement tôt à l'adolescence pour les femmes.

Voici quelques caractéristiques utiles à garder à l'esprit lorsque vous étudierez les proportions des adultes :

✔ La taille des hommes et des femmes atteint de 7.5 à 11 têtes.

✔ Les hommes développent des muscles ciselés bien définis.

✔ Les femmes présentent une silhouette tout en courbes au pourtour des hanches, des seins et des jambes.

✔ Les femmes présentent des hanches plus larges que les hommes.

✔ Les hommes développent des épaules et un torse plus larges que les femmes.

Chapitre 6

Personnalisez et accessoirisez votre personnage manga

• •

Dans ce chapitre :

▶ Découvrez les techniques de base pour représenter les plis et les drapés d'un vêtement

▶ Concevez vos propres costumes

▶ Créez des accessoires pour mettre en lumière votre personnage

• •

*L*a mode se situe au centre même de l'univers du manga ! Elle permet de différencier un personnage par rapport à un autre. Que votre héros soit un athlète s'apprêtant à briller au niveau mondial, ou un personnage plus banal debout dans un coin et qui ne réapparaîtra jamais plus, les vêtements qu'ils porteront joueront un rôle très important pour que votre public se souvienne de leur nom ou du titre de votre manga.

De la représentation de base de plis et de drapés à celui de jolis rubans pour les cheveux, les choix concernant les vêtements de votre personnage sont infinis. Dans ce chapitre, je vous indiquerai la façon de dessiner les vêtements et accessoires de base manga. Gardez toutefois à l'esprit que surcharger votre personnage de trop de falbala ne se révélera pas toujours très judicieux. Vous devrez trouver un bon équilibre et vous assurer de l'habiller de manière adaptée à chaque occasion spécifique.

Apprenez à connaître vos plis : représenter le volume d'un tissu

Afin de représenter des vêtements appropriés pour votre personnage, commencez par la base – apprenez à connaître vos plis. Pensez à un pli comme étant l'une des formes en volume d'un tissu.

Vous pouvez voir des plis partout, du pli simple d'une serviette de table à la multitude de plis d'une robe de mariée élaborée. Ne vous surchargez pas cependant l'esprit, en pensant que vous serez obligé de dessiner chaque pli individuel. Voici deux règles simples pour commencer :

✔ **Les tissus souples produisent des drapés plus amples et plus arrondis (comme dans l'illustration gauche à la figure 6-1).** Des exemples incluent les kimonos, les pyjamas, les Tee-shirts et les sweaters en coton. Imaginez les personnages portant ce type de vêtements occupés à verser de l'adoucissant dans la machine à laver.

✔ **Les tissus plus serrés produisent des plis plus accentués (comme dans l'illustration à droite à la figure 6-1).** Des exemples incluent les uniformes militaires, les costumes trois pièces et le cuir. Imaginez les personnages portant ce type de vêtements utilisant une certaine quantité d'amidon avant de repasser.

Figure 6-1 :
Des drapés plus souples ou accentués indiqueront aux lecteurs la nature du tissu.

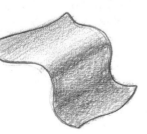 

L'art de pincer, de tirer et de mettre en volume : explorer les plis des drapés

Les plis d'un tissu sont produits en tirant, en pinçant ou par tout autre tension de la surface textile. Basée sur la direction et l'intensité de cette tension (pouvant être due au vent, ou à une main au collet!), le volume et la direction des plis du drapé seront différents.

Bien que les vêtements dissimulent la silhouette, conservez la forme de cette figure pendant que vous les dessinerez. Comme je vous le montrerai plus loin dans ce chapitre, les tensions produisant les plis du drapé peuvent être dues à la torsion, au fait de se pencher ou aux mouvements d'étirements du corps qui s'y trouve enveloppé. Comme pour un tremblement de terre, une tension provient toujours de quelque part. Les plis du drapé indiqueront simplement l'origine de la tension.

Je vous donne ici quelques informations ayant fait leurs preuves dans le temps, à garder à l'esprit lorsque vous dessinerez pour la première fois les plis et drapés d'un vêtement :

- ✔ Les plis du drapé s'élargissent en s'éloignant du point de tension.
- ✔ Ils rétrécissent en se rapprochant du point de tension.
- ✔ Les plis retombent selon la loi de la pesanteur (à l'exception des plis enveloppant la forme dissimulée en dessous).
- ✔ Ils partent en oblique en s'éloignant du point de tension.
- ✔ Ils sont très rarement parallèles les uns aux autres.

Tombés de plis de base

Les artistes dessinent communément des tombés de plis sur des tissus amples suspendus, comme une couverture, un foulard ou une serviette. Ils sont visibles sur les tissus accrochés ou flottant au vent. Commencer par ces plis de drapé est intéressant, car la tension est généralement produite par un ou deux facteurs. Dans ces exemples, vous ne pouvez pas percevoir la forme en dessous. Étudiez les illustrations présentées à la figure 6-2. Essayez d'identifier le point de tension produisant le(s) pli(s) souple(s). Concentrez-vous également sur la direction du tombé du tissu.

Figure 6-2:
Les plis se rejoignent au point de tension.

Restez branché

Créer vos propres idées originales s'avérera difficile sans contact avec le monde extérieur. Au fil des ans, j'ai accumulé une collection d'images provenant des magazines de mode pour m'aider à trouver des idées de costumes. De nos jours, vous pouvez faire toutes vos recherches sur Internet, ce qui vous aidera à trouver l'inspiration. Vous pourrez stocker l'ensemble de vos fichiers numériquement, au lieu d'utiliser de gros classeurs et des étagères sur lesquelles les entreposer. Si vous vous décidez pour le numérique, organisez vos fichiers afin que les images que vous voulez ou dont vous aurez besoin soient faciles à sélectionner. Stockez-les également sur un driver séparé assez puissant pour contenir des images plus larges.

Plis superposés

À la figure 6-3, je vous présente des exemples de plis superposés. Apprenez à reconnaître les différences entre le motif en « Z » à la figure 6-3a et le motif en « S » à la figure 6-3b. Les formes en « Z » évoqueront un mouvement rapide et agressif, alors que les formes en « S » donneront l'impression d'un mouvement fluide et gracile. Les plis superposés montrent les effets de l'environnement (tels que le vent, les ondes d'énergie ou les mouvements rapides) sur les grands pans de tissu souple.

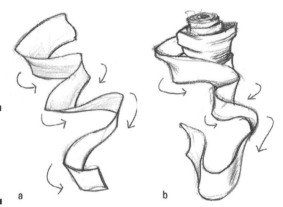

Figure 6-3:
Les plis superposés apportent davantage de mouvement.

a   b

Les plis de drapés enveloppants

Je vous présente à la figure 6-4 des plis de drapés enveloppants, généralement associés aux vêtements amples entourant le corps. Lorsque vous dessinez des vêtements amples sur un personnage (tels que des sweaters, des jambières ou des foulards), les plis s'élargissent tandis qu'ils se rapprochent du contour de la forme qu'ils recouvrent (voir figure 6-4). Si vous souhaitez dessiner des vêtements plus près du corps (tels que des Tee-shirts, des sous-vêtements ou des jeans moulants), les plis devront être plus étroitement assemblés en enveloppant le contour de la forme qu'ils recouvrent (voir figure 6-5).

Les plis des drapés enveloppants ne retombent pas suivant les principes de la pesanteur. La direction des plis est essentiellement dictée par la tension et les formes se trouvant enveloppées par le tissu, et est généralement horizontale ou diagonale, plutôt que verticale.

Figure 6-4: Les vêtements plus amples présentent des contours plus larges et plus souples.

Figure 6-5: Les vêtements plus près du corps présentent des contours plus étroits.

Plis groupés

Les *plis groupés* sont plus complexes; ils s'imbriquent littéralement les uns dans les autres. Comme illustré à la figure 6-6, les plis groupés se produisent généralement lorsque des vêtements ou des drapés sont étroitement resserrés. Bien qu'ils présentent généralement davantage de complexité au niveau des détails et du dessin, ils ajoutent certainement à l'esthétique d'ensemble du personnage. (Regardez simplement les exemples présentés pour le moment, et prenez-en connaissance. Ne vous préoccupez pas pour l'instant de dessiner ces plis plus élaborés; vous pourrez toujours les « repasser » plus tard!)

Figure 6-6 :
Les plis groupés se produisent lorsque des drapés se superposent.

Est-ce du cuir, de la soie ou une autre matiere ?

Votre personnage porte-t-il du cuir épais, de la laine angora ou de la soie aussi fine que du papier ? En précisant l'épaisseur des deux parties du costume de ce personnage, vous n'aurez que l'embarras du choix (voir figure 6-7). Observez la représentation en épaisseur du détail décoratif sur le couvre-chef suggérant qu'il est métallique. Par contraste, la finesse graphique des lignes de la chemise suggère que le tissu est du coton classique. En plus d'ajuster l'épaisseur au bord du tissu, les plis tombant droits ou en oblique à partir du point de tension suggèrent que le tissu est épais et raide. Par contraste, le tissu plus souple et flottant du pantalon tend à présenter des plis bouffants.

Revisitez les ombres

Je vous ai précédemment expliqué en détail le principe des ombres au chapitre 4. Tandis que vous vous familiariserez au dessin des plis, vous pourrez commencer à ajouter des ombres, afin d'accentuer le volume et d'apporter de la texture au tissu. Comme je vous le montre à la figure 6-8a, les ombres aux bords estompés au pourtour des formes cylindriques donnent l'illusion que le tissu est épais mais très doux (il s'agit dans ce cas d'une veste en laine épaisse). Cependant, constatez ce qui se produit lorsque je remplace ces bords estompés par une ombre aux lignes de contour dures, comme à la figure 6-8b. Cette même veste semble brusquement peser une tonne. Je ne peux imaginer aucun mannequin de mode parvenant à la présenter sur le podium !

Figure 6-7 :
Indiquez une double-ligne au bord des vêtements pour suggérer les différentes épaisseurs de tissus.

Vous pourrez également utiliser les ombres afin d'accentuer le volume des vêtements sur l'avant ou l'arrière. Regardez la figure 6-8b et notez la manière dont les zones ombrées sont mises en retrait par rapport à la zone éclairée sur l'avant. L'indication des ombres apporte aux lecteurs une impression d'espace entre le devant et l'arrière de la veste. Si vous éliminez l'ombre, l'effet de volume sera compromis.

En supplément d'ajouter des bords plus larges à l'épaisseur du tissu, vous pouvez ajouter des traits zébrés afin de suggérer que le vêtement est fait de métal ou de verre. Cette technique consiste à ajouter de la matière à la surface, en dessinant plusieurs lignes doubles en diagonale (voir figure 6-8c).

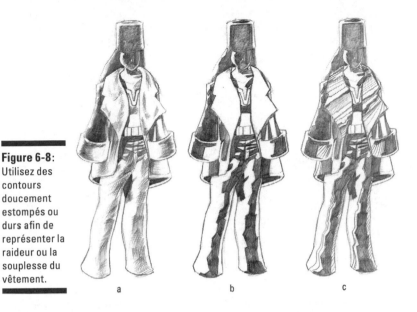

Figure 6-8:
Utilisez des contours doucement estompés ou durs afin de représenter la raideur ou la souplesse du vêtement.

a   b   c

Savoir où placer les ombres nécessite de la pratique. L'emplacement des ombres se modifie en fonction du changement brutal de la source ou de la direction de la lumière, cependant vous devriez généralement présumer que la source lumineuse provient du dessus et de la droite du sujet. Cet exercice simple et rapide pourra vous aider à évaluer l'emplacement des zones d'ombre sur les plis. Prenez quelques instants pour effectuer les étapes suivantes, en réalisant une maquette de la structure d'un drapé (en observant par exemple les plis d'un rideau) :

1. **Tracez quatre lignes horizontales allant d'un côté à l'autre d'une feuille de papier, comme à la figure 6-9a.**

2. **Marquez les lettres A-B-C-B-A sur les sections indiquées sur la feuille (voir figure 6-9b).**

3. **Pliez le papier afin que les côtés A soient orientés vers le haut, les côtés B soient tournés latéralement, et que le côté C soit situé au sommet du pliage (voir figure 6-9c).**

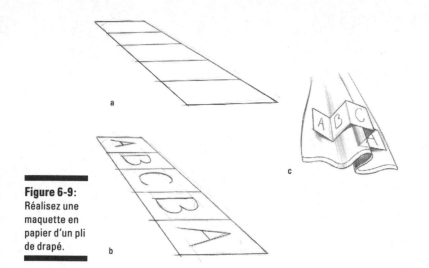

Figure 6-9:
Réalisez une maquette en papier d'un pli de drapé.

Avec cette maquette, observez ce qui se produit lorsque vous en éclairez chaque côté avec une simple lampe de bureau ou une torche. Notez et étudiez ce qui se passe lorsque vous l'éclairez par le haut et à partir de la droite. Quel côté est plus clair et quel côté est plus foncé ? Quelles ombres portées pouvez-vous remarquer ? Si vous repliez les côtés A vers le côté C, quel changement pouvez-vous noté au niveau de la lumière ? Pour terminer, placez cette maquette à proximité d'un des plis du rideau et comparez-les afin de noter la similarité des ombres sur les deux modèles. L'objectif de cette comparaison est de découvrir les formes produites par la lumière et l'ombre sur les plis. Les zones non éclairées devront être ombrées.

S'habiller pour l'occasion

Pour une introduction aux formes de base et sur la manière dont les plis sont mis en volume, référez-vous à la section précédente dans ce chapitre, intitulée « Apprenez à connaître vos plis : représenter le volume d'un tissu ». Dans cette section, je vous montrerai la manière de mettre ces principes en pratique en appliquant ces plis au dessin des vêtements de vos personnages. Lorsque vous vous sentirez prêt à les dessiner, sélectionnez les vêtements de votre personnage parmi les catégories suivantes :

- ✔ Des vêtements courts ou longs
- ✔ Des vêtements épais ou fins
- ✔ Des vêtements amples ou serrés

Lorsque je dessine un personnage, je commence généralement par le haut, signifiant dans ce cas précis les vêtements pour le haut du corps.

Commencez par le haut

Vous pouvez considérer différents types de hauts unisexes. Je vous présente à la figure 6-10 certaines catégories de vêtements standard portés généralement par les personnages de mangas. Les filles sont généralement avantagées au niveau de la mode et peuvent porter la plupart des fringues des garçons. Les hauts sont habituellement classifiés dans la catégorie des manches courtes (comme les vêtements et Tee-shirts d'été BCBG, illustrés à la figure 6-10a), dans la catégorie des manches longues (comme les hauts d'uniformes et les sweat-shirts ; voir figure 6-10b), ou encore sans manches (comme les tenues de soirée ou le Tee-shirt présenté à la figure 6-10c). Vous ne devez pas oublier de changer éventuellement la couleur du haut par une teinte plus chaude (ce qui est rarement problématique, car la plupart des mangas sont imprimés en noir et blanc, à l'exception de la couverture des livres brochés).

Les différences permettant de distinguer les vêtements portés par les filles ou les garçons se situent au niveau de la lingerie, des robes ou d'autres minimes pièces d'accoutrement.

Figure 6-10 :
Hauts unisexes standard, généralement portés par les personnages de mangas.

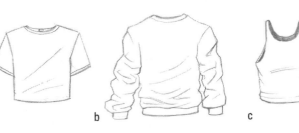

a   b   c

Les cols

Dans cette section, j'aborderai certaines spécificités vestimentaires, explorant quelques-uns des choix et options possibles lorsque vous devrez dessiner le col ou l'ouverture de col d'un haut. Référez-vous aux illustrations que je vous présente à la figure 6-11, afin de vous familiariser à ces différents styles d'encolures.

✓ **Col Mao (figure 6-11a)** : vous trouverez généralement ce style de col sur les uniformes scolaires ou militaires, et sur les personnages portant la tenue traditionnelle chinoise adaptée aux arts martiaux. Ce col peut être complètement refermé, ou présenter une petite ouverture en V sur le devant. Bien que vous puissiez l'utiliser indifféremment pour les deux sexes, il est principalement associé aux garçons.

✓ **Col en V (figure 6-11b)** : Les sweat-shirts ou les vêtements à longues manches de la collection d'automne portés généralement par les garçons présentent ce type d'encolure. Les vêtements des personnages féminins présentent généralement une encolure en V beaucoup plus échancrée vers le bas, afin d'accentuer leur sex-appeal.

✓ **Col en U (figure 6-11c)** : Filles et garçons portent des Tee-shirts et certaines chemises à manches longues présentant ce type de col, qui est probablement le plus unisexe existant actuellement. De nouveau, l'ouverture en U devra être plus échancrée pour les personnages féminins.

✓ **Col de chemise de soirée (figure 6-11d)** : Vous voyez généralement ce col sur les uniformes de collège et les costumes-cravates portés par les employés de bureau. Les garçons portent habituellement une cravate, tandis que les filles y substituent fréquemment des rubans ou des bijoux. Dessinez ce col un peu plus échancré que vous ne le voyez en réalité. Si le personnage est un rebelle sans cause ou une fille sexy, éliminez la cravate ou le foulard, et laissez le haut déboutonné.

Figure 6-11 :
Styles de cols
pour hauts
unisexes
portés par les
personnages
de mangas.

Les manches

Les manches sont particulièrement intéressantes à dessiner,
car vous y trouverez de nombreuses variations et bénéficierez
d'une grande liberté sur la manière d'en interpréter les plis.

Le secret pour dessiner des manches super-réussies n'est pas
nécessairement de les représenter de manière réaliste. Plutôt
que d'essayer de représenter fidèlement chaque froissement
et chaque pli que vous pourrez repérer sur votre photo de
référence, considérez de vous en détacher et de dessiner des
formes générales abstraites.

À la figure 6-12, je vous présenterai la méthode pour incorporer
une fluidité rythmique aux manches, similaire à celle que je
vous ai présentée au chapitre 5 concernant la figure humaine.
L'un des grands avantages de dessiner les vêtements
typiquement manga est que vous bénéficierez de suffisamment
de marge de manœuvre pour utiliser et interpréter librement
des formes intéressantes.

Pour les étapes suivantes, vous aurez besoin du bras que vous
avez appris à élaborer au chapitre 5 (si vous ne l'avez pas
encore dessiné, référez-vous en priorité à ce chapitre). Suivez

ensuite les étapes pour représenter la manche longue d'un sweat-shirt :

1. **Dessinez la ligne haute du contour extérieur de la manche sur le bras (comme à la figure 6-12a).**

   S'agissant d'un sweat-shirt, notez l'espacement entre le contour extérieur de la manche et le bras.

2. **Dessinez la ligne du contour intérieur de la manche (comme à la figure 6.12b).**

3. **Terminez le dessin du contour extérieur de la manche (comme à la figure 6.12c).**

4. **Terminez en ajoutant la manchette au poignet (comme à la figure 6.12d).**

   Observez le rythme ou la fluidité des courbes en « S » sur le bras (voir figure 6-12e), circulant de haut en bas.

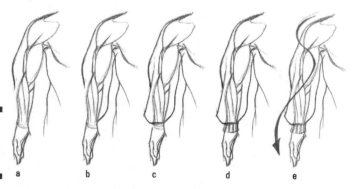

Figure 6-12 : Dessinez la manche du sweat-shirt.

a   b   c   d   e

Lorsque le bras se lève, notez la modification de la tension au niveau du pli. Vers quelle direction est tirée la chemise ? Observez à la figure 6-12e la manière dont les petits plis se regroupent en dessous de la région resserrée de l'aisselle. Notez également la tension ou la direction des plis plus longs s'étirant à partir de l'aisselle vers la partie basse de la cage thoracique et en travers des pectoraux au niveau du torse. En explorant et observant des plis différents, vous remarquerez qu'un grand nombre d'entre eux s'accordent à la structure musculaire de la figure se trouvant en dessous. Par exemple, ce pli situé sur le dessus de l'épaule suit étroitement la structure des *pectoraux*. Vous pouvez également constater que les lignes de la manche forment sur le bras une courbe rythmique en « S ».

Voici une autre petite astuce que vous pourrez utiliser lorsque vous tracerez les lignes de contour des manches. Dès que vous aurez terminé une ligne, dessinez la ligne correspondant à l'opposé. À l'approche du poignet, raccourcissez-les. N'oubliez pas de vous assurer qu'elles sont composées en superposition. Sinon la manche manquera de volume.

Les plis et les froissements des manches plus serrées adhèreront étroitement à la forme du bras. Suivez ces étapes pour dessiner les manches serrées :

1. **En vous inspirant de la figure 6-13a, dessinez les contours extérieur et intérieur des manches proches du bras.**

   Les manches plus serrées adhérant au bras, certains mangakas renommés préfèrent cependant dessiner des manches évasées afin de bien dissocier le tissu de la peau.

   Notez également que vous n'aurez pas besoin d'autant de lignes pour représenter ces manches, comparées aux modèles plus amples.

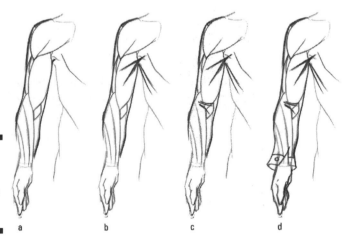

Figure 6-13:
Dessinez les manches de la chemise de soirée plus moulante.

a   b   c   d

2. **Ajoutez les plis sous les aisselles (voir figure 6-13b).**

   Dessinez des plis courts en diagonale, et relativement droits, contrastant avec les courbes du sweat-shirt large.

3. **Ajoutez de petits plis au niveau de l'articulation, entre le biceps et l'avant-bras (voir figure 6-13c).**

   Notez que les plis se courbent inversement en suivant les formes situées en dessous.

4. **Dessinez le bout de la manche recourbé vers l'extérieur (voir figure 6-13d).**

   L'ouverture en « V » de la manchette et un petit bouton vous permettront d'ajouter de charmants détails.

La chemise

Le traitement du reste de la chemise est similaire à celui de la manche. Les points de tension commencent généralement sous les bras, directement au pourtour ou légèrement au-dessus de la taille, ainsi qu'en travers de la poitrine.

Plus la chemise sera serrée, plus elle enveloppera étroitement le corps. À la figure 6-14a, vous pouvez voir des lignes de plis multiples rassemblées au pourtour des hanches. Parmi les nombreux motifs plissés que vous remarquerez (plus particulièrement avec les vêtements moulants), vous pourrez reconnaître deux formes communes en « X » et en « Y » (en vue latérale). Ces formes résultent généralement des plis multiples comprimés les uns contre les autres. Plus le vêtement sera serré, plus il en résultera de la tension, et plus il sera ajusté à la silhouette qu'il enveloppe. Le point de tension provoquant les plis s'accentuera lors de la contorsion, de la rotation ou même de l'inclinaison la plus minime du corps.

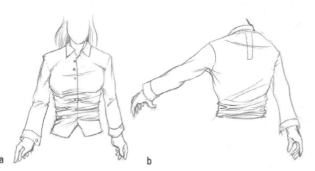

Figure 6-14:
Les motifs plissés en « X » et en « Y » de la chemise ou du corsage moulants.

a   b

La chemise ajustée

Pour dessiner une chemise très ajustée, recourez à la vue terminée de face et de profil du torse que je vous ai présenté au chapitre 5 :

1. **Dessinez la ligne de contour de l'encolure et de la forme des manches que vous aurez choisi, comme à la figure 6-15a.**

   Lorsque vous dessinez des vêtements plus fins et plus moulants, vous n'aurez pas à vous préoccuper de dessiner les lignes extérieures du vêtement, une fois que vous aurez représenté la forme humaine en dessous. Le tissu adhèrera si étroitement au corps que vous ne pourrez pas en dissocier le contour du vêtement, à l'exception des plis subtils se produisant au niveau des articulations ou en raison de la silhouette (comme des bourrelets au pourtour du ventre lorsqu'une personne s'assoit ou se penche sur l'avant).

2. **Dessinez quelques petits reliefs indiquant les plis situés au niveau de la taille (voir figure 6-15b).**

   Ne dessinez pas des formes arrondies trop prononcées tracez, les formes plus accentuées sont à réserver pour des vêtements plus amples.

3. **Dessinez les plis se regroupant au niveau du ventre, comme à la figure 6-15c.**

   Formez des lignes de plis interrompues, recourbées vers le bas.

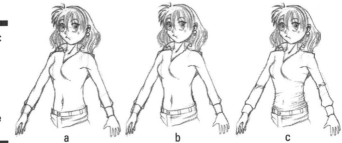

Figure 6-15 : Dessinez les plis pour préciser la taille d'une chemise ou d'un corsage moulant.

a   b   c

Un Tee-shirt moulant sans manche

Si vous désirez transformer la chemise ajustée en un Tee-shirt moulant sans manches, vous n'aurez qu'à éliminer les manches et élargir l'ouverture du col, comme à la figure 6-16. Suivez les étapes proposées ci-dessous :

1. **Échancrez la ligne d'encolure jusqu'au milieu du torse (comme à la figure 6-16a).**

2. **Dessinez une ligne courbe partant du milieu de l'épaule, et allant rejoindre le centre sur le côté du torse, représentant l'ouverture de manche.** Répétez le même procédé en symétrie de l'autre côté du corps (voir figure 6.16b).

3. **Pour les personnages féminins, dessinez au centre du Tee-shirt leur mascotte ou icône favorite, ou encore leur personnage de dessin animé préféré, comme je l'ai indiqué à la figure 6-16c.**

   Les personnages de dessins animés, les icônes et les mascottes représentent un phénomène populaire très développé au Japon.

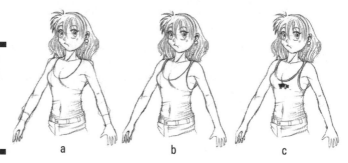

Figure 6-16 : Convertissez la chemise moulante en un Tee-shirt sans manches.

a   b   c

Pensez à la chemise moulant le torse comme à un accordéon. Comme je vous le montre aux figures 6-17a et 6-17b, lorsque le torse vu de face et de profil est droit, les plis sont distribués régulièrement des deux côtés, juste au-dessus de la taille. Cependant, observez ce qu'il se passe lorsque le torse se penche sur un côté : la figure 6-17c vous montre ce qui se produit lorsque la ligne verticale centrale se courbe. Les plis se rassemblent sur le côté plié au niveau de la section médiane du corps, tandis que la tension se répartit de l'autre côté. Observez également ce qui se produit à la figure 6-17d lorsque le corps se penche sur l'arrière (OK, j'ai dessiné là une fille très curviligne !). Vous pourrez observer des dynamiques similaires dans ce pli lorsque le personnage se penche de côté. La tension se déplace au niveau de la section médiane du dos, où se rassemblent de nombreux plis. Dès que la fille curviligne se penche en avant à la figure 6-17e, l'inverse se produit.

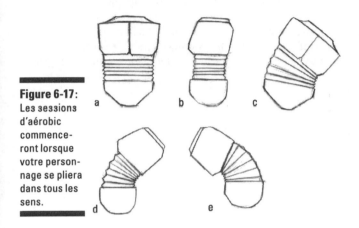

Figure 6-17 : Les sessions d'aérobic commenceront lorsque votre personnage se pliera dans tous les sens.

La chemise ample

Lorsque vous dessinerez le torse revêtu d'une chemise plus ample (comme un sweat-shirt, une veste de pyjama ou de survêtement, ou un kimono), vous serez libre de dessiner des formes plus abstraites. En fonction du volume du vêtement, la silhouette qu'il recouvre demeurera invisible. Le corps reste néanmoins toujours présent en-dessous de ces vêtements. Commencer par la forme centrale du torse permettra d'éviter de perdre la définition de la forme des vêtements, ou la ligne et l'équilibre de la silhouette d'ensemble. De nouveau, vous utiliserez le dessin du torse pour les étapes suivantes. Dans cet exemple, j'ai dessiné un jeune champion de karaté. Suivez les étapes ci-dessous afin de dessiner une chemise ample :

1. **Dessinez l'encolure de la tenue de karaté (karatégi) comme illustré à la figure 6-18.**

   Observez la manière dont l'encolure s'ajuste à la forme du torse.

Le dessin des chemises sera facilité si vous commencez à partir du point central du col. Établir le centre d'une silhouette habillée vous permettra d'ajouter facilement de plus petits accessoires (boutons, poches, motifs et fermetures à glissière). Si vous dessinez ces détails sans une silhouette centrale en tête, leur emplacement manquera d'une base solide. Vous n'avez aucune précision concernant la largeur de l'épaule, ni aucun moyen de vous assurer que les deux épaules sont de proportion similaire ou à la même distance. Vous pourrez bien sûr le deviner, mais pensez à tout ce temps perdu si vous prenez l'habitude d'effacer vos erreurs et de les corriger dans l'espoir que votre prochain essai sera le bon.

Figure 6-18 :
Commencer par les lignes au centre du col du kimono.

2. **Sans vous préoccuper du haut des épaules, dessinez deux lignes représentant les côtés du haut du torse, comme indiqué à la figure 6-19a.**

   Ces lignes ne doivent pas compléter les côtés. Elles ne moulent pas le contour du corps, mais elles reprennent la ligne des muscles pectoraux.

3. **Terminez les côtés en dessinant les lignes de contour du torse, comme à la figure 6-19b.**

   Observez la manière dont ces lignes ressemblent à un tombé libre de drapé (voir « Tombés de plis de base » plus haut dans ce chapitre), où la ligne des plis est dictée par la pesanteur, plutôt que par la tension produite par l'étirement ou la torsion du tissu. Ces plis s'apparentent à ceux d'une serviette suspendue.

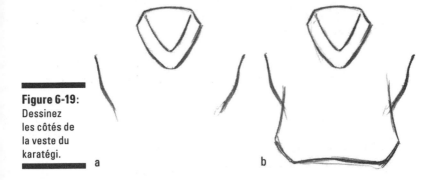

Figure 6-19:
Dessinez
les côtés de
la veste du
karatégi.

a   b

4. **Ajoutez la ceinture de karaté à la taille, les plis rentrés à l'intérieur, ainsi que les rabats en dessous (comme à la figure 6-20a).**

   Notez que la ceinture de karaté reprend la largeur réelle de la taille. Après l'avoir dessinée, ajoutez les plis superposant la ceinture afin de représenter le volume et l'ampleur de la veste de kimono.

   Les rabats permettront de représenter les formes en dessous de la ceinture. Dessinez leur ligne de contour basse légèrement arrondie.

5. **Ajoutez les manches pour terminer la veste du karatégi (voir figure 6-20b).**

   La forme finale de la veste de kimono doit ressembler vaguement à celle d'un sablier.

Figure 6-20:
Terminez
la veste du
karatégi
ressemblant
vaguement à
la forme d'un
sablier.

a   b

Est-ce que ce jean me donne un gros popotin ?

Lorsque vous dessinerez la partie basse d'un vêtement, les personnages féminins auront de nouveau l'avantage de pouvoir porter des vêtements masculins (à l'exception des sous-vêtements – c'est la raison pour laquelle ces fournisseurs de lingerie ont un tel succès !). À l'exception des pantalons de kimono amples portés par les pratiquants d'arts martiaux, la plupart des personnages courants de mangas portent des jeans ou des uniformes scolaires.

Les jeans font partie depuis des lustres du style de mode manga. Ils sont tellement pratiques que si vous devez décider de ce que votre personnage devrait porter dans une situation particulière, dessinez-lui simplement un jean. C'est sans aucun risque, je vous l'assure ! Les femmes adultes présentent au niveau anatomique des hanches et un arrière-train plus arrondis. Les hommes ont un postérieur plus plat, relativement carré (ne me demandez surtout pas comment je le sais – secret professionnel !). En accord avec les tendances de la mode du manga et du monde réel, destinée à accentuer le sex-appeal, les mangakas dessinent les femmes portant des pantalons et des jeans plus moulants que ceux portés par les hommes. Voici deux des styles différents de jeans que vous devrez connaître :

- **Style normal/classique** : Ces jeans sont ajustés aux hanches et aux cuisses, et relativement larges au niveau du bas de la jambe.

- **Style ample/décontracté** : De nouveau, vous trouverez une grande variété de jeans de ce style. Ces jeans vont des pattes d'éléphant des années 1970 au style Gothique extra-large. Certains styles extrêmes ont des jambes tellement longues qu'elles recouvrent en grande partie les chaussures.

Comme je l'ai mentionné à la section précédente, des plis se forment généralement sous les aisselles, à la taille et sous la poitrine des personnages féminins. Avec les jeans, les plis se forment au niveau de l'entrejambe et des genoux. Si les jeans sont amples, les plis aux genoux descendront de manière caractéristique jusqu'à l'extrémité des jambes du pantalon.

Je vous recommande fortement de parcourir les magazines de mode ou les catalogues de prêt-à-porter. Dessiner des arrières trains (ou si vous préférez des derrières, des postérieurs, des fesses – est-ce que cela les décrit suffisamment ?) peut être un sujet embarrassant en raison de son caractère délicat, vous devrez toutefois être en mesure de les représenter correctement !

Que vous le croyiez ou non, dessiner cette partie spécifique du corps peut se révéler assez complexe. La dernière chose que vous voulez obtenir est que vos lecteurs se moquent de votre héros du fait que vous lui avez dessiné un jean le faisant ressembler à une nana.

Jean classique/normal

Avant que je vous apprenne à dessiner les jeans, référez-vous à la section concernant le dessin des hanches pour les hommes et les femmes, dont je vous ai parlé au chapitre 5. Puis, poursuivez votre lecture et suivez les explications pour dessiner les jeans, en débutant par le devant du pantalon. Je commence ici par la partie haute, au niveau de la taille, du jean classique pour femme :

1. **Dessinez le rabat de la fermeture à glissière partant du haut de la taille jusqu'au milieu de l'entrejambe.**

   Dessinez une ligne centrale verticale comme à la figure 6-21a. N'oubliez pas d'ajouter la couture du rabat à droite de la ligne de l'entrejambe.

2. **Ajoutez la ceinture à la taille (comme à la figure 6-21b).**

3. **Ajoutez un bouton au beau milieu de la ceinture, au-dessus du rabat de la fermeture à glissière.**

4. **Ajoutez deux rectangles étroits représentant les passants de la ceinture, un de chaque côté du bouton.**

   Les passants de la ceinture doivent être rapprochés du bouton. Remarquez qu'ils débordent légèrement de la ligne basse de la ceinture (comme indiqué à la figure 6-21c).

5. **Ajoutez deux passants rectangulaires supplémentaires de chaque côté de la taille (comme à la figure 6-21d).**

   Si votre personnage ne porte pas de ceinture, vous devrez dessiner les passants latéraux légèrement recourbés vers l'extérieur, éloignées des hanches afin d'indiquer le petit espacement par rapport à la taille. Si votre personnage porte une ceinture, sa largeur aplatira les passants en occupant cet espace.

6. **Dessinez une courbe de chaque côté du pantalon, représentant les poches.**

   Comme pour le rabat de la fermeture à glissière, n'oubliez pas de dessiner les coutures soulignant le haut de la poche.

Les jeans classiques sont relativement étroits (beaucoup moins que les jeans moulants). Par conséquent, ils suivent le contour des hanches et des jambes. Les seules exceptions concernent les zones situées sur le devant du pantalon où les jambes se raccordent aux hanches et aux genoux (où sont situées les boules d'articulation), et où vous pourrez percevoir de petits plis saillants.

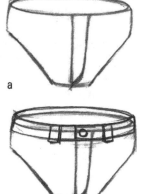

Figure 6-21 : Terminez la veste du karatégi ressemblant vaguement à la forme d'un sablier.

a

b

c

d

7. **Dessinez les jambes entières du personnage (y compris ses pieds), comme à la figure 6-22a.**

8. **Ajoutez plusieurs lignes partant du milieu de l'entrejambe vers les hanches (comme à la figure 6-22b).**

   Les lignes composent plusieurs formes en « V ». Plus les jeans seront moulants, plus vous devrez dessiner de plis. Gardez à l'esprit qu'elles vous permettront de suggérer les contours des hanches.

   L'astuce pour représenter des denims réalistes est de placer les plis les plus courts aux endroits les plus serrés (comme à l'entrejambe, au point de jonction des fesses et des jambes, et à l'arrière des genoux où la cuisse rejoint le mollet). De même, placez des plis plus larges aux endroits présentant moins de tension par rapport au mouvement de la jambe (comme le devant de la cuisse ou du fémur).

9. **Aux genoux et à l'ourlet de la jambe du pantalon, ajoutez deux plis en « X » (voir figure 6-22c).**

10. **Effacez toutes les lignes et formes superflues, comme à la figure 6-22d.**

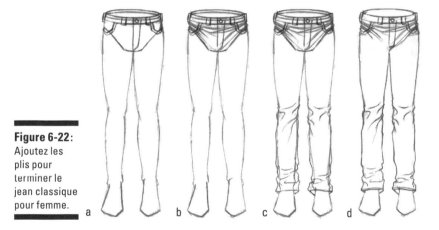

Figure 6-22 : Ajoutez les plis pour terminer le jean classique pour femme.

À la figure 6-23, je vous présente les différences entre le jean classique pour femme (figure 6-23a) et pour homme (figure 6-23b), en vue de trois-quart pour plus de clarté. Ces jeans sont en grande part unisexes, cependant observez la manière dont l'arrière-train et les hanches sont atténuées

aux plis du jean gothique à la figure 6-25a. Dans le jean ample standard, les chaussures font remonter l'ourlet au niveau des chevilles, produisant ainsi un pli. Avec le jean gothique, les plis retombent quasiment au sol.

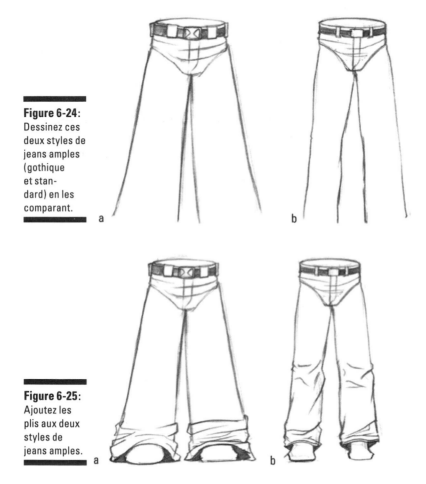

Figure 6-24: Dessinez ces deux styles de jeans amples (gothique et standard) en les comparant.

a   b

Figure 6-25: Ajoutez les plis aux deux styles de jeans amples.

a   b

6. Dessinez les éléments décoratifs

Dessinez les poches n'est qu'un début. Référez-vous à la figure 6-26 pour des formes intéressantes de poches, des sangles et des fermetures à glissière à ajouter au jean gothique (voir figure 6-26a). Évitez d'accessoiriser le jean ample standard plus neutre (voir figure 6-26b).

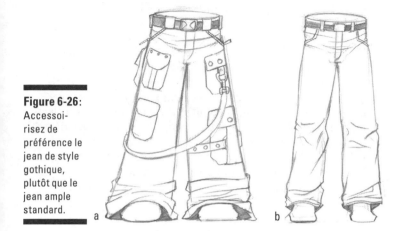

Figure 6-26: Accessoirisez de préférence le jean de style gothique, plutôt que le jean ample standard.

a

b

Équipé pour faire bonne impression

Après avoir choisi les vêtements de base de votre personnage, continuez à lui apporter du style en imaginant ce qu'il ou elle pourrait porter. Tant de protagonistes s'activent dans les pages des mangas que vous devrez vous assurer que les lecteurs reconnaissent les vôtres en particulier parmi tous les autres. Dans cette section, je vous présenterai la manière de dessiner une variété d'accessoires simples produisant un super effet. Il sera facile d'ajouter ces accessoires en vous basant sur la tête d'une jeune fille. Si vous la dessinez pour la première fois, référez-vous au chapitre 4.

Accessoires pour les cheveux et la tête

Au fur et à mesure que vous développerez vos propres histoires, vous vous demanderez peut-être comment vous parviendrez à être l'auteur d'une *véritable* création, alors que tant de personnages manga se ressemblent. Le challenge est de personnaliser vos protagonistes en les équipant de divers accessoires permettant aux lecteurs de les identifier. Comme Indiana Jones qui ne perdait jamais son célèbre chapeau, le secret se situe au niveau de leurs vêtements. La section suivante vous propose quelques suggestions.

Les rubans

Les rubans constituent les accessoires de coiffure les plus populaires chez les personnages manga contemporains. La plupart des mangakas les représentent sur les jeunes filles. L'âge du personnage ou la manière dont vous voulez que les lecteurs le perçoivent conditionneront les proportions des accessoires de coiffure. Par exemple, vous pourrez dessiner un personnage de petite fille naïve en l'affublant de rubans plus grands afin d'accentuer son côté mignon. Entraînez-vous en dessinant un grand ruban en forme de nœud papillon en suivant ces étapes :

1. **Dessinez le centre du nœud papillon puis esquissez-en légèrement les deux côtés (voir figure 6-27a).**

2. **Terminez en ajoutant des gros pois et de petits plis de chaque côté du nœud (comme à la figure 6-27b).**

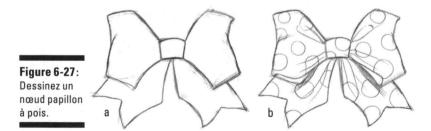

Figure 6-27 : Dessinez un nœud papillon à pois.

a   b

TRUC

Si vous n'êtes pas sûr d'élargir ou de réduire la taille du ruban, suivez cette règle : plus vous exagérerez les traits de votre personnage, plus vous aurez à agrandir les dimensions des accessoires.

La figure 6-28 vous présente d'autres dimensions et formes de rubans noués en nœud papillon. Amusez-vous avec les motifs et le style ! N'hésitez pas à placer le nœud à plusieurs endroits différents. Certains personnages le porteront à l'arrière de la tête, ou à l'extrémité d'une longue tresse.

Figure 6-28: Autres styles de rubans noués en nœud papillon qui accentueront un joli minois.

Les bandeaux pour cheveux

Le bandeau est un autre moyen simple et efficace de contrôler la chevelure d'un personnage. Comme vous le verrez dans les étapes suivantes, les bandeaux suivent étroitement le contour de la tête. Ceux qui les portent ont généralement les cheveux longs (au moins jusqu'aux épaules) et peuvent être plus âgés. Suivez les instructions proposées ci-dessous :

1. **Dessinez une légère ligne suivant le contour de la tête (voir figure 6-29a).**

   Cette ligne vous permettra de placer correctement le bandeau, qui doit être posé naturellement contre la tête, sinon vous obtiendrez une drôle d'allure.

   Afin de vous assurer que vous avez dessiné le bandeau correctement, notez la courbe que j'ai dessiné comme ligne de repère à la figure 6-29a, commençant au-dessus du front et passant à l'arrière des oreilles.

2. **Dessinez une deuxième ligne pour le bandeau.**

   Comme illustrée à la figure 6-29b, la forme du bandeau s'élargit au sommet de la tête et se rétrécit aux extrémités.

3. **Terminez la forme du bandeau par des extrémités en arrondi et une simple ornementation.**

   Les extrémités en arrondi doivent passer à l'arrière et légèrement au-dessus des oreilles. Comme je vous le montre à la figure 6-29c, le design et l'ornementation permettent de renforcer l'attraction visuelle.

4. **Ajoutez les cheveux pour terminer cette jolie frimousse (voir la figure 6-29d).**

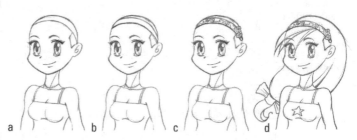

Figure 6-29:
Les bandeaux
sont des
accessoires
simples
permettant
de structurer
une longue
chevelure.

Les bandeaux sont également pratiques comme éléments de certains accoutrements de combat. Bien que la fonction première de ce bandeau soit de protéger le front de votre personnage, c'est également un moyen sympa d'accentuer son caractère. S'il (ou elle) est le protagoniste d'un récit manga d'action ou d'aventure, considérez la démonstration suivante :

1. **Dessinez une légère ligne suivant le contour de la tête en commençant par la partie avant gauche du front, et se terminant à l'arrière de la tête, comme à la figure 6-30a.**

Figure 6-30:
Les ban-
deaux vous
permettront
de person-
naliser votre
personnage.

2. **Dessinez une deuxième ligne pour le bandeau, comme à la figure 6-30b.**

   Assurez-vous de dessiner une bande assez large afin que la plaque de protection puisse s'y adapter aisément.

3. **Dessinez une plaque de protection personnalisée au milieu du front.**

   Cette plaque est généralement un rectangle légèrement bombé. Embellissez cette pièce de bouclier en y ajoutant un symbole appartenant au personnage. Suivez le modèle à la figure 6-30c.

Un diadème sophistiqué

Les parures comme les diadèmes vous permettront de suggérer la classe sociale et une certaine élégance. Ce type d'accessoires est porté par les princesses et autres membres de la royauté. Les mangakas les dessinent généralement en y ajoutant des perles, des pierres précieuses et des fleurs. Si votre personnage appartient au genre imaginaire du manga ou au shôjo manga, vous devriez l'affubler de quelques accessoires sophistiqués. Commencez par ces étapes :

1. **Tracez légèrement une ligne suivant le contour de la tête (voir figure 6-31a).**

   Cette ligne de repère vous permettra de placer correctement le bas du diadème. Assurez-vous de la dessiner superposée à la ligne de la naissance des cheveux.

2. **Dessinez au centre et en dessous de la ligne de repère une croix de pierres précieuses (voir figure 6-31b).**

   Embellissez toujours les formes des bijoux du diadème que vous ajouterez. Observez la manière dont j'ai dessiné les contours ou des formes plus petites à l'arrière des plus grandes. Ces détails permettront de donner à la parure une apparence plus sophistiquée ainsi que davantage de volume.

3. **Dessinez une rangée de perles rondes le long de la ligne de repère.**

   Comme illustré à la figure 6-31b, la dimension des perles se réduit progressivement en s'éloignant du centre.

4. **Dessinez davantage de perles au-dessus de la ligne de repère de chaque côté et au-dessus de la croix.**

5. **Terminez le diadème en y ajoutant une rose aux deux extrémités (voir figure 6-31c).**

Figure 6-31:
Les parures sophistiquées sont ornées de perles et de roses.

a · b · c

Les lunettes

Les lunettes sont de toutes formes et de toutes tailles. Elles recouvrent et protègent les yeux, et sont bénéfiques à la vue. Leur monture et leur dimension en disent beaucoup plus sur votre personnage, qu'il s'agisse d'une femme d'affaires ou d'un collégien asocial et écervelé. À la figure 6-32, j'ai illustré quelques-uns des archétypes-clés que l'on peut généralement rencontrer dans l'univers du manga contemporain :

✔ **Les lunettes rondes (figure 6-32a)** : pour la jeune collégienne naïve et innocente concentrée sur ses études.

✔ **Les lunettes carrées (figure 6-32b)** : pour le lycéen un peu présomptueux estimant sa valeur personnelle en fonction de sa performance aux examens.

✔ **Les lunettes rectangulaires (figure 6-32c)** : pour le « dragueur » vaniteux convaincu qu'il peut faire chavirer le cœur de chaque fille – à tout moment, et n'importe où !

✔ **Les lunettes ovales et pointant vers le haut (figure 6-32d)** : pour la bibliothécaire futée approchant la quarantaine, qui peut repérer un livre devant être rendu depuis longtemps à plus d'un kilomètre à la ronde.

Figure 6-32:
La forme et
la taille des
lunettes
en diront
long sur vos
personnages.

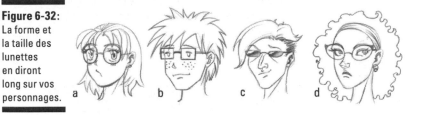

L'astuce pour dessiner des lunettes réussies est de vous assurer que les verres sont bien placés devant les yeux et parallèles l'un à l'autre. Les lunettes sont simples par nature, cependant les débutants font principalement deux erreurs, que j'illustre à la figure 6-33. L'une d'elles consiste à dessiner les lunettes trop proches de la tête vue de profil (voir figure 6-33a). À la figure 6-33b, je vous montre comment dessiner correctement ce profil. La seconde erreur commune est de dessiner les deux cercles des verres des lunettes de la même taille alors que la tête est représentée légèrement de trois-quart (comme à la figure 6-33c). À la figure 6-33d, je vous montre les lunettes vues de trois quart correctement représentées : le diamètre du cercle du verre le plus proche du lecteur doit être légèrement plus large que celui qui en est éloigné.

Figure 6-33:
Erreurs
communes
des débutants
représentant
les lunettes
vues de face
et de profil.

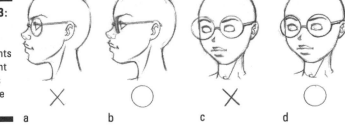

Vous ayant montré la manière de représenter correctement les vues de face et de profil, entraînez-vous à présent à dessiner les lunettes vues de trois quart :

1. **Dessinez légèrement une ligne horizontale (que vous effacerez plus tard) passant au centre des yeux (voir figure 6-34a).**

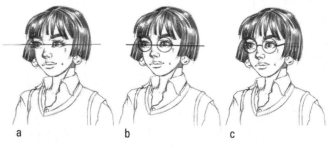

a   b   c

2. **Dessinez deux formes ovales représentant les verres des lunettes.**

   Le diamètre du verre situé plus près du premier plan doit être légèrement plus grand que celui qui en est éloigné (comme à la figure 6-34b).

3. **Dessinez le pont entre les deux verres des lunettes, ainsi que la branche se raccordant à l'oreille (comme à la figure 6-34c).**

   À ce stade, effacez les lignes de repère tracées à l'étape 1.

Les lunettes de protection

Les lunettes de protection sont plus volumineuses, par conséquent les personnages auront plutôt tendance à les porter relevées sur le front que sur les yeux. Les yeux manga permettant essentiellement de transmettre les émotions, les représenter complètement obscurcis ne sera pas très judicieux.

Les lunettes de protection vous permettront d'obtenir un détail intéressant en créant un impact dans une super aventure, mais elles sont un peu plus compliquées à représenter car vous aurez davantage de formes à dessiner et d'étapes à suivre. Elles sont portées relevées au-dessus des yeux, par conséquent, vous habituez à les dessiner sous cet angle représentera un certain challenge. Commencez par les étapes suivantes :

1. **Comme je vous le montre à la figure 6-35a, dessinez une légère ligne juste au-dessus de la ligne des sourcils.**

   Cette ligne de repère indique le bord inférieur des lunettes de protection.

Figure 6-35:
Les lunettes de protection nécessitent un certain temps d'apprentissage, cependant elles permettront à votre personnage de produire un réel impact !

2. **Indiquez le point central de la ligne de repère par un carré étroit (représentant le pont entre les verres des lunettes).**

3. **Dessinez un rectangle de chaque côté de la ligne de repère (voir figure 6-35b).**

   Les lunettes de protection étant tournées vers le haut, vous pouvez voir le dessous en épaisseur des deux rectangles.

4. **Dessinez les côtés des lunettes partant en oblique vers le haut, comme à la figure 6-35c.**

   Observez soigneusement et notez que les verres latéraux ne sont pas complètement carrés. La ligne supérieure de la surface tournée vers le ciel est davantage oblique que la ligne inférieure. Sans ces inclinaisons, le dessin de ces lunettes manquerait de relief et d'équilibre.

   Une manière plus facile pour réussir cette vue en perspective des lunettes est de dessiner en premier la surface inclinée tournée vers le ciel. Son épaisseur visible sera ensuite plus simple à adapter.

5. **Dessinez la partie en verre des lunettes de protection, comme à la figure 6-36a.**

6. **Terminez en ajoutant de l'ombre et des reflets, comme à la figure 6-36b.**

Figure 6-36 : Ajoutez des ombres et des reflets de lumière pour obtenir un dessin fini ayant du relief.

a   b

Quel accessoire ajouter ou porter ?

Dans cette section, je vous montrerai plusieurs accessoires sympas que vous pourrez ajouter à vos personnages.

Les ceintures fonctionnelles

Les ceintures fonctionnelles sont très populaires chez les personnages de science-fiction, d'héroïc fantasy et d'action. La plupart des poches et mini-compartiments de ce type de ceinture sont constitués de cylindres et de cubes. Pour les étapes suivantes, vous devrez utiliser la section concernant la représentation de la taille mentionnée au chapitre 5 :

1. **Dessinez une ceinture large autour de la taille, comme à la figure 6-37a.**

   La ceinture doit être suffisamment large afin de soutenir le poids de tout cet attirail de pochettes et de sacs utilitaires attachés au pourtour.

2. **Dessinez la boucle centrale**.

   J'ai dessiné une boucle standard rectangulaire aux bords arrondis. Cependant, si votre personnage porte une ceinture fonctionnelle comme signe distinctif de son style personnel, vous devrez créer un design plus élaboré. Par exemple, la boucle pourra présenter les initiales du nom du personnage, le logo ou la mascotte de son équipe, etc. Ces nombreux détails sophistiqués occupant beaucoup de place, ils cacheront la pointe et le cran de la boucle.

3. **Esquissez légèrement les emplacements des autres compartiments, comme à la figure 6-37b**.

   Tracer des lignes légères vous permettra de modifier les formes si vous avez besoin de davantage de place.

4. **Précisez les lignes et ajoutez les détails, comme à la figure 6-37c**.

   À ce stade, je décide généralement si je veux ajouter des boutons, des fermetures à glissière ou des sangles avec des compartiments.

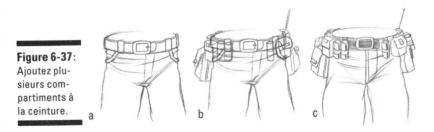

Figure 6-37 : Ajoutez plusieurs compartiments à la ceinture.

a   b   c

Les sacs à dos

Un sac à dos est l'un des accessoires essentiels des personnages prêts à s'embarquer pour un long périple. Les sacs plus larges et les sangles suggèrent le tout-terrain, tandis que les plus petits seront probablement utilisés par des écoliers. Les sacs à dos de taille moyenne seront chargés d'un attirail très prisé par tout génie de l'informatique qui se respecte.

Les étapes suivantes vous indiquent la manière de dessiner des sacs à dos de taille moyenne. Ils constitueront de supers accessoires pour les personnages de fidèles acolytes (voir chapitre 8) passionnés par la haute-technologie numérique et le traitement de chiffres à vitesse grand V :

1. **Dessinez une forme de pierre tombale, comme à la figure 6-38a.**

2. **Ajoutez un rectangle plus petit aux angles arrondis sur le devant, comme à la figure 6-38b.**

3. **En supplément d'esquisser les fermetures à glissière, les poignées et les sangles de base pour les épaules, j'ai accentué l'aspect « petit génie de l'électronique » en y ajoutant une radio et une antenne de communication satellite, une caméra cachée, des capsules et une caméra vidéo sur l'épaule.**

Comme je le montre à la figure 6-38c, vous pourrez y ajouter librement de nombreux détails amusants. Les sacs « tout-terrain » ont davantage de poches et des sangles plus larges.

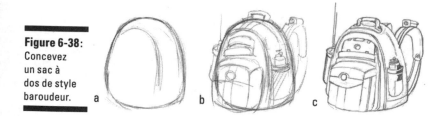

Figure 6-38 :
Concevez un sac à dos de style baroudeur.

a   b   c

Les mallettes

Les mallettes sont essentiellement des rectangles avec une poignée sur le dessus. Vous pourrez vous amuser à ajuster les touches de style finales. La mallette est-elle en métal ou en cuir ? S'agit-il d'une mallette solide ? Suivez les instructions ci-dessous pour commencer :

1. **Dessinez une forme fine géométrique rectangulaire, comme à la figure 6-39a.**

2. **Ajoutez une poignée sur le dessus (voir figure 6-39b).**

Vous pouvez voir sur la plupart des mallettes des creux sous la poignée facilitant la prise de la main.

3. **Terminez la mallette en y ajoutant votre petite touche personnelle, comme je l'ai fait à la figure 6-39c.**

   J'ai ajouté de solides serrures de sécurité et quatre angles de protection métalliques à cette mallette. J'y ai également indiqué le logo du cochon que j'utilise pour Piggy Back Studios.

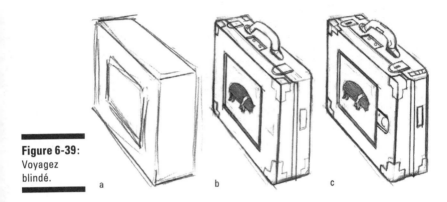

Figure 6-39:
Voyagez
blindé.

a   b   c

Troisième partie

On distribue les rôles

« Oh, Taylor, j'adore la façon dont tu dessines la glotte de tes personnages hurlant à gorge déployée! »

Dans cette partie...

L orsque vous saurez représenter la silhouette de base, vous serez prêt à vous consacrer à la création de vos propres personnages. Pour commencer, je vous présente un répertoire des archétypes populaires les plus fréquemment utilisés dans les publications courantes et classiques de mangas, essentiellement constitués d'un ensemble des traits de caractère et physiques attribués à un personnage particulier. Un *archétype* peut inclure, par exemple, la couleur des cheveux et des yeux, ainsi que le type physique du personnage. Est-il (ou est-elle) grand(e), petit(e), mince ou bâti(e) comme une armoire ?

L'apparence de votre personnage dépend entièrement de vous, mais vous devrez initialement explorer et assimiler les divers modèles à votre disposition. Pour ceux d'entre vous qui ont déjà des titres préférés, certains archétypes que vous avez pu remarquer participent au succès d'une série manga pour une raison. Entraînez-vous à dessiner les personnages présentés dans cette section. Ne soyez pas intimidé par l'aspect fignolé du rendu final. Ne vous attendez pas non plus à ce que vos premiers essais soient parfaitement réussis. Recherchez plutôt à reproduire un personnage existant en vous en inspirant directement.

Je vous initierai étape par étape à représenter les personnages principaux populaires, leurs fidèles acolytes et les méchants redoutables. Vous commencerez en établissant la position de la silhouette générale épurée, vous l'étofferez en y ajoutant des formes géométriques de base, puis vous en préciserez la structure musculaire et le visage. Et pour finir, quelques suggestions vous permettront d'effectuer de petites modifications et d'ajouter des détails afin de terminer votre personnage en beauté.

Chapitre 7

Les protagonistes principaux

Dans ce chapitre :

▶ Apprenez à dessiner les divers protagonistes de l'univers contemporain manga

▶ Apprenez à représenter les postures suggérant la force et une grande assurance

▶ Découvrez les costumes des différents personnages principaux

Chaque récit manga doit avoir son héros ou son héroïne. Les lecteurs se désintéresseront très rapidement d'une histoire manquant d'un personnage principal auquel s'identifier. Indépendamment des ingrédients fantastiques de votre scénario, il sera cependant essentiel de captiver l'attention du public avec des protagonistes mémorables. Dans ce chapitre, je vous présente des types populaires de personnages masculins et féminins issus de l'univers manga contemporain. Considérez-le comme une proposition de casting où vous pourrez sélectionner les acteurs principaux en tant que metteur en scène d'un film manga à grand succès !

Si vous dessinez des personnages de manga pour la première fois et et que vous ne possédez pas d'expérience préalable en dessin, lisez les chapitres 4, 5 et 6 avant de vous lancer à représenter ces personnages.

Apprenez à dessiner les personnages principaux masculins

Dans cette section, je vous guide dans les arcanes des principaux personnages masculins populaires du manga.

Ces archétypes sont en constante évolution et transformation, comme dans toutes productions populaires de l'industrie du divertissement, cependant, vous devriez être en mesure de reconnaître la tendance actuelle ayant influé sur le marché du manga au cours des sept dernières décennies.

L'étudiant androgyne

Cet étudiant est généralement distrait et silencieux en apparence. Cependant, il dissimule un profond secret : il possède une sorte de pouvoir mystique qu'il ne peut révéler pour une raison mystérieuse. Son aspect androgyne interpellera vraisemblablement et physiquement

les lecteurs et les lectrices, indépendamment de leur âge respectif, car il reflète une image à laquelle la plupart pourront s'identifier – ce personnage est le loser innocent et naïf prêt à surmonter avec succès de rudes épreuves. Les lecteurs anticiperont la transformation radicale qu'il s'apprête à vivre et qui changera intégralement le déroulement de l'histoire.

Voici certains des traits ou caractéristiques de l'étudiant androgyne :

- ✔ **Une grande timidité** : du moins en apparence.

- ✔ **Un visage androgyne** : son visage n'est pas trop charmant, son regard ardent sera peut-être chargé d'éclairs.

- ✔ **Des pouvoirs secrets** : il réfléchit aux événements au cours de la progression du récit.

- ✔ **Un physique mince (mais pas de mauviette)** : lorsque la transformation se produit, son corps se métamorphose en un physique plus athlétique, mais sans exagération.

- ✔ **Des cheveux mi-longs ébouriffés** : du style hérissé *yaoi* (androgyne).

- ✔ **L'uniforme de collégien** : il le porte en permanence, et le haut du col est déboutonné lorsque son côté sombre s'éveille.

En gardant ces caractéristiques à l'esprit, suivez ces étapes pour représenter l'étudiant au look androgyne :

1. **Dessinez la silhouette générale de base avec des épaules étroites et des proportions d'adolescent (référez-vous au chapitre 5 pour plus d'informations sur les proportions) – faisant approximativement 6 têtes de haut (comme à la figure 7-1).**

   Utilisez une posture simple et bien campée. Par exemple, installez-le la main posée sur une hanche et l'autre ouverte comme s'il sentait l'approche du danger et se préparait au combat.

Figure 7-1 : Établissez la position de la silhouette générale de base de votre personnage principal.

2. **Précisez les lignes du corps pour lui donner une apparence plus humaine.**

   J'ai esquissé à la figure 7-2a les formes géométriques (que j'effacerai dans le dessin final). Mon personnage étant encore adolescent, la largeur des épaules est identique à celle des hanches (la largeur des épaules s'élargissant avec la maturité).

À la figure 7-2b, j'ai accentué la structure musculaire de base, pour que la silhouette soit plus réaliste et convaincante. La musculature des adolescents poursuivant son développement, je l'ai par conséquent atténuée.

À ce stade, je suis quasi certain que son uniforme de collégien recouvrira la totalité de son corps. J'ai esquissé rapidement et légèrement les lignes de sa silhouette afin de pouvoir les effacer facilement.

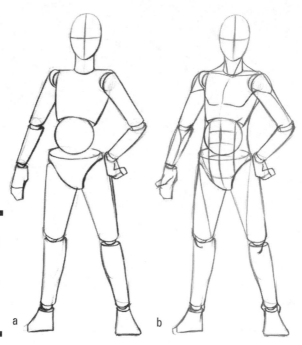

Figure 7-2: Esquissez les formes géométriques et dessinez plus précisément les muscles de base.

a   b

3. **Dessinez la forme de la tête et les traits du visage, et indiquez par un tracé léger le maillot de corps, le pantalon et les chaussures (comme à la figure 7-3).**

   J'ai choisi le style de coiffure *yaoi* aux contours plus lisses, complétant les grands yeux, le petit nez et la bouche minuscule. Représentez une toute petite bouche, car cet archétype est plutôt cool et la présente rarement ouverte pour exprimer des émotions excessives telles que des hurlements, des rires tonitruants ou des pleurs. Afin d'accentuer l'atmosphère générale suggérée par sa posture, j'ai ébauché des vêtements de forme fluide, donnant ainsi l'impression que des bourrasques de vent et des ondes d'énergie circulent autour de lui. Dessiner légèrement les lignes est toujours d'actualité (assurez-vous que vous pourrez les modifier sans trop d'effort).

Figure 7-3:
Dessinez le
visage et les
vêtements.

4. **Affinez la tête et les traits du visage, terminez l'uniforme de collégien et ajoutez quelques petits détails sympas (voir figure 7-4).**

   J'ai indiqué des ombres pour préciser certains détails de la coiffure et des yeux. Afin de représenter l'aspect lisse et libre des mèches de cheveux, j'ai laissé de grandes zones en rehauts de lumière. J'ai également crayonné quelques mèches libres retombant devant le front et les yeux.

J'ai indiqué des plis exagérés sur la veste de l'uniforme. Les personnages que vous voulez représenter comme étant durs ou costauds doivent porter leur veste d'uniforme ouverte. Cette astuce permettra de donner l'impression que les épaules sont plus larges et d'exposer les *pectoraux* (les muscles de la poitrine), généralement associés à la virilité.

Des fragments de feuilles mortes ou un éparpillement de particules flottant dans les airs autour de votre personnage donneront l'impression qu'un flot d'énergie invisible circule autour de lui.

Figure 7-4:
Ajoutez la veste d'uniforme de collégien et des effets spéciaux.

Le capitaine de l'équipe de foot du collège

Les sports scolaires les plus populaires dans le manga sont le tennis, le foot, le base-ball et les arts martiaux. Le personnage de capitaine d'équipe de foot du collège présente le même style de coiffure yaoi que l'étudiant androgyne (voir la section précédente), et également un gabarit plus développé. D'un tempérament passionné, il n'a pas peur de s'investir corps et âme afin de remporter la victoire.

Voici quelques caractéristiques communes attribuées au capitaine de l'équipe du collège :

- ✔ **Une grande capacité de concentration** : il croit dur comme fer à un entraînement intensif.

- ✔ **Un côté un peu loser** : mais bien évidemment, il viendra finalement à bout de tous les obstacles rencontrés.

- ✔ **Des cheveux mi-longs ébouriffés** : utilisez à nouveau le style hirsute *yaoi*.

- ✔ **Une bonne carrure mais pas trop musculeuse.**

En gardant ces caractéristiques essentielles à l'esprit, suivez ces étapes pour représenter votre capitaine d'équipe :

1. **Dessinez la silhouette générale de base mesurant environ de 6 à 6**.5 têtes de haut.

   Lorsque j'ai établi la position de ma silhouette filiforme, j'ai tracé un cercle léger pour représenter un ballon de foot sous son bras et un autre sous son pied (voir figure 7-5). Sa posture étant légèrement cambrée et penchée vers l'avant (plutôt qu'en position droit debout), elle semble raccourcie.

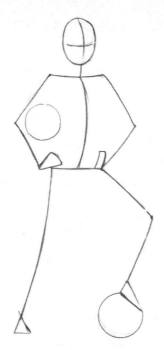

Figure 7-5:
La silhouette
filiforme
tenant un
ballon de foot.

2. **Précisez les lignes du corps pour lui donner une apparence plus humaine.**

À la figure 7-6a, afin d'étoffer la silhouette filiforme, j'ai dessiné légèrement les formes géométriques (que j'effacerai dans le rendu final). Tout comme l'étudiant androgyne présenté précédemment dans ce chapitre, la largeur des épaules est identique à celle des hanches.

À la figure 7-6b, j'ai précisé la structure musculaire de base, afin que le dessin de la silhouette semble plus réaliste et convaincant. À ce stade de l'adolescence, les muscles sont fermes, mais pas encore suffisamment développés pour présenter un volume évident.

À cette étape, je suis quasiment sûr qu'il sera revêtu d'une tenue de foot, par conséquent, j'ai légèrement et rapidement esquissé les lignes du corps, afin de pouvoir les effacer facilement.

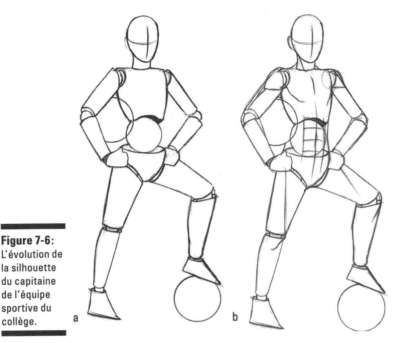

Figure 7-6:
L'évolution de
la silhouette
du capitaine
de l'équipe
sportive du
collège.

a   b

3. **Indiquez les formes des vêtements de base, esquissez
   la forme de la tête et les traits du visage, et dessinez sa
   tenue de foot.**

   Lors de l'ajustage du short et du maillot de foot sur le
   personnage tracé à la figure 7-7, je me suis assuré que la
   taille de ces vêtements paraisse exagérée afin d'indiquer
   qu'ils sont amples et non moulants. La plupart des shorts
   de sport présentent une ouverture en « V » sur le côté des
   cuisses.

   J'ai dessiné la coiffure de style *yaoi*, des yeux
   gigantesques, un petit nez et une bouche fine. Le style
   de coiffure ébouriffé, présentant des mèches en pointes
   aussi hérissées que le dos d'un porc-épic, communique
   aux lecteurs que ce personnage sait ce que signifie de
   s'entraîner durement et qu'il ne craint pas de se battre
   pour remporter la partie. Dessinez ses yeux plus ronds
   et plus larges que ceux de l'étudiant androgyne.

Les chaussettes de foot couvrent la plus grande partie des mollets, afin que les protège-tibias puissent se glisser en dessous (je les ai indiqués en dessinant leurs lignes de contour sur chaque jambe).

Lorsque je dessine les crampons, j'enlève mes propres chaussures et les utilise comme modèles. Vous n'êtes pas obligé de représenter les chaussures avec des détails photoréalistes. Cependant, de nombreux débutants ignorent les types de chaussures correspondant aux diverses activités. Un footballeur ne peut pas jouer en portant des talons hauts, et le soldat ne rentre pas sur le champ de bataille en claquettes !

Figure 7-7 :
Dessinez la tenue ample de foot.

4. **Terminez les accessoires et ajoutez les touches finales aux traits caractéristiques du personnage.**

J'ai apporté des détails au ballon de foot, au maillot et au short, et j'ai dessiné quelques accessoires plus petits, comme les bandes aux poignets (voir figure 7-8).

Pour des idées de styles de tenues de football, je vous recommande de suivre les matchs de foot (pendant la Coupe du Monde) où vous pourrez en voir de toutes sortes en provenance du monde entier. J'ai également ajouté des ombres au niveau de la chevelure en laissant quelques zones en blanc pour les accents de lumière.

Compléter avec des lignes hachurées vous permettra de représenter les traces de boue et les éraflures causées lors d'un match bien défendu. Deux pansements révéleront qu'il a reçu quelques soins au cours de la mi-temps et qu'il se prépare de nouveau à l'action. Faites attention de ne pas trop en rajouter – vous devez vous assurer que ce petit mec a encore suffisamment d'endurance et n'est pas encore près de s'effondrer.

Figure 7-8: Terminez le personnage en ajoutant quelques accessoires.

Le bleu des forces spéciales armées

Un autre type de personnage principal est le jeune bleu de l'armée, impulsif et plein d'énergie. Il déteste recevoir des ordres du chef, cependant, il deviendra un homme nouveau suite à ses graves erreurs ou à la mort d'un de ses congénères.

Vous trouverez ci-dessous quelques-unes des caractéristiques essentielles de ce personnage principal :

- ✔ **Un visage jeune** : il doit être à peine âgé d'une vingtaine d'années.
- ✔ **Une lourde armure** : le protégeant des tirs d'artillerie.
- ✔ **Des armes à feu et de petits gadgets** : portez attention aux détails.
- ✔ **Une tête plus petite** : ou du moins en apparence, car son armure donne l'impression que son corps est disproportionné.

En gardant ces caractéristiques à l'esprit, suivez ces étapes afin de dessiner votre propre personnage :

1. **Dessinez une silhouette filiforme de 8 têtes de haut, comme à la figure 7-9.**

   Donnez suffisamment d'ampleur à la position, qui va permettre d'accommoder ultérieurement l'armure.

2. **Précisez les lignes du corps, de manière à ce qu'il se rapproche de la figure humaine.**

   J'ai dessiné légèrement à la figure 7-10a les formes géométriques des parties du corps sur la silhouette filiforme (que j'effacerai dans le rendu final). Étant plus âgé que les autres protagonistes encore adolescents dont j'ai parlé dans ce chapitre, j'ai opté pour des lignes géométriques plus larges et plus allongées.

   À la figure 7-10b, j'ai reproduit la structure musculaire en me basant sur les formes géométriques pour que la silhouette semble plus réaliste et convaincante. J'ai défini les muscles individuellement afin de les représenter saillants et plus développés que ceux du capitaine de l'équipe de foot du collège cité à la section précédente. Dessinez un cou large pour accentuer son superbe physique, tout en n'oubliant pas que l'armure le recouvrira finalement en totalité. Esquissez légèrement et rapidement les lignes du corps afin de pouvoir les effacer plus facilement par la suite.

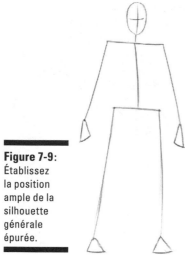

Figure 7-9:
Établissez la position ample de la silhouette générale épurée.

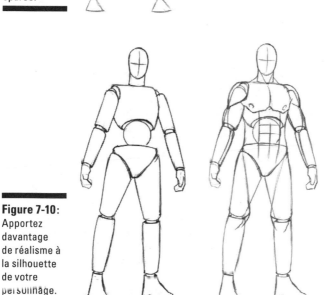

Figure 7-10:
Apportez davantage de réalisme à la silhouette de votre personnage.

a · b

3. **Dessinez la tête, les traits du visage et l'armure, comme à la figure 7-11.**

   Ce type de personnage apparaissant dans les mangas d'action destinés généralement aux adultes, j'ai figuré les traits du visage plus petits et de style plus réaliste, avec une arête fine au petit nez pour lui donner une expression plus mature (le personnage sort à peine de l'adolescence), ainsi que les contours de la chevelure plus près du crâne que pour les protagonistes collégiens *yaoi* mentionnés précédemment dans ce chapitre.

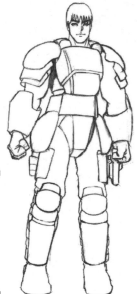

Figure 7-11 : Dessinez la tête et les traits du visage, et adaptez l'armure du jeune soldat.

Nombreux sont les débutants qui pensent à tort qu'un mangaka professionnel est capable de dessiner une armure en un clin d'œil. Il n'en est rien – comme tout artiste créatif, un mangaka a besoin de rassembler des références pour l'aider dans son inspiration.

En complément du repérage des types d'armures créées par les mangakas, je vous recommande de consulter les tenues des forces anti-émeutes, ainsi que celles de l'armée et autres formes de cuirasses. Pour trouver l'inspiration, il m'arrive de me rendre au musée pour voir les armures de guerre utilisées dans divers pays au cours de l'histoire.

N'alourdissez pas ce personnage avec des pièces d'armure particulièrement exagérées, car surcharger votre dessin comparé au mien conduirait les lecteurs à le confondre avec un mecha de combat.

4. **Apportez des détails à l'armure en y ajoutant des fissures et des bosses pour en suggérer l'usage et l'usure (voir figure 7-12), et indiquez des ombres sur les cheveux**.

J'ai dessiné les sangles sur le côté des bras et détaillé les moulages de l'armure. Une antenne située à proximité de son épaule lui sera très utile pour les communications-radio.

Figure 7-12 :
Effacez les marques de crayon et ajoutez des éraflures causées par la bataille pour apporter davantage de réalisme.

Dessinez des formes moulées de l'armure se superposant afin d'apporter du volume à l'ensemble de la silhouette du personnage. Indépendamment du nombre de détails que vous ajouterez, elle manquera singulièrement de relief sans ces formes superposées.

L'usure de l'armure suggère que ce bleu n'a pas froid aux yeux.

Apprenez à dessiner les personnages principaux féminins

Ceux-ci ont énormément évolué au cours des décennies. Alors qu'elles jouaient traditionnellement des rôles maternels ou de faire-valoir, les publications mangas courantes présentent des femmes agressives qui n'ont pas peur d'exposer parfois leur anatomie. L'univers du manga offre bien davantage que des amazones haïssant les hommes, comme vous pourrez le constater aux sections suivantes.

La rêveuse

La rêveuse est la fille innocente très tendance. Elle apparaît traditionnellement dans les shôjo manga, où ses adversaires principales sont représentées par les filles de sa classe qui la harcèlent avec la ferme intention de la tourner en ridicule, en espérant qu'elle se découragera et changera de collège. Elle se montrera cependant assez forte pour résister à ces harpies et pour séduire le mec le plus séduisant de sa classe au look androgyne.

Voici certaines caractéristiques de la rêveuse :

- ✔ **Des yeux gigantesques** : symboles de son innocence.
- ✔ **Un corps presque androgyne** : elle a une petite poitrine et aucun muscle saillant.
- ✔ **Des cheveux blonds aux boucles sophistiquées, ou des cheveux noirs tombant aux épaules.**

En gardant ces caractéristiques à l'esprit, suivez ces étapes afin de représenter votre rêveuse :

1. **Esquissez la silhouette générale de la rêveuse beaucoup plus étroite qu'un personnage masculin, mesurant de 6 à 6**.5 têtes de haut (voir figure 7-13).

   Vous devrez également vous assurer que son attitude est réservée pour suggérer son apparence conventionnelle.

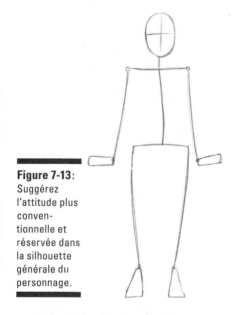

Figure 7-13 :
Suggérez l'attitude plus conventionnelle et réservée dans la silhouette générale du personnage.

2. **Précisez les lignes du corps, pour le rendre plus proche de la figure humaine.**

   À la figure 7-14a, j'ai esquissé légèrement les formes géométriques sur la silhouette (que j'effacerai dans le rendu final). Les formes de ses bras et de ses jambes doivent paraître à peine plus minces que celles des protagonistes masculins adolescents.

   À la figure 7-14b, j'ai dessiné la structure musculaire de base, afin que la silhouette du personnage semble plus réaliste et convaincante. Les muscles, les seins et les hanches sont représentés de manière minimaliste. La tête est légèrement plus large et plus ronde (suggérant qu'elle présente encore un visage enfantin).

À ce stade, sachant que le corps de mon personnage sera revêtu de son uniforme de collégienne, j'ébauche toutes les lignes légèrement afin de pouvoir les effacer facilement plus tard.

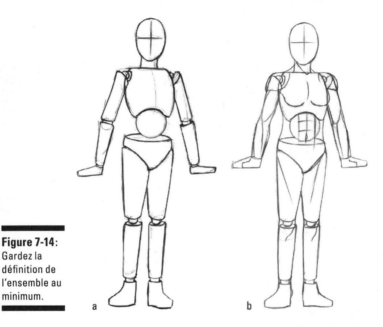

a   b

Figure 7-14:
Gardez la définition de l'ensemble au minimum.

3. **Dessinez son uniforme de collégienne et précisez la tête et les traits du visage**.

Cet archétype fréquente généralement un collège de haut niveau situé au sein d'une communauté aisée. Son uniforme scolaire devra donc refléter cette atmosphère conservatrice ainsi que les exigences d'étiquette un peu vieux jeu de l'établissement. Voir la figure 7-15.

Tandis que j'habille mon personnage (eh oui, quelqu'un est bien obligé de le faire!), je m'assure que le chemisier à manches courtes s'ajuste bien au corps sans être toutefois trop moulant. Ajoutez quelques volants au pourtour de l'ouverture des manches et de l'encolure. La jupe courte constitue l'unique vêtement ample. Dessinez les chaussettes montant au niveau des genoux. En supplément du gilet par-dessus le chemisier, un nœud de ruban sur le devant de la poitrine apporte une dernière touche à l'ensemble.

Dessinez les contours de la coiffure volumineuse en représentant la chevelure ondulée, plus quelques boucles torsadées de chaque côté de la tête. Des yeux gigantesques sont essentiels. Représentez-les grands ouverts et pétillant de reflets de lumière de forme ovale, ainsi que le nez et la bouche plutôt petits et étroits.

Figure 7-15: Habillez le personnage de la rêveuse avec des vêtements adaptés à son style conventionnel.

4. **Ajoutez les chaussures et les accessoires, et dessinez des plis et des détails sur l'uniforme.**

   J'ai dessiné un ruban à l'arrière de la tête, et des gants sophistiqués remontant au-dessus des poignets (voir figure 7-16). Ses ballerines sont ornées d'un petit nœud sur le dessus.

   Lorsque j'ai croqué les ballerines, j'ai tracé une bande fine contournant les chevilles pour représenter la lanière. Le cou-de-pied est découvert, laissant voir partiellement les chaussettes.

Dessinez des froissements et des plis autour de l'extrémité des manches, au pourtour de la taille et retombant le long de la jupe, dont j'ai souligné l'ourlet par une large bande, en m'assurant qu'elle suit la forme des ondulations, permettant ainsi de lui apporter davantage de volume.

Figure 7-16: Dessinez des plis et des détails sur l'uniforme.

L'experte en arts martiaux

Un autre archétype populaire manga est l'experte en arts martiaux. Elle porte généralement un costume chinois et un chignon de chaque côté de la tête. À la différence de la rêveuse adolescente de la section précédente, l'experte en arts martiaux est directe et administre de bonnes raclées ! Elle est énergique, belle et effrontée (plus particulièrement envers les hommes !).

Vous trouverez ci-dessous certaines caractéristiques de ce personnage :

- ✔ **Des proportions d'adulte** : de 7 à 8 têtes de haut.
- ✔ **Une belle musculature au niveau des bras et des cuisses.**
- ✔ **Une chevelure pouvant se répandre sur les épaules** : cependant, elle porte toujours des accessoires décoratifs dans les cheveux.
- ✔ **Une attitude effrontée.**

Suivez ces étapes afin de figurer votre experte en arts martiaux :

1. **Dessinez la silhouette générale du corps, en indiquant les épaules et les hanches larges, et en lui donnant une position dynamique (comme à la figure 7-17).**

   En faisant porter le poids du corps sur la hanche droite, l'épaule située à l'opposé se surélèvera, et l'ensemble du corps formera ainsi une courbe en « S ».

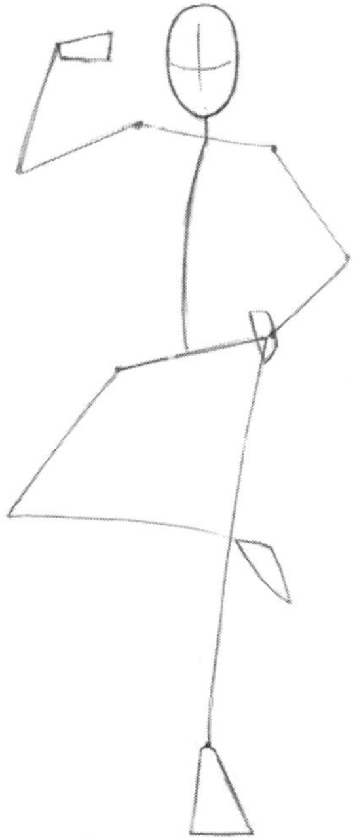

Figure 7-17 :
Établissez une courbe dynamique en « S » pour la posture du personnage.

2. **Précisez les lignes du corps, pour lui donner une apparence plus humaine**.

À la figure 7-18a, j'ai esquissé légèrement les formes géométriques (que j'effacerai dans le rendu final). Dessinez les jambes, et plus particulièrement les cuisses, de forme large.

À la figure 7-18b, j'ai basé la structure musculaire du corps sur des formes géométriques, afin que la silhouette du personnage semble plus réaliste et convaincante. Les muscles devront être bien définis avec des courbes légèrement amplifiées (particulièrement au niveau des seins et des hanches). La largeur des cuisses indiquera la puissance de ses coups. Le cou est également plus épais et présente davantage de muscles saillants que celui de la rêveuse de la section précédente.

À ce stade, les contours de son corps sont révélés, car ses vêtements sont très moulants et ajustés. Tout en crayonnant toujours légèrement, je n'oublie toutefois pas que ces lignes doivent être précises.

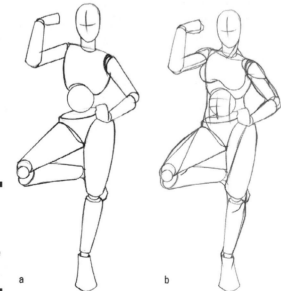

Figure 7-18: Dessinez une musculature plus précise et bien établie pour ce personnage.

a   b

3. **Esquissez les vêtements, dessinez la tête et les traits du visage, et affinez les muscles (voir figure 7-19a).**

Le kimono de kung-fu populaire chinois que porte ce personnage présente un col Mao (similaire au col de l'uniforme scolaire porté par l'étudiant androgyne, présenté précédemment dans ce chapitre). La plupart de ces vêtements sont dépourvus de manches, et constitués d'un long pan retombant sur le devant et l'arrière des hanches jusqu'en dessous des genoux. Ainsi ajusté au corps, vous n'aurez besoin de représenter que les froissements au pourtour de la taille et sur la pièce de tissu passant au-devant et à l'arrière des hanches. Je termine en dessinant les hautes bottes de combat, montant jusqu'aux genoux.

J'ai ébauché la ligne de la mâchoire légèrement inclinée et plus basse afin d'indiquer qu'elle est âgée d'environ 25 ans, et que son visage n'est plus enfantin. Dessinez les mèches de cheveux de devant, puis la longue chevelure descendant à l'arrière de son dos. De chaque côté de celle-ci, ce personnage porte un chignon attaché par de longs rubans (je n'en ai représenté qu'un seul car sa tête est légèrement tournée sur le côté). Laissez certaines mèches de la frange retomber entre les yeux. Dessinez des cils épais afin de suggérer qu'il lui reste encore un côté féminin bien enfoui sous toute cette musculature.

Ce personnage tout en force pourrait probablement écraser une canette de bière contre son front si elle le voulait, elle possède une adorable frimousse. Dessinez le petit nez et les lèvres minces.

J'ai tracé des courbes en superposition des formes des muscles de base de l'étape 2 afin d'accentuer son apparence physique dominante en lui apportant davantage de volume.

4. **Ajoutez des détails à la chevelure et au kimono de kung-fu (comme illustré à la figure 7-19b).**

Pour les détails et les accessoires, j'ai ajouté des bracelets autour de l'avant-bras et des biceps. Puis j'ai dessiné des motifs au hasard aux bords de son vêtement et sur la poitrine (ainsi que des galons décoratifs aux rubans dans la chevelure). J'ai foncé les cheveux à l'exception des accents de lumière, et ajouté des boucles aux bottes dont j'ai également foncé la tonalité.

Figure 7-19: Dessinez les vêtements pour terminer votre experte en arts martiaux.

a   b

La fana de high-tech

Si l'univers du manga vous est familier, vous avez sans aucun doute rencontré maintes fois ce type de personnage. Source de fantasme de tous les adolescents, la fana de high-tech effectue sa mission en bikini ou en combinaison de pilote et est équipée de toutes sortes de gadgets de haute technologie (des armes à feu aux lunettes de protection agrémentées d'un radar). Cet archétype travaille généralement en équipe avec d'autres filles vêtues à l'identique, prêtes à affronter le crime ou les créatures extraterrestres ayant l'intention d'envahir la planète Terre.

La fana de high-tech est une adolescente présentant certaines des caractéristiques suivantes :

- ✔ **Des proportions de 5 à 6.5 têtes de haut.**
- ✔ **Des yeux relativement grands :** mais plus petits que les yeux de style shôjo.
- ✔ **Quelques indications précises au niveau de son physique :** toutefois pas aussi développé que pour l'experte en arts martiaux.

Pour dessiner la fana de high-tech, gardez ces caractéristiques à l'esprit et suivez ces étapes :

1. **Dessinez la silhouette générale du personnage dans une posture d'action.**

   Plutôt que d'avoir les deux pieds en contact avec le sol, dessinez la position générale du personnage un pied en l'air. Pliez-lui les genoux ou faites-lui bouger les bras afin qu'il puisse garder son équilibre. Rappelez-vous que cet archétype hyperactif est continuellement en mouvement.

   Pour compliquer un peu les choses, je l'ai représenté en train de courir (voir figure 7-20), m'assurant que le torse est incliné afin qu'il puisse conserver son équilibre sur une jambe. De manière similaire à l'experte en arts martiaux (voir la section précédente), vous pourrez remarquer la courbure en « S » partant du sommet de la tête et se poursuivant jusqu'à l'extrémité de la jambe soutenant le poids du corps.

2. **Précisez les lignes du corps, afin qu'il se rapproche de la figure humaine, en vous assurant qu'il semble fort et athlétique, tout en étant curviligne.**

   À la figure 7-21a, j'ai esquissé les formes géométriques sur la silhouette filiforme (que j'effacerai au rendu final). Bien que le personnage soit fort et athlétique, ses formes ne sont pas démesurées.

   À la figure 7-21b, ébauchez la structure musculaire en vous basant sur les formes géométriques, afin de représenter une silhouette plus réaliste et convaincante. La poitrine est généralement surdimensionnée. En bref, plus il y aura de courbes, mieux cela vaudra !

Figure 7-20 :
Représentez
la silhouette
générale de
votre person-
nage dans
une position
d'action.

À ce stade, je sais que 80 % de la forme de son corps sera
révélé par le port de sa combinaison de pilote high-tech.
Je dessine toujours légèrement, néanmoins mes lignes
doivent rester précises.

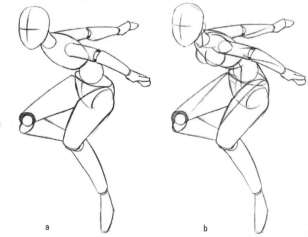

Figure 7-21 :
Apportez une
musculature
plus charpen-
tée et précise
à votre
personnage.

a   b

3. Dessinez la tête, les traits du visage et la combinaison de pilote (voir figure 7-22a).

Les personnages hyperactifs portent généralement des mèches et de longues queues-de-cheval. Dotez cette candide jeune fille de grands yeux, un nez minuscule et un immense sourire béat.

La combinaison de pilote recouvre la plus grande partie du corps, ne laissant que le cou, les épaules et les bras exposés. J'ai indiqué des bandes descendant le long des cuisses jusqu'aux genoux. Je vous suggère d'affubler votre héroïne de bracelets et de bottines de pilote. Ceux-ci comprennent tout un équipement high-tech sophistiqué, comme des émetteurs de liaison satellite, des fusils laser, etc.

4. Dessinez les accessoires high-tech pour terminer le personnage (voir figure 7-22b).

En supplément des bracelets high-tech de l'avant-bras et des bottines de pilote, vous pourrez équiper ce personnage avec les accessoires ou gadgets suivants : des lunettes de protection intégrant des radars en forme d'oreilles de lapin, des microphones, de gros pistolets, des sacs à dos avec des fusées de lancement, et peut-être des ailes lui permettant de prendre la voie des airs.

Figure 7-22 :
Terminez
de dessiner
la tana de
high-tech.

a   b

Chapitre 8

Adorables acolytes

Dans ce chapitre :
- ▶ Apprenez à dessiner les personnages de fidèles acolytes issus de l'univers contemporain du manga
- ▶ Établissez les postures appropriées à chacun des acolytes
- ▶ Explorez les costumes de ces personnages de faire-valoir

*P*our chaque personnage principal, vous aurez au moins un membre du casting lui vouant un soutien inaltérable – connu également sous le nom de fidèle acolyte ou de faire-valoir. Ces archétypes peuvent être masculin, féminin, ou ni l'un ni l'autre (c'est-à-dire d'origine extraterrestre ou animale). Remporter les batailles et gagner l'amour des chers et tendres peut se révéler un parcours très solitaire, en l'absence du soutien inconditionnel de ces acolytes. Les hommes apprennent en contact les uns avec les autres, et cette règle s'applique aux personnages principaux de chaque récit manga.

Les lecteurs seront toujours curieux de savoir comment les protagonistes se comporteront en relation avec leur entourage : c'est la raison pour laquelle les tabloïdes se vendent si bien. De nombreux personnages principaux se ressemblent dans plusieurs histoires de mangas, par conséquent, leurs acolytes permettront de les différencier – soit en aidant le héros dans sa mission, soit en transformant celle-ci en un véritable cauchemar (généralement sans le vouloir le moins du monde !). Indépendamment de son impact, l'acolyte a autant d'importance que les personnages principaux.

Dans ce chapitre, je vous présente des personnages d'acolytes populaires issus de l'univers manga contemporain, et initiale-ment, la manière de dessiner un acolyte masculin et féminin.

Si vous figurez des personnages de mangas pour la première fois et que vous ne possédez pas d'expérience préalable en dessin, lisez les chapitres 4, 5 et 6 avant de vous lancer dans l'aventure.

Apprenez à dessiner les acolytes masculins

Les sections suivantes illustrent la méthode pour dessiner les acolytes masculins. Ces archétypes évoluent et changent, comme dans chaque production populaire de l'industrie du divertissement, mais vous devrez reconnaître au moins la tendance du moment ayant influé sur le marché du manga au cours des dix dernières décennies.

Coltinez-vous M. Muscles

Ce type de personnage est essentiellement constitué d'une masse volumineuse de muscles. Il s'agit de l'aide ultime pour tout héros devant accomplir une mission ardue. Il apparaît en compagnie des personnages athlétiques androgynes (classifiés sous le terme yaoi), tels que le capitaine de l'équipe de foot du collège cité au chapitre 7.

M. Muscles présente généralement les caractéristiques suivantes :

- ✔ Une force brutale : il est constitué à 100 % de muscles et de force physique.
- ✔ Une apparence physique plutôt disproportionnée : mesurant de 8 à 10 têtes de haut et 5 têtes de large, son corps semble démesuré par rapport à sa tête.
- ✔ Il est totalement dépourvu de pouvoirs secrets : il n'aime que démolir !
- ✔ Un appétit pantagruélique.
- ✔ Un manque d'intelligence : ce n'est pas le plus futé, loin de là !

Pour créer votre propre M. Muscles, gardez ses caractéristiques à l'esprit et suivez ces étapes :

1. **Établissez le dessin général de la silhouette de base mesurant proportionnellement de 8 à 10 têtes de haut et de 4 à 5 têtes de large.**

   N'étant pas du type vif ou souple, sa posture doit rester simple.

   À la figure 8-1, la tête de mon personnage est légèrement penchée vers l'avant afin d'accentuer la masse du corps. Je l'ai dessiné légèrement voûté, la position bien campée pour soutenir tout ce poids.

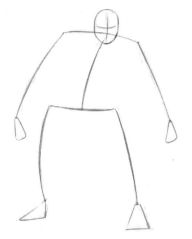

Figure 8-1 :
Établissez le dessin général de la position de votre acolyte, M. Muscles.

2. **Précisez la silhouette par des formes géométriques et des groupes de muscles de base.**

   À la figure 8-2a, j'ai dessiné des formes géométriques plus épaisses et plus grandes que pour l'exemple du capitaine de l'équipe de foot du collège au chapitre 7, afin d'accentuer son apparence physique volumineuse. À la figure 8-2b, j'ai précisé la tête, les traits du visage et la structure musculaire du corps. Vous verrez généralement ce type de personnage les poings serrés. Ses pectoraux sont plus larges que sa tête. J'ai rapidement indiqué l'emplacement des yeux, du nez et de la bouche, ainsi que la forme générale de la chevelure.

À ce stade, je suis à peu près certain que le torse et les mains de mon personnage devront être amplifiés et par conséquent, les vêtements que je lui dessinerai ultérieurement seront près du corps. J'ai ébauché des lignes légères car je devrai les affiner plus précisément.

Figure 8-2:
Apportez de la précision aux muscles en retravaillant les formes géométriques établies, et indiquez approximativement les traits du visage et la tête.

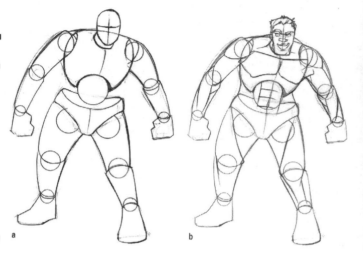

a   b

3. **Dessinez légèrement les vêtements et précisez les traits du visage**.

Choisissez des vêtements ne camouflant pas trop ce physique hors pair. Vous souhaitez convaincre vos lecteurs que ce type possède suffisamment de puissance musculaire pour pouvoir défoncer un mur.

Pour ce personnage spécifique (voir figure 8-3), j'ai choisi une tenue de boxeur poids lourds. Malgré ces vêtements larges, vous pouvez encore distinguer les formes des muscles volumineux au niveau des épaules et de la poitrine.

Ce fidèle acolyte comptant essentiellement sur ses biceps pour effectuer sa mission, vous le verrez rarement portant des armes (il ne démolit qu'à mains nues).

Ce type de personnage n'a pas peur de montrer ses émotions quasi animales (de mauvaise humeur, il en fait généreusement profiter tout le monde!). Je lui ai donné une expression de visage comme s'il disait : « Ah ouais! »

Pour le faire paraître encore plus impressionnant, je préfère laisser les yeux aussi petits que des points blancs, représentant les reflets de lumière et apportant une apparence plus réaliste à son regard.

Figure 8-3 :
Dessinez le haut, le short et les chaussures de M. Muscles.

4. **Affinez les lignes et ajoutez les détails à sa tenue vestimentaire, comme à la figure 8-4.**

Profitez de cette étape pour adjoindre les détails, tels que des logos et des motifs sur les vêtements, ainsi que d'autres petits accessoires, des lunettes par exemple.

J'ai ajouté le motif du T-shirt, ainsi que des détails sur le short et les baskets.

Le petit frère loyal

Cet acolyte est représenté par le petit frère du personnage principal. Tel que le perroquet l'est au pirate, c'est un excellent compagnon, en dépit de son petit gabarit et de son absence de force physique. Ce qu'il lui manque en taille est compensé par une loyauté inaltérable vis-à-vis du personnage principal – parfois même jusqu'à la mort. Ce type de comparse accommodant est particulièrement adapté aux protagonistes suivants cités au chapitre 7 : l'étudiant androgyne, le capitaine de l'équipe de foot du collège, la rêveuse et la fana de high-tech.

Voici certaines des caractéristiques du petit frère loyal :

- **Un look de poulbot et de binoclard.**
- **Il accompagne continuellement le personnage principal** : vous ne les verrez jamais l'un sans l'autre en couverture de manga.
- **Des cheveux courts et ébouriffés** : utilisez le style hirsute *yaoi*.
- **Une musculature minimale.**

Suivez les étapes ci-dessous pour représenter ce petit mec un peu farfelu :

1. **Dessinez la position de la silhouette générale de votre personnage**.

   Il mesure généralement de 3.5 à 5 têtes de haut. Sa position doit refléter son éducation conventionnelle. Il va droit au but, impatient d'agir pour aider son grand frère à réussir.

   Lorsque j'ai configuré la position du personnage à la figure 8-5, j'ai souligné sa structure physique de manière radicalement plus atténuée que celle de M. Muscles présenté à la section précédente. Il est positionné droit debout, la main posée contre sa tête comme pour un salut, ou comme s'il faisait son rapport (vous remarquerez plus tard qu'il rajuste simplement ses lunettes style cul-de-bouteille).

C'est le type de gamin dont toutes les petites brutes de l'école se sont moquées, mais à présent, c'est le meilleur copain que l'on puisse avoir (au moins aux yeux du personnage principal).

Figure 8-5: La silhouette générale du petit frère loyal.

2. **Précisez le corps par des formes géométriques et des groupes de muscles de base**.

En contraste radical avec le volumineux M. Muscles, ce personnage présente un corps plus fluet. N'exagérez pas en le dessinant trop malingre – vous ne voulez quand même pas lui donner un air famélique! À la figure 8-6a, j'ai légèrement esquissé les formes géométriques de mon personnage (que j'effacerai dans le rendu final, les vêtements recouvrant la plus grande partie du corps).

Dessinez des muscles sans relief. L'intelligence de ce personnage compense magistralement son manque de musculature. À la figure 8-6b, j'ai précisé les muscles au minimum et les pectoraux qui sont quasiment inexistants. Je dois lui donner une apparence « conventionnelle » (le récit dont fait partie mon personnage se déroule durant la révolution industrielle à New York City). J'ai tracé les lignes du corps légèrement et assez rapidement afin de pouvoir les effacer aisément. J'ai esquissé l'emplacement des yeux, du nez et de la bouche, ainsi que le contour de la chevelure.

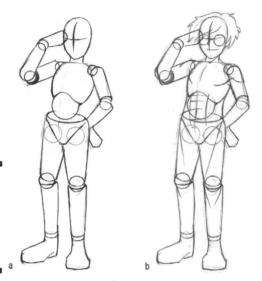

Figure 8-6:
Vous pouvez commencer à préciser les muscles et les traits du visage.

a   b

3. **Dessinez les vêtements par-dessus le corps et affinez les traits caractéristiques**.

Adaptez à la personnalité de ce type de personnage des chemises boutonnées jusque sous le menton afin d'évoquer son côté ringard ou classique. Les cravates et les grosses lunettes seront les bienvenues. Bien que ses traits caractéristiques soient de style yaoi, il pourra également arborer un sourire malicieux en coin suggérant une certaine « sagesse », à la différence de l'expression innocente de l'étudiant androgyne présenté au chapitre 7.

Je dessine la chemise, les bretelles, les gants, les boots et les pantalons sur le corps du personnage à la figure 8-7a, de façon à les représenter légèrement larges plutôt que serrés. Cette ampleur accentuera le côté poulbot de cet archétype. Les chaussures doivent avoir l'air abîmé et ressembler à des godillots. Afin d'accentuer le look ringard, je l'ai affublé de lunettes aux verres si épais qu'ils empêchent de distinguer ses yeux. Le sourire en coin ajoute encore à son attitude de « Monsieur Je-sais-tout ».

4. **Complétez par des accessoires et des détails vestimentaires**.

   J'ai accolé à mon personnage un sac de coursier et une casquette, ainsi que des détails tels que les spirales opacifiant les verres ronds en cul-de-bouteille des lunettes (voir la figure 8-7b).

Figure 8-7 : Dessinez les vêtements larges de style classique puis affinez-en les caractéristiques.

a   b

Le vétéran intello

Ce type de fidèle compagnon est généralement plus âgé et plus expérimenté que le personnage principal – pour ainsi dire il s'agit du cerveau de l'opération. Il symbolise le frère aîné rencontrant maintes difficultés pour contrôler l'impulsivité du jeune héros plus immature. Bien qu'il ne possède peut-être pas sa vitalité et son audace, il prend toujours les meilleures décisions afin de mener son équipe vers la victoire.

Voici les caractéristiques typiques du vétéran intello :

- ✔ **Des signes évidents de maturité physique** : il peut porter des cheveux légèrement plus longs et plus bouclés, son visage pouvant également être plus allongé avec des yeux plus étroits, tout en conservant une apparence *yaoi*.

- ✔ **Une taille plus haute** : il est plus grand que le jeune héros ; je le dessine mesurant approximativement de 6.5 à 7.5 têtes de hauteur.

- ✔ **Une personnalité plus discrète** : son état d'esprit doit paraître plus réfléchi comparé à celui du jeune héros impulsif.

Suivez ces étapes pour dessiner le vétéran intello :

1. **Établissez la position de la silhouette générale de votre personnage, en vous assurant qu'elle est bien campée, afin de suggérer sa confiance en lui et en ses capacités, basée sur sa grande expérience**.

   En supplément de la position bien établie des jambes, vous pourrez également transmettre son attitude déterminée en lui croisant les bras sur la poitrine ou en le figurant les mains sur les hanches.

   J'ai décidé que mon personnage serait l'entraîneur de l'équipe de karaté du collège, par conséquent je l'ai dessiné les bras croisés sur la poitrine en signe de maturité (voir figure 8-8).

2. **Précisez le corps en utilisant des formes géométriques et les groupes de muscles de base**.

   Ce personnage partage une grande similarité au niveau du corps et de la musculature avec le capitaine de l'équipe de foot du collège présenté au chapitre 7.

   À la figure 8-9a, j'ai légèrement esquissé les formes géométriques (que j'effacerai au rendu final).

   À la figure 8-9b, j'ai précisé la structure musculaire afin de rendre la silhouette plus réaliste et convaincante. Elle ne doit pas être aussi exagérée que celle de M. Muscles (voir « Coltinez-vous M. Muscles » précédemment dans ce chapitre, pour plus d'informations). J'ai indiqué rapidement l'emplacement des yeux, du nez et de la bouche, ainsi que le contour de la chevelure.

À ce stade, étant certain que le corps sera revêtu d'un karatégi (tenue de karaté), j'ai légèrement et rapidement esquissé les lignes du corps afin de pouvoir les effacer facilement.

Figure 8-8:
Dessinez la position bien campée de la silhouette générale du personnage.

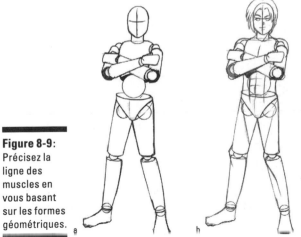

Figure 8-9:
Précisez la ligne des muscles en vous basant sur les formes géométriques.

3. **Dessinez les vêtements sur le corps en précisant leurs caractéristiques**.

Les fidèles acolytes tels que celui-ci apparaissent habituellement soit en uniforme scolaire, soit en tenue de karaté (*karatégi*) ; sa tenue vestimentaire ne détonne pas par rapport à celle des autres.

J'ai dessiné à la figure 8-10a le pantalon, puis le haut du karatégi, à la figure 8-10b.

En complément de revoir le chapitre 6 traitant de la méthode de représentation des plis, je vous recommande de consulter des photos de référence d'athlètes de karaté posant dans leur tenue (Internet constitue une excellente source de recherches).

Tandis que vous précisez les lignes, rappelez-vous que les yeux de ce personnage ne sont pas aussi grands que ceux des autres protagonistes. Plus les yeux seront larges, plus il semblera naïf et innocent. Notre vétéran devant paraître plus mature, veillez à varier les formes des yeux, afin qu'ils ne soient pas aussi ronds (référez-vous au chapitre 4 pour davantage d'infos sur la méthode de leur représentation).

Figure 8-10: Ajustez le karatégi à la silhouette du personnage et affinez les traits du visage.

a   b

J'ai incliné la paupière supérieure de mon vétéran afin de transmettre son expression déterminée. Je l'imagine disant au jeune héros lors de leur première rencontre : « Qu'est-ce qu'un débutant *comme toi* fait ici ? »

4. **Précisez les lignes et apportez les touches finales (voir figure 8-11).**

   Je me suis assuré que la couleur de la ceinture de mon personnage soit noire et présente plusieurs bandes (indiquant qu'il est ceinture noire de troisième degré). La plupart des ceintures portent le nom brodé de leur propriétaire.

Figure 8-11 : Effacez les traits de crayon inutiles et ajoutez des détails au karatégi.

Apprenez à dessiner les acolytes féminins

Les partenaires féminines furent virtuellement inexistantes durant des années. Vous pouvez les voir fréquemment dans l'univers du manga contemporain (plus particulièrement dans les histoires mettant en scène des héroïnes). Dans cette section, je vous enseigne la manière de dessiner ces personnages pleins d'avenir.

La chipie capricieuse

En considérant son apparence physique, vous remarquerez que ce personnage représente essentiellement l'équivalent au féminin du petit frère loyal, présenté précédemment dans ce chapitre. La différence étant qu'elle pense plus à elle qu'aux autres et peut très bien larguer le personnage principal afin de se sauver elle-même aux pires moments de crise. De plus, cette petite capricieuse résout les problèmes du scénario manga par un pur hasard (qu'elle en ait conscience ou non), en surmontant les obstacles de taille qui se présentent. Ce personnage s'accorde bien à l'étudiant androgyne et au capitaine de l'équipe de foot du collège (cités au chapitre 7), et sera également fort utile comme faire-valoir. Par exemple, il peut s'agir de la sœur du vétéran intello (voir la section précédente), amoureuse du protagoniste principal en dépit de leur grande différence d'âge.

Voici certaines des caractéristiques de la capricieuse :

- ✔ **Des yeux gigantesques** : symbolisant sa grande ingénuité.
- ✔ **Un corps androgyne** : une poitrine plate sans aucun muscle proéminent.
- ✔ **Des cheveux courts ou des couettes.**
- ✔ **De chaudes larmes** : elle pleure parfois lorsqu'elle n'obtient pas ce qu'elle veut, ou lorsqu'elle est prise en faute.

Afin de dessiner votre capricieuse, suivez ces étapes :

1. **Dessinez la silhouette générale de votre personnage petite et étroite.**

   Elle doit être bien campée sur ses pieds, ce qui reflète son tempérament capricieux exprimant : « Je fais ce que je veux et vous ne pourrez rien faire pour m'en empêcher ! » Dessinez la tête un peu plus large que le reste du corps afin de suggérer sa jeunesse.

   Les épaules et les hanches de la silhouette générale montrée à la figure 8-12 sont légèrement plus étroites que celles du personnage du petit frère. J'ai conservé les proportions entre 3 et 4.5 têtes de haut. La position du personnage révèle qu'elle tient une grosse peluche à la main.

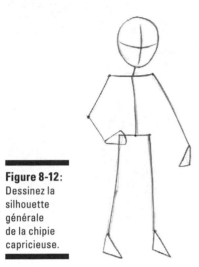

Figure 8-12:
Dessinez la
silhouette
générale
de la chipie
capricieuse.

2. **Précisez le corps en y ajoutant les formes géométriques et les groupes de muscles de base.**

Ce personnage étant jeune, les formes doivent être fines et étroites. La structure musculaire ne doit pas présenter de volume ou de courbes exagérées, apanage des femmes d'âge mûr.

À la figure 8-13a, j'ai crayonné les formes géométriques, qui seront effacées au rendu final. À la figure 8-13b, j'ai précisé la tête, les traits du visage et la structure musculaire du corps afin de rendre la silhouette plus réaliste et convaincante. Le dessin sur chaque joue d'un petit ovale indique un personnage rempli d'énergie. J'ai gardé la définition du corps au minimum (dénué de seins et de hanches). Dessinez la tête légèrement plus large et ronde pour représenter le visage encore poupin de cette chipie capricieuse.

À ce stade, esquissez légèrement toutes les lignes afin de pouvoir ajouter la robe et effacer ensuite facilement les traits superflus.

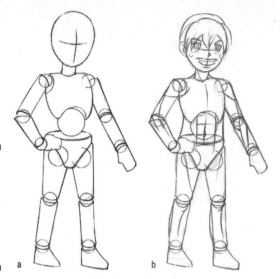

Figure 8-13:
Conservez la définition de l'ensemble de la silhouette du personnage au minimum.

a   b

3. **Dessinez ses vêtements et précisez les traits du visage**.

Mon personnage est accoutré comme la petite sœur que l'on emmène à des festivités, mais qui nécessitera une attention constante (comme à la figure 8-14).

Figure 8-14:
Habillez le personnage dans un style classique.

Rappelez-vous que les manches s'arrêtent au niveau des coudes sans être trop serrées. Le seul vêtement ample est la minijupe. Les chaussettes s'arrêtent au niveau des genoux (en accord avec le style shôjo ; voir le chapitre 1 pour plus d'informations à ce sujet et sur les autres genres de manga). J'ai accentué les lignes afin d'affiner les traits du visage. Et pour rire, j'ai figuré le cochon géant en peluche qu'elle promène partout comme sa mascotte favorite.

4. **Ajoutez des accessoires reflétant le style shôjo avec davantage de boucles et de volants (voir figure 8-15).**

   J'ai indiqué les cheveux et un ruban en nœud papillon sur le devant de son chemisier, ainsi qu'une montre et un bracelet comme accessoires, puis ajouté un fin liséré au bout des manches et à l'encolure de son uniforme, ainsi que les plis de la jupe et les boucles sur le dessus des chaussures.

Figure 8-15 :
Ajoutez les
derniers
détails.

La bonne âme attentionnée

Cet archétype classique représente la figure maternelle, toujours présente afin d'apporter de sages conseils au personnage principal se retrouvant dans de beaux draps. Parfois, elle apparaît dans les récits mangas de science-fiction comme un esprit désincarné associé au héros ou à l'héroïne blessés ne pouvant recevoir d'aide. Ces personnages généralement assez âgés pourraient être la mère ou la grande sœur du héros ou de l'héroïne.

Voici certaines des caractéristiques de la bonne âme attentionnée :

✔ **Des proportions d'adulte** : de 6.5 à 7 têtes de haut.

✔ **Un physique svelte et gracile.**

✔ **Des cheveux plus longs.**

✔ **Les pieds sur terre** : comme votre propre mère.

Suivez ces étapes pour figurer la bonne âme attentionnée :

1. **Dessinez la silhouette générale épurée du personnage, en représentant les épaules et les hanches étroites, et les proportions d'ensemble relativement allongées (comme illustré à la figure 8-16a).**

   Ayant représenté ce personnage sous l'apparence d'une nonne, je peux librement exagérer les proportions

2. **Définissez le corps par des formes géométriques.**

   À la figure 8-16b, j'ai esquissé des formes géométriques allongées (qui seront effacées dans le rendu final).

3. **Précisez les lignes du corps et du visage, en gardant à l'esprit que les seins doivent être peu accentués et que de grands yeux ont pour but d'exprimer le tempérament de compassion du personnage.**

   À la figure 8-17a, j'ai défini la tête, les traits du visage et la structure musculaire du corps afin d'apporter du réalisme et de la crédibilité à la silhouette. S'agissant d'une nonne, j'ai dessiné la forme du voile qu'elle porte sur la tête. J'ai également indiqué l'emplacement de ses lunettes.

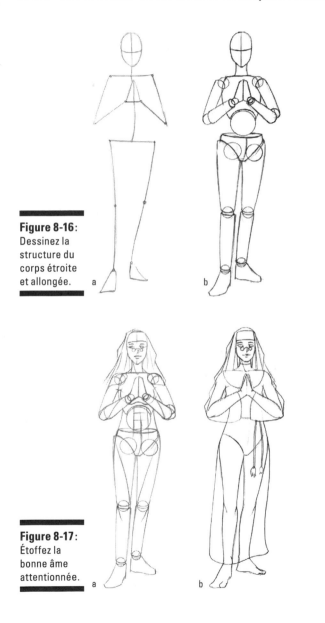

Figure 8-16 :
Dessinez la
structure du
corps étroite
et allongée.

a

b

Figure 8-17 :
Étoffez la
bonne âme
attentionnée.

a

b

Le méchant séduisant mais glacial

Ce protagoniste séduisant au visage sournois n'est pas armé jusqu'aux dents ; il porte juste une épée. Son accoutrement tout aussi épuré se compose d'une cape sombre, le reste de son costume étant d'une couleur terne unie.

Certaines des caractéristiques du méchant séduisant incluent :

- ✔ **Une longue chevelure portée libre** : indispensable !
- ✔ **Une taille imposante** : plutôt surdimensionnée, allant de 8 à 10 têtes de haut.
- ✔ **Un beau visage tout en longueur aux traits fins** : l'ensemble du visage (plus particulièrement le nez et le menton) est légèrement allongé.
- ✔ **Des pouvoirs mystérieux et l'art de tromper son monde** : il manipule psychologiquement ses adversaires et trouve toujours des moyens d'intensifier sa force physique.

À présent, suivez les étapes ci-dessous pour croquer ce super-méchant :

1. **Dessinez la silhouette générale épurée de votre personnage, mesurant de 8 à 10 têtes de haut, dans une position bien campée.**

   À la figure 9-1, mon méchant séduisant est représenté de manière appropriée en position debout.

2. **Définissez le corps avec des formes allongées géométriques représentant les muscles, en vous basant sur la silhouette générale précédente.** Ajoutez des courbes ainsi que la structure musculaire, puis indiquez les traits du visage.

   À la figure 9-2a, j'ai esquissé les formes géométriques. À ce stade, la taille doit être étroite par rapport aux épaules. Évitez pour les bras et les jambes des formes trop étroites – il est quand même physiquement bien constitué !

   À la figure 9-2b, j'ai ébauché la chevelure, les traits du visage et la musculature du corps. Ce personnage ne présente pas une masse musculaire volumineuse, mais ses muscles sont plus définis et proéminents que ceux de l'étudiant androgyne (voir chapitre 7). Yeux rapprochés, long nez et petite bouche cruelle sont ses caractéristiques. J'ai esquissé les formes générales des mèches de la frange et de la longue chevelure.

Dessinez ses mains et les autres membres de forme allongée afin de montrer son élégance. J'ai tracé ces lignes en sachant que je les accentuerais ultérieurement.

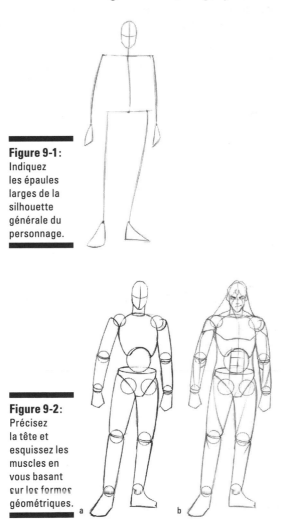

Figure 9-1 :
Indiquez les épaules larges de la silhouette générale du personnage.

Figure 9-2 :
Précisez la tête et esquissez les muscles en vous basant sur les formes géométriques.

a

b

3. **Dessinez légèrement les lignes des vêtements, et précisez la chevelure et les traits du visage, comme à la figure 9-3.**

J'ai commencé par représenter sur le corps le haut de l'uniforme à grande encolure. Évitez les vêtements avachis ou les plis trop larges, à l'exception peut-être du pourtour des bottes – les lignes des vêtements doivent être ajustées et soignées. Renforcez les lignes au niveau de la tête afin d'unifier la chevelure et le visage. J'ai précisé les yeux et indiqué les lignes droites du contour de la chevelure à l'arrière de la tête afin d'en suggérer la texture lisse.

Figure 9-3 : Esquissez le haut, le pantalon et les bottes du méchant séduisant mais glacial.

4. **Précisez et affinez les lignes et les traits du visage, et ajoutez des accessoires, comme à la figure 9-4.**

Afin d'accentuer l'intensité du caractère de mon personnage, je l'ai doté d'une ceinture et d'une cape rabattue sur les épaules et croisée sur le devant de la poitrine, flottant au vent, et complétée des manchettes décorées au pourtour. J'ai esquissé une sangle sur les bottes s'enroulant au niveau du cou-de-pied. Dessinez la poignée de l'épée – le reste de l'arme étant dissimulé derrière son dos. Finalement, indiquez quelques ombres dans la chevelure tout en y laissant apparaître des accents de lumière.

Figure 9-4:
Ajoutez la longue cape, le ceinturon, l'épée et d'autres petites touches de finition.

Le guerrier terrifiant

Ce géant ne compte que sur sa force physique monumentale pour accomplir sa mission. Ce guerrier terrifiant a belle allure (comme le personnage précédent), mais il est plus musclé et laisse apparaître parfois ses émotions au cours de la bataille – mais jamais au point d'être hors de lui-même. En plus d'une cape, il ne sort jamais sans son armure élaborée.

Cette liste vous présente les caractéristiques principales du guerrier terrifiant :

- 🢒 **Des yeux féroces**
- 🢒 **Des muscles et encore des muscles...**
- 🢒 **Une bonne quantité de testostérone**

Suivez les étapes ci-dessous pour représenter ce terrifiant personnage :

1. **Dessinez la silhouette générale épurée du personnage, mesurant de 7** 5 à 10 têtes de haut, en vous assurant que les épaules sont plus larges que celles du méchant séduisant, afin d'accommoder la totalité de la masse musculaire (voir figure 9-5).

irrégulières. Représentez des cheveux courts et raides afin qu'ils ne l'aveuglent pas en lui tombant devant les yeux au cours du combat.

Pour obtenir une expression menaçante, dessinez des sourcils encore plus épais, pointés et plus rapprochés des yeux, entre lesquels j'ajoute généralement des lignes pour indiquer leur froncement. Un coin de la bouche légèrement relevé en un rictus tandis que l'autre coin est rabaissé vers le menton permettra d'accentuer le côté malintentionné de ce personnage.

4. **Esquissez l'armure sur la silhouette du guerrier (voir figure 9-8).**

J'ai ébauché la forme des épaulettes, du plastron, des brassards et des jambières de l'armure. Réservez les détails pour l'étape suivante. Vous devez d'abord établir les formes générales. Il est important de garder à l'esprit l'orientation du corps pendant que vous ajusterez l'ensemble de l'armure. J'ai esquissé une ligne de repère passant verticalement au centre de la poitrine, afin que les détails que j'ajouterai ultérieurement s'alignent correctement par rapport au corps situé en dessous.

Figure 9-8: Dessinez les formes de base de l'armure.

Ne vous préoccupez pas de surcharger votre dessin de détails dès le début. Comme je le montre ici, les formes de l'armure reprennent celles de l'anatomie qu'elles recouvrent. Si vous vous sentez bloqué et avez besoin d'aide, je vous recommande vivement de faire une visite à la section d'armurerie d'un musée ou de rechercher des photos de référence. Dessiner des armures sera plus difficile si vous n'avez aucune indication de base à partir desquelles travailler.

5. **Ajoutez les détails de l'armure (voir figure 9-9a), drapez le méchant dans sa cape et complétez par des accessoires (voir figure 9-9b).**

La plupart des armures présentent des bords moulés. Pour l'ornementation, j'ai inclu des joyaux au niveau des épaulettes. De grandes pointes intégrées à la tenue guerrière du personnage constitueront d'excellents indices de sa nature foncièrement hostile. J'ai dessiné une pointe de chaque côté de la pièce d'armure protégeant les genoux de mon guerrier terrifiant. Terminez avec les accessoires en lui incorporant une épée portée dans le dos, dont seule la poignée est apparente, car le reste de l'épée est dissimulé en vue de face.

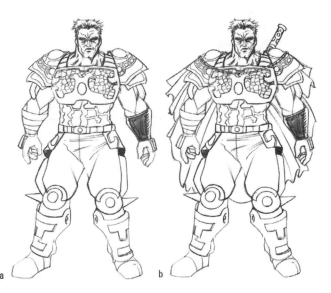

Figure 9-9:
Ajoutez de super-éléments décoratifs à l'armure.

a   b

La diablesse guerrière

Cette dame représente votre pire cauchemar. Cette diablesse guerrière est du genre à affronter les dirigeants hommes ou femmes afin d'obtenir le pouvoir coûte que coûte. Ses traits de caractère sont essentiellement froids et impitoyables. Bien qu'elle soit très belle, sa tenue sombre et son cruel sourire représentent des signes trop évidents que vous devez l'éviter à tout prix.

La diablesse guerrière présente généralement les caractéristiques suivantes :

- **Un corps mince de haute taille** : d'environ 7.5 têtes de haut.

- **Une longue chevelure sombre.**

- **Une personnalité caractérielle accentuée par un tempérament violent** : dans plusieurs scénarios de mangas, son arrogance extrême contribue à sa propre perte.

- **Un style de mode « sombre et moulant »** : elle porte parfois un accessoire pour montrer son pouvoir (allant du fouet au sceptre).

- **Un rire démoniaque** : après avoir humilié ou vaincu son rival, elle laisse échapper un affreux rire à vous glacer le sang : « Ha, ha, ha, ha! »

Suivez les étapes ci-dessous pour représenter la diablesse guerrière :

1. **Commencez par dessiner la silhouette générale du personnage, comme à la figure 9-10.**

   Ma diablesse mesure approximativement 8 têtes de haut.

2. **Définissez le corps par des formes géométriques, en gardant à l'esprit qu'elles devront être plus minces que pour un personnage de méchant masculin.**

   À la figure 9-11a, j'ai esquissé les formes géométriques (qui seront effacées dans le rendu final). À la figure 9-11b, j'ai indiqué la tête, les traits du visage et la structure musculaire du corps, afin que le personnage semble plus réaliste et convaincant, et en intégrant la forme générale de la longue chevelure et les mèches de la frange. Bien que la définition des muscles soit atténuée, la poitrine doit être assez large (cette partie du corps permet en règle générale de représenter la puissance et le statut hiérarchique d'un méchant).

Figure 9-10:
Reproduisez votre personnage dans une position bien droite.

Figure 9-11:
Ajoutez et précisez les formes géométriques.

a   b

Afin de donner un rictus cruel à votre diablesse, elle doit sourire avec un coin de la bouche légèrement plus haut que l'autre. Pour terminer, dessinez une petite fossette à la commissure des lèvres.

La sorcière malfaisante

Son apparence physique nous rappellera celle de la Méchante Sorcière de l'Ouest sous stéroïdes (simplement plus jeune, plus forte et plus audacieuse encore). Quand elle pratique sa magie noire, personne ne sait quel plan machiavélique cette horrible harpie est en train de préparer. En dépit de sa méchanceté, sa beauté suffit amplement pour séduire et réduire tout adolescent esseulé à la soumission.

Voici certaines des caractéristiques de la sorcière malfaisante :

✔ **Des bijoux à gogo** : un super-avantage.

✔ **Un corps tout en courbes reflétant la jeunesse.**

✔ **Un style de coiffure fou et intensément coloré.**

✔ **Un rire démoniaque** : semblable à celui de la diablesse guerrière (voir la section précédente), qui retentit lorsqu'elle humilie ou bat son opposant, laissant entendre un sinistre : « Ha, ha, ha, ha ! »

Suivez ces étapes pour figurer cette sorcière malfaisante :

1. **Dessinez la silhouette générale de base de 5 à 7 têtes de haut, afin que la structure physique de votre personnage semble plus jeune et plus petite que celle de la diablesse guerrière.**

   Comme vous pouvez le voir à la figure 9-14, j'ai représenté dans le dessin général les épaules et les hanches légèrement moins larges par rapport à la tête, afin d'évoquer l'âge plus jeune. Ma sorcière mesure 6.5 têtes.

2. **Définissez le corps en ajoutant des formes géométriques arrondies et courbes pour les membres.**

   À la figure 9-15a, j'ai esquissé les formes géométriques des membres (qui seront effacées dans le rendu final). À la figure 9-15b, j'indique approximativement l'emplacement de la tête, des traits du visage et de la structure musculaire de base afin que la silhouette soit plus réaliste et convaincante. Tout en évitant de développer exagérément la structure musculaire de tout personnage féminin manga, apporter quelques légères indications de muscles tonifiés est acceptable, comme je l'ai montré lorsque ce personnage recourbe le bras en brandissant sa baguette magique. En plus d'esquisser les yeux et la bouche, la forme générale de sa chevelure soulevée par le vent et comme environnée d'une énergie magique est soulignée.

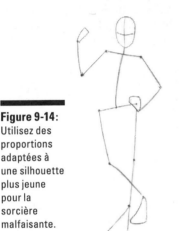

Figure 9-14 :
Utilisez des proportions adaptées à une silhouette plus jeune pour la sorcière malfaisante.

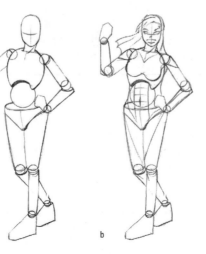

Figure 9-15 :
Esquissez les formes de base et la structure musculaire de la silhouette de la sorcière.

a

b

3. **Précisez les cheveux et les traits du visage, et esquissez la forme générale des vêtements, en utilisant comme modèle la figure 9-16.**

   Dessinez la forme arrondie du visage présentant de petits yeux. En dépit de son jeune âge, j'ai rejeté l'idée d'yeux démesurés typiques du shôjo manga (destiné aux adolescentes ; voir chapitre 1), car je ne souhaite pas que mes lecteurs croient qu'elle est innocente ou douce. Loin de là ! Je préfère la concevoir comme possédant les caractéristiques d'un véritable vampire. J'ai opté pour des sourcils épais et en pointe, ainsi qu'un large sourire révélant des dents et des crocs. Son nez est simple et ombré (référez-vous au chapitre 4) afin que l'attention du lecteur soit directement dirigée vers les yeux et la bouche. Terminez les traits du visage en dessinant des oreilles pointues de chauve-souris. J'ai affiné la forme générale de la chevelure pour qu'elle s'apparente aux ailes de ce mammifère. Soulignez les mèches de sa frange avec des extrémités aux pointes acérées.

   La forme générale de son costume fait penser à un croisement entre un déguisement d'Halloween et un maillot de bain. J'ai commencé par le col en « V » (qui sera connecté plus tard à la cape en une forme unique). Pour la robe, j'ai prolongé la forme en « V » jusqu'au nombril, puis dessiné de longs gants remontant jusqu'aux biceps, ainsi qu'une paire de bottes à hauts talons. Et pour compléter ce costume, j'ai représenté la sorcière brandissant une baguette magique.

   Ce costume étant moulant, je n'y ai pas ajouté de plis ou de froissements, à part au pourtour des poignets et au pli du coude et de l'aisselle. Ajoutez les touches finales avec des ongles longs et acérés.

4. **Ajoutez les accessoires pour compléter le costume.**

   Comme vous pouvez le voir à la figure 9-17, je l'ai enrichi par une multitude d'ornements et de bijoux : un collier de pierres précieuses, des bracelets autour des poignets, et un gros ceinturon décoré de symboles mystiques. Pour fignoler la baguette magique, j'ai représenté des flammes et des volutes de fumée jaillissant de son extrémité. J'ai également précisé les tatouages sur les bras et les jambes de la sorcière.

Figure 9-16:
Habillez le
personnage
pour refléter
son style
de mode
outrancier.

5. **Terminez le costume en dessinant une longue cape flottant au vent dans son dos et en affinant les petits détails (comme illustré à la figure 9-17).**

Dessinez une longue cape ondulant en cascade et drapée sur les épaules afin de se raccorder au col en « V » au niveau du cou. Tracez des lignes en diagonale partant de l'extérieur des poignets et allant rejoindre l'articulation de l'auriculaire, exposant ainsi partiellement la paume de ses mains et ses doigts. Finalement, ajoutez des lacets remontant sur l'avant des bottes et la sangle passant par-dessus le pied.

Figure 9-17:
Les plus petits détails du costume, les bijoux et les accessoires vous permettront de compléter en beauté l'accoutrement de la sorcière.

Quatrième partie

Dessins de mangas plus élaborés

« Si tu tiens vraiment à le savoir,
la raison pour laquelle tu n'apparais dans
aucun de mes mangas est que tu n'es pas
un personnage très crédible. »

Dans cette partie...

*N*e soyez surtout pas intimidé par le titre ! Bien sûr, il vous sera utile d'avoir assimilé les éléments développés dans les parties précédentes de ce livre, ou de posséder une certaine expérience en dessin au préalable. Et étape par étape, du début jusqu'à la fin, mes exercices à effectuer vous guideront.

Dans cette partie, je vous montre la manière d'appliquer la perspective à vos dessins de mangas ; je vous présente les arrière-plans et les story-boards, et vous donne des trucs et astuces pour créer une super-histoire ; et pour finir, vous glanerez quelques indices pour que vos œuvres soient remarquées et peut-être même publiées, on ne sait jamais !

Chapitre 10

Ajoutez de la perspective
à votre manga

Dans ce chapitre :

▶ Apprenez à utiliser la ligne d'horizon et les points de fuite

▶ Appliquez la perspective pour représenter de simples architectures

▶ Créez des angles de vue dynamiques

*V*os décors établis selon une perspective réussie seront absolument essentiels au succès de votre manga. Une histoire manga commence généralement par un plan d'ensemble, indiquant aux lecteurs où se déroule l'histoire. Le *plan d'ensemble* peut être tout aussi bien les rues animées de Métropolis ou les déserts silencieux du Nevada. D'une grande importance, ces plans d'ensemble contribueront à camper vos personnages à l'intérieur du récit. À moins que ceux-ci n'évoluent dans l'espace, ne présentant que le vide en arrière-plan durant l'intégralité d'un épisode, les lecteurs auront des difficultés à comprendre la manière dont vos protagonistes interagissent physiquement avec leur environnement, sans l'aide du plan d'ensemble. Par exemple, s'il s'agit de collégiens faisant du tourisme et découvrant une grande ville, apprêtez-vous à dessiner des décors fabuleux. Aucun lecteur ne sera convaincu par vos personnages occupés à admirer la Statue de la Liberté, s'ils pointent continuellement du doigt hors champ ou vers un arrière-plan totalement inexploité.

Le but de ce chapitre est de vous permettre de vous familiariser avec les principes de base de la perspective, et d'en découvrir les avantages en les appliquant à vos dessins, afin que vous puissiez faire progresser vos talents de mangaka.

Vous aurez besoin d'une règle droite et d'une équerre pour ce chapitre (voir chapitre 2).

Représentez des constructions et des arrière-plans en utilisant la perspective de base

Qu'est-ce que la perspective ? D'un point de vue artistique, la *perspective* est la technique ou la méthode vous permettant de représenter en trois dimensions des images bidimensionnelles. Cette technique vous conduira à donner une apparence plus proche de la réalité à des dessins plans, par exemple à un carré, en le représentant sous forme de cube (voir chapitre 4). Vous ne serez plus limité à ne percevoir que la face avant d'un objet – vous saurez également à quoi ressemblent le côté, le dessus et même l'arrière par rapport à l'avant. La perspective vous aidera à créer l'illusion de la profondeur sur la surface plane en deux dimensions de votre feuille de papier.

Vous devrez apprendre à connaître les principes de base suivants pour bien assimiler ce moyen de représentation artistique :

✔ **Perspective à un seul point de fuite** : effet d'illusion où les bords droits horizontaux d'objets géométriques simples convergent vers un point unique (connu sous le nom de *point de fuite*) situé sur la ligne d'horizon.

✔ **Perspective à deux points de fuite** : effet d'illusion où les bords droits horizontaux d'objets géométriques simples convergent vers deux points distincts (connus sous le nom de *points de fuite*) situés sur la même ligne d'horizon.

✔ **Perspective à trois points de fuite** : effet d'illusion où les bords droits horizontaux d'objets géométriques simples convergent vers deux points distincts (connus sous le nom de *points de fuite*) situés sur la même ligne d'horizon, où un troisième point de fuite sera ajouté soit au-dessus, soit au-dessous, et où convergeront les lignes verticales des objets géométriques.

Dans cette section, je vous présente les principes d'utilisation de ces trois types de perspective.

Utilisez la perspective à un point de fuite

Cette visualisation permet de représenter un objet en trois dimensions dans son état le plus simplifié. Cette perspective est utile pour le manga, lorsque vous dessinez des décors représentant des routes, des voies ferrées ou plusieurs immeubles faisant directement face au lecteur.

Voici un exercice de perspective à un point de fuite :

1. **Tracez à la règle une ligne horizontale traversant votre feuille de papier, comme à la figure 10-1a.**

   Il s'agit de la *ligne d'horizon*. Elle est définie dans les manuels de perspective comme la ligne où terre et ciel se rencontrent. Personnellement, je préfère penser à la ligne d'horizon comme correspondant au niveau de l'œil du spectateur. Si vous regardez droit devant vous, le niveau immédiat de votre champ de vision correspondra à la ligne d'horizon.

2. **Dessinez un point au centre de la ligne, comme à la figure 10-1b.**

   Il s'agit du *point de fuite*. Il indique le point où convergeront toutes les lignes horizontales parallèles que vous dessinerez pour représenter les formes en trois dimensions.

3. **Dessinez un carré en dessous et sur la gauche de la ligne d'horizon, comme à la figure 10-2a.**

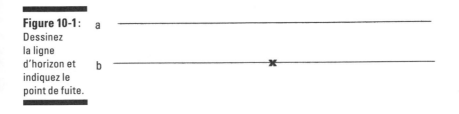

Figure 10-1 :
Dessinez
la ligne
d'horizon et
indiquez le
point de fuite.

a

b

4. **Dessinez et connectez trois angles du carré au point de fuite (voir figure 10-2b).**

Le terme technique pour ces lignes de fuite fictives est lignes orthogonales.

5. **Tracez légèrement une ligne entre les deux lignes *orthogonales* (de fuite) du haut, comme à la figure 10-2c.**

Cette ligne déterminera la profondeur de l'objet.

6. **En vous basant sur la limite indiquée par la ligne tracée à la figure 10-2c, tracez une ligne verticale sur la droite du carré, comme à la figure 10-2d.**

7. **Effacez les lignes de fuite et voilà, vous avez terminé !**

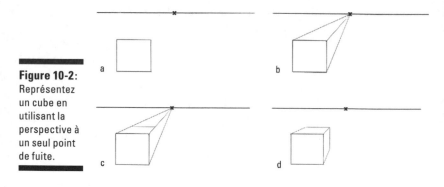

Figure 10-2 : Représentez un cube en utilisant la perspective à un seul point de fuite.

À la figure 10-3, j'ai utilisé la perspective à un point de fuite pour représenter une scène urbaine. Mon point de fuite étant placé juste au centre, les lecteurs pourront en déduire que je suis debout au milieu de la route, faisant face à une enfilade d'immeubles.

Voici un truc sympa qui impressionnera sûrement vos copains. La perspective à un seul point de fuite n'est pas exclusivement réservée au dessin d'éléments architecturaux. Vous pourrez également ajouter plusieurs objets cubiques au décor (voir figure 10-4a). Et appliquer cette multitude de simples formes géométriques à une flotte de vaisseaux intergalactiques se préparant au combat ! (voir figure 10-4b). Lorsque vous aborderez une composition complexe où vous aurez à dessiner de nombreux éléments, représenter la perspective sera facilité si vous utilisez initialement de simples formes géométriques, avant de les transformer en des objets à l'apparence finale plus complexe.

Figure 10-3:
L'ensemble de ces bâtiments a été représenté en utilisant la perspective à un point de fuite.

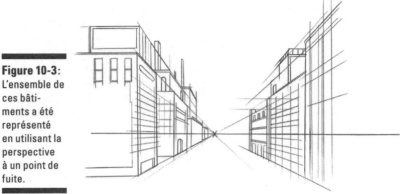

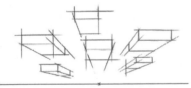

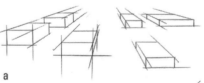

a

Figure 10-4:
Une armada de cubes!...
Il s'agit en fait de vaisseaux intergalactiques!

b

Entraînez-vous à la perspective à deux points de fuite

La perspective à deux points de fuite offre davantage de possibilités d'angles de vue que celle mentionnée précédemment. Il vous suffira d'ajouter un second point sur la même ligne d'horizon. Vous obtenez à présent deux séries distinctes de lignes convergentes au lieu d'une seule. Ce second point de fuite vous permettra de percevoir sous un angle nouveau le cube tracé en utilisant un point de fuite unique. Cette technique vous sera utile pour représenter des paysages urbains plus complexes, chacun des bâtiments ne vous faisant pas systématiquement face. Au lieu d'une route unique suivant une direction donnée, vous pourrez figurer à présent une route en fourche suivant deux directions distinctes.

Effectuez cet exercice en utilisant la perspective à deux points de fuite :

1. **Situez la ligne d'horizon et placez un point de fuite à chaque extrémité (voir figure 10-5a).**

2. **Tracez une ligne perpendiculaire verticale (segment AB), comme à la figure 10-5a.**

   Cette ligne représente l'arête avant ainsi que la hauteur du cube.

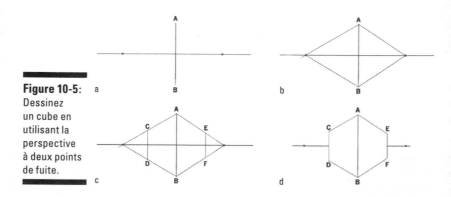

Figure 10-5 : Dessinez un cube en utilisant la perspective à deux points de fuite.

3. **Tracez deux lignes à partir des extrémités de cette ligne verticale allant rejoindre les deux points de fuite (voir figure 10-5b).**

   Ces lignes indiquent les arêtes supérieures et inférieures du cube.

4. **Tracez deux segments de ligne verticaux (CD et EF) de part et d'autre du segment AB, comme à la figure 10-5c.**

   Ces segments détermineront la profondeur du cube. Si vous souhaitez augmenter cette profondeur, déplacez-en un ou les deux en les éloignant du segment AB.

   Gardez à l'esprit qu'en établissant les segments CD et EF, vous indiquez en réalité deux faces distinctes du cube : l'une étant formée par les points ABDC, et l'autre par les points ABFE.

5. **Terminez le cube en précisant le dessin et en effaçant les lignes superflues (comme à la figure 10-5d).**

Si vous souhaitez dessiner plusieurs cubes en utilisant la perspective à deux points de fuite, vous devrez initialement établir plusieurs lignes verticales, comme indiqué à la figure 10-6. Vous pourrez changer le degré de rotation du cube en modifiant son emplacement, ainsi que la distance entre les segments verticaux et les deux points de fuite.

À la figure 10-7, je vous présente un groupe de bâtiments orientés suivant un angle différent, qui vous donne l'impression que je les regarde à partir de l'angle de la rue.

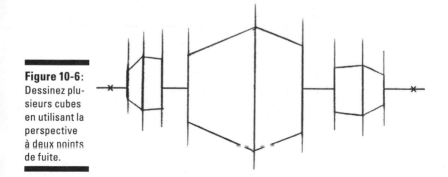

Figure 10-6 :
Dessinez plusieurs cubes en utilisant la perspective à deux points de fuite.

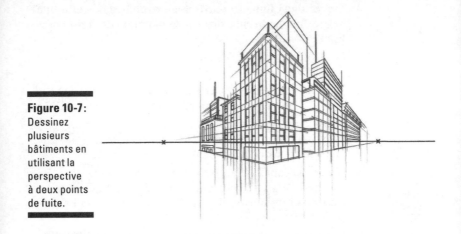

Mise en forme pour la perspective à trois points de fuite

La perspective à trois points de fuite est obtenue en ajoutant un troisième point de fuite situé soit au-dessus, soit au-dessous de la ligne d'horizon, et se révèle utile pour représenter des éléments plus vrais que nature sous des angles de vue accentués, par exemple des immeubles.

La perspective à trois points de fuite comprend deux catégories : vue en plongée et vue en contre-plongée. Je vous montre tout d'abord la manière de représenter la vue en plongée, où votre personnage semble regarder un immeuble d'un hélicoptère le survolant, suivant un angle de vue fortement accentué. Puis, la même vue en contre-plongée, où là votre personnage semble regarder avec émerveillement un gigantesque gratte-ciel. Ces angles de vue fortement accentués produisent des déformations de perspective notables que vous pourrez remarquer dans les exemples suivants, par un troisième point de fuite.

Je recommande vivement aux élèves de pratiquer et de se familiariser avec les principes de la perspective à un seul et deux points de fuite avant d'aborder cette section.

La perspective en plongée

Essayez l'exercice suivant pour représenter la vue en plongée suivant la perspective à trois points de fuite :

1. **Placez la ligne d'horizon et situez un point de fuite à chaque extrémité (voir figure 10-8a).**

2. **Tracez deux lignes partant de chacun des points de fuite pour obtenir la forme ABCD, comme à la figure 10-8b.**

   Cette forme représente la face supérieure du cube.

3. **Ajoutez un troisième point de fuite E, bien en dessous du plan ABCD (comme à la figure 10-8c).**

   J'appelle ce point de fuite « flottant », car vous n'avez pas à le situer sur la ligne d'horizon comme les autres points cités à l'étape 1.

4. **À partir du point de fuite E, tracez trois segments de ligne rejoignant les points B, C et D (voir figure 10-8d).**

5. **Tracez deux lignes partant des deux premiers points de fuite et rejoignant approximativement au centre le segment CE (comme à la figure 10-8e).**

   Plus les deux lignes rejoindront le segment CE à un niveau bas, plus le cube sera allongé. De même, plus elles rejoindront un point situé vers le haut de ce segment et se rapprochant du point C, plus le cube sera raccourci.

6. **Précisez le dessin du cube en effaçant les lignes de repère à présent superflues (comme à la figure 10-8f).**

À la figure 10-9, j'ai appliqué le principe de la vue en plongée pour représenter une vue aérienne d'un grand bâtiment.

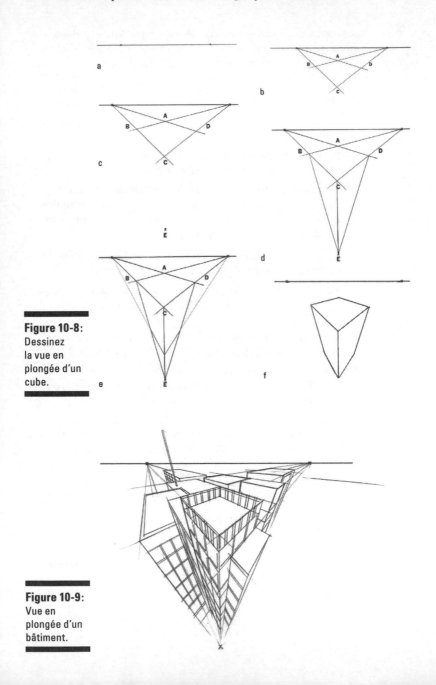

Figure 10-8:
Dessinez
la vue en
plongée d'un
cube.

Figure 10-9:
Vue en
plongée d'un
bâtiment.

La perspective en contre-plongée

Je vous décris ici la méthode de perspective en contre-plongée, qui est pratiquement la même que la perspective en plongée (voir la section précédente), dont la seule différence majeure est que le point de fuite « flottant » se situe au-dessus et non pas en dessous de la ligne d'horizon.

Pour vous entraîner à la perspective en contre-plongée, suivez les étapes proposées ci-dessous :

1. **Placez la ligne d'horizon et les deux points de fuite comme vous l'avez fait à l'étape 1 pour la vue en plongée, et tracez une ligne verticale perpendiculaire pour représenter le segment AB, comme indiqué à la figure 10-10a.**

   Cette ligne indique l'arête avant ainsi que la hauteur du cube.

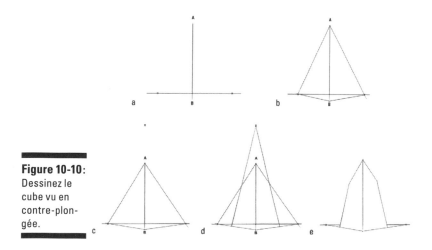

Figure 10-10 : Dessinez le cube vu en contre-plongée.

2. **Tracez deux lignes de repère partant de chacun des points de fuite et rejoignant les points A et B (comme à la figure 10-10b).**

   Ces segments détermineront la hauteur de la forme.

1. **Tracez une série de lignes parallèles pour le sol, puis déterminez la hauteur de la silhouette du personnage en traçant une ligne verticale AB, comme à la figure 10-12a.**

   Remarquez l'augmentation progressive des intervalles entre les lignes parallèles se rapprochant du premier plan.

   Afin de décider de l'emplacement de la ligne AB par rapport aux immeubles de l'arrière-plan, j'ai observé la ligne d'horizon pour comparer son niveau d'alignement aux portes des immeubles, et l'ai établie en fonction de la hauteur potentielle de la taille de mon personnage. Dans ce cas précis, le dessous du menton est situé au niveau de la ligne d'horizon.

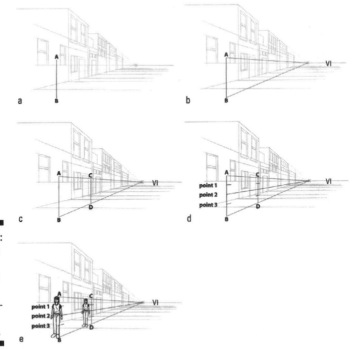

Figure 10-12: Intégrez deux personnages en appliquant les principes de la perspective à un seul point de fuite.

Plus votre ligne AB sera longue, plus vos personnages sembleront grands et proches des lecteurs. Plus la ligne AB sera courte, plus ils paraîtront petits et éloignés. Vos personnages seront parfaitement intégrés à leur environnement si le cou est situé au niveau de la ligne d'horizon (comme dans ce cas particulier).

Ne dessinez pas votre personnage trop court, les jambes n'ayant pas de contact avec le sol. Sinon, il semblera voler ou en lévitation dans l'espace.

2. **Tracez deux lignes de repère partant du point de fuite (V1) et rejoignant les points A et B, comme à la figure 10-12b.**

3. **Pour le second personnage, tracez une autre ligne verticale (CD) entre le segment AB et le point de fuite V1 (voir figure 10-12c).**

4. **Divisez le segment AB en quarts, et tracez une ligne de repère au centre et rejoignant le point de fuite V1, comme à la figure 10-12d.**

   Le trait indiquant la moitié (point 2) représente l'entrejambe du personnage. Le point 1 se situe au centre du torse. Le point 3 indique le niveau des genoux.

5. **En vous basant sur ces traits de division, terminez les silhouettes des deux personnages, comme à la figure 10-12e.**

Les personnages vus en perspective à deux points de fuite

Comme je l'ai mentionné précédemment dans ce chapitre : « Entraînez-vous à la perspective à deux points de fuite », vous aurez besoin pour la représenter d'un second point de fuite situé sur la même ligne d'horizon. Pour être plus clair, j'ai commencé l'étape 1 de cette section à l'endroit où je me suis arrêté à l'étape 5 de la section précédente : « Les personnages vus en perspective à un seul point de fuite ». Aux étapes suivantes, j'ai placé mon second point de fuite et j'ai continué à établir mon personnage en appliquant la perspective à deux points de fuite. Comme vous le constaterez à la fin de ma démonstration, l'image finale présente une grande profondeur et beaucoup d'animation, car j'y ai ajouté d'autres personnages, intégrés en fonction d'un point de fuite distinct. Poursuivez par ces étapes :

1. **Indiquez un second point de fuite (V2) comme à la figure 10-13a.**

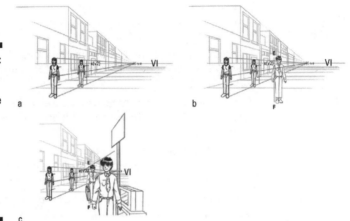

Figure 10-13 : La perspective à deux points de fuite appliquée à ces personnages vous permettra d'obtenir un effet de grande profondeur.

2. **Tracez deux segments en prenant exemple sur le segment EF, et divisez-les en quatre.**

   Comme je l'ai indiqué à la figure 10-13b, l'impression de profondeur sera d'autant plus accentuée lorsque vos personnages seront représentés en fonction de la perspective à deux points de fuite.

3. **Pendant que vous terminerez ces deux nouveaux personnages, ajoutez quelques éléments simples (dans ce cas, j'ai dessiné une mallette, un vendeur de journaux et un poteau d'arrêt de bus).**

   Ces éléments supplémentaires ne sont pas importants, mais permettront d'accentuer l'intégration de nouveaux personnages dans le décor, comme illustré à la figure 10-13c.

Les personnages vus en perspective à trois points de fuite

Cette section va vous indiquer la manière de contrôler la tension narrative lorsque vos personnages seront intégrés à un environnement représenté en perspective à trois points de fuite. Ceux-ci et les immeubles étant étroitement liés à une même ligne d'horizon, ils seront assujettis aux mêmes points de fuite. Comme je l'ai mentionné précédemment dans ce chapitre, plus vous situez le point de fuite éloigné d'un élément (architectural ou humain), moins la forme sera exagérée ou déformée. Cependant, les lecteurs risquent d'avoir mal au cœur s'ils sont confrontés à trop de cadrages de personnages dessinés suivant des lignes de perspective particulièrement rapprochées.

Bien que l'exagération de la perspective soit certainement bénéfique à l'intensité narrative d'un récit, en faire un usage systématique ne sera pas nécessairement judicieux. Les lecteurs pourraient s'ennuyer ferme ou perdre le fil de l'histoire si chaque case leur présente continuellement les narines vues en contre-plongée ou le dessus du crâne de votre personnage.

Dessinez les personnages en vue plongeante

Regardez les exemples où j'ai dessiné un personnage sur un grand immeuble. À la figure 10-14, j'ai figuré deux scènes – dans l'une, le point de fuite « flottant » est éloigné, et dans l'autre, rapproché des éléments. À la figure 10-14a, le personnage semble détendu, assis au sommet de l'immeuble. L'espace est palpable entre le lecteur et les éléments de la case. Mais constatez ce qui se produit lorsque le point de fuite « flottant » se rapproche, comme à la figure 10-14b. J'ai dessiné une fille et un immeuble différents, mais vous ressentirez intensément la hauteur vertigineuse du bâtiment où elle est perchée. L'attention se porte de la fille à son environnement.

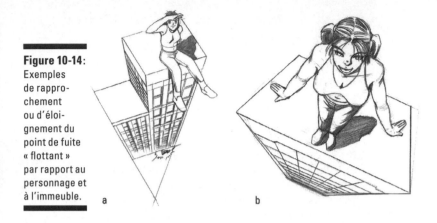

Figure 10-14:
Exemples de rapprochement ou d'éloignement du point de fuite « flottant » par rapport au personnage et à l'immeuble.

a

b

Dessinez les personnages vus en contre-plongée

Observez les exemples d'un personnage vu en contre-plongée. À la figure 10-15, j'ai représenté deux scènes différentes, en déplaçant le point de fuite « flottant ». À la figure 10-15a, l'effet de perspective sur le personnage situé au pied d'un immense gratte-ciel est proportionnellement minime. Le point de focalisation ne repose pas tant sur celui-ci que sur l'accentuation de son environnement.

Les éléments de grandes dimensions (tels que les yachts de croisière, les gigantesques gratte-ciels ou les stations spatiales intergalactiques) sembleront reculer dans l'espace en fonction de la distance de perspective, par conséquent, vous devrez en simplifier les détails ou les représenter par des lignes plus légères.

Si vous voulez que l'attention se dirige de l'environnement au personnage, observez la figure 10-15b. Le point de fuite « flottant » étant plus rapproché de l'ascenseur et du personnage à l'intérieur, l'atmosphère dramatique repose sur ce dernier, semblant prêt à faire son rapport sur une importante mission.

Finalement, reproduire en fonction d'un point de fuite des décors complexes (par exemple une grande ville) est cependant une tâche difficile. Si vous rencontrez des difficultés, je vous conseille d'utiliser des photos de référence.

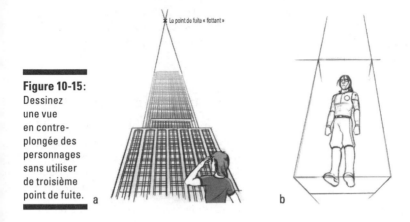

Figure 10-15:
Dessinez
une vue
en contre-
plongée des
personnages
sans utiliser
de troisième
point de fuite.

a

b

Utilisez la perspective et divers angles de vue pour raconter l'histoire

Grâce à ce chapitre, vous connaissez à présent les principes de base de la perspective. Dans cette section, j'arrive à la manière de les appliquer pour vous aider à raconter votre histoire. Le manga ne diffère pas d'un film – dans les deux cas, la clé du succès est de pouvoir narrer efficacement une histoire crédible. Vous êtes à la fois le metteur en scène et le producteur travaillant avec un budget illimité – c'est-à-dire en tirant parti de vos propres ressources créatives. Pensez que votre œil représente la caméra, qui voit ce que vous voulez que le public perçoive. Vous le contrôlez et vous êtes responsable de chaque cadrage permettant de développer votre intrigue.

Comme mentionné au début de ce chapitre, des cadrages en perspective fortement accentués permettront de transmettre aux lecteurs non seulement le lieu où se déroule l'histoire, mais également la relation de vos personnages à leur environnement, et comment les angles de vue en perspective permettront de communiquer aux lecteurs l'interaction entre les éléments du décor et la psychologie des personnages. Plus spécifiquement, je souhaiterais que vous vous posiez certaines questions du style : « Quelles réactions obtiendrai-je des lecteurs en utilisant ce type de cadrage en perspective sur ce personnage ? » Si vous êtes prêt à découvrir la réponse à cette interrogation ainsi qu'à d'autres questionnements, poursuivez votre lecture.

Créez des plans d'ensemble efficaces

Ils sont importants pour situer la scène d'ouverture de toute histoire. Ces cadrages présentent généralement des arrière-plans détaillés permettant d'apporter des précisions sur le lieu de déroulement du récit, et l'angle de perspective que vous choisirez d'utiliser en déterminera également l'atmosphère.

Dans cette section, j'ai sélectionné des exemples issus de ma série JAVA! afin d'illustrer mon propos. L'histoire se déroule en 2073 à Neo Seattle, une cité du futur, et le commerce du café domine le monde entier. Tout le monde doit en consommer sous peine de mort. Au centre de cette société dans le bouleversement le plus complet, Java surgit sous les traits d'une fille sous caféine dotée d'une grande puissance et combattant le crime. À la figure 10-16a, vous pouvez voir un plan d'ouverture en perspective à un seul point de fuite représentant les bas-quartiers de Neo Seattle, extrait de la mini-série originale. J'ai utilisé un point de fuite unique afin d'évoquer l'atmosphère d'une cité tranquille. À la figure 10-16b, j'ai représenté un gigantesque entrepôt de café en contre-plongée, où se précipitent tous les habitants pour obtenir leur dose quotidienne de caféine.

Lorsque vous dessinez d'immenses bâtiments vus en contre-plongée, où le point de fuite est situé au-delà de votre feuille de papier, agrandissez celle-ci en y collant une autre feuille, et utilisez une règle pour prolonger les lignes *orthogonales* (de fuite) et localiser le point de fuite.

Armé de votre règle, allez vous balader en ville dans un quartier constitué de plusieurs bâtiments. Vous pouvez également vous rendre dans une supérette ou une bibliothèque dont les allées sont parfaitement alignées. Tout lieu présentant une importante structure géométrique fera parfaitement l'affaire. Pouvez-vous identifier l'emplacement de la ligne d'horizon ? (Un indice : elle se situe au niveau de l'œil.)

Puis localisez le ou les points de fuite. Tenez votre règle à bout de bras et constatez si les lignes de fuite partant des éléments situés au premier plan se rejoignent à un point donné.

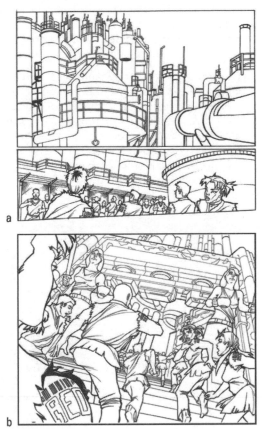

Figure 10-16:
Utilisation de la perspective pour les plans d'ensemble de Neo Seattle.

Différenciez le fort du faible

À la figure 10-17, je vous propose deux exemples où vous pourrez utiliser des angles de vue accentués pour donner l'impression qu'un personnage est plus grand ou plus petit qu'il ne l'est en réalité. En appliquant le troisième point de fuite, cf. la section « Mise en forme de la perspective à trois points de fuite », votre personnage pourra sembler tour à tour dominateur, ou dominé. À la figure 10-17a, le héros (aussi talentueux soit-il) se retrouve désarmé face à un mystérieux visiteur. À la figure 10-17b, j'ai réalisé une vue légèrement en contre-plongée pour donner un air plus menaçant au personnage de la méchante de JAVA!, alors qu'elle est de plus petite taille que les personnages masculins de mon manga.

Si vous désirez apporter du dynamisme à vos cadrages, inclinez l'angle de vue de la caméra afin que le sol soit perçu légèrement en diagonale. La prochaine fois que vous irez voir un film d'action, prenez note de tous les angles dynamiques de la caméra et des plans d'ensemble présentant une grande variété de cadrages en perspective. Si vous avez sur vous un petit carnet à dessin et un crayon, esquissez rapidement de petits croquis pour conserver certains détails en aide-mémoire.

Figure 10-17 : Les différences produites par les changements d'angles de vue de la caméra.

a   b

Chapitre 11

Utilisez les traînées de vitesse pour transmettre le mouvement et les émotions

Dans ce chapitre :

▶ Apprenez à dessiner les traînées de vitesse

▶ Explorez les divers moyens d'accélérer le mouvement

▶ Utilisez les lignes pour transmettre les émotions du personnage

Dans le manga traditionnel, les *traînées de vitesse* constituent l'élément clé permettant de suggérer le mouvement et les émotions des personnages. Dans un univers immobile en deux dimensions, le mouvement des éléments couchés sur le papier sera suggéré par des lignes. Comme dans les films, votre sujet (personnage ou objet) se déplacera, et en d'autres occasions, la caméra évoluera autour ou avec lui. Néanmoins, chaque case manga est similaire à un cadrage de film tourné par le caméraman ou le réalisateur – ou par vous-même. Ces traînées de vitesse démontrent la relation entre la caméra et le sujet et permettent d'établir l'ambiance générale.

Dans ce chapitre, j'ai exploré les divers styles de traînées de vitesse permettant d'obtenir du mouvement et de suggérer les émotions. Comme vous le verrez en effectuant les étapes suivantes, ces lignes vous permettront d'établir l'atmosphère générale de la case dans laquelle votre personnage est mis en scène. Représenter de superbes paysages et des arrière-plans urbains élaborés nécessitera évidemment une bonne maîtrise du dessin. Cependant, il arrive parfois qu'en l'absence de mouvement et d'émotions suggérés par des lignes, la focalisation initialement portée sur les personnages puisse s'égarer dans les détails d'un arrière-plan complexe, ou pire encore, que vos lecteurs risquent de manquer d'indices pour comprendre ce que vit votre personnage à ce moment particulièrement crucial.

Pour ce chapitre, vous aurez besoin d'une règle, d'une courbe de traçage et de punaises. (Référez-vous pour plus d'informations à la liste de fournitures proposée au chapitre 2.)

Faites bouger votre personnage

Voici différentes méthodes pour transmettre la lenteur ou la rapidité de mouvement de votre personnage. Pour cette section, comme élément de référence, vous devrez soit copier, soit dessiner une silhouette vue de profil dans l'action de courir. Comme représenté à la figure 11-1, l'arrière-plan est simple, dénué de toute indication de mouvement. Mon dessin semble figé comme si j'avais appuyé sur la touche « Pause » de ma télécommande. En l'absence d'éléments pour suggérer l'interaction entre l'arrière-plan et le premier plan, ce cadrage statique est tout simplement dénué intérêt. Dans cette section, je vous indique comment appuyer sur la touche « Play ».

Figure 11-1 :
Le personnage semble irrémédiablement figé en mode « Pause ».

Faites bouger votre personnage plus rapidement

Les traînées de vitesse dans le dos du garçon de la figure 11-1 donnent l'impression qu'il passe comme une flèche devant la caméra (voir la figure 11-2a). Effectuez les étapes suivantes pour obtenir cet effet :

1. **En commençant par le haut de la tête, tracez une série de traînées de vitesse en lignes droites, en vous servant de votre règle.**

   La clé de la réussite consiste à varier les intervalles entre les lignes. Si elles sont absolument équidistantes, l'espace semblera manquer de profondeur et perdra tout intérêt.

2. **Continuez à dessiner les lignes horizontales vers le bas, comme à la figure 11-2b.**

   Remarquez les traînées de vitesse tracées superposées au dos du personnage. L'idée que j'ai voulu transmettre est que la vitesse de sa course est si rapide que certaines parties de son corps paraissent floues ou indistinctes à cause du déplacement d'air. À présent, vous avez une meilleure idée de ce qui se passe. Non seulement vous le voyez dans l'action de courir, mais vous évaluez également la vitesse de sa course en relation avec l'arrière-plan.

a

Figure 11-2:
Le personnage
passe comme
uno flòoho
devant la
caméra.

b

Donnez l'impression que le lecteur bouge avec le personnage

Mais attendez un peu, ce n'est pas fini! Que se passe-t-il si vous voulez que la caméra suive les mouvements du garçon? Dans ce cas, les lecteurs doivent avoir l'impression de bouger avec lui à la même vitesse (indépendamment de la rapidité ou de la lenteur de déplacement du personnage).

À la poursuite de votre personnage

Supposez que vous dessinez une série de séquences durant lesquelles votre personnage, tout en courant, est engagé dans un important monologue. La caméra et les lecteurs devront rester à proximité afin de ne pas en manquer un mot.

Accompagnez votre personnage en allongeant les lignes pour remplir l'espace situé entre lui et l'arrière-plan. Suivez les étapes ci-dessous:

1. **Effacez complètement l'arrière-plan.**

2. **En commençant par le haut de la case, tracez des lignes à la règle, comme aux figures 11-3a et 11-3b.**

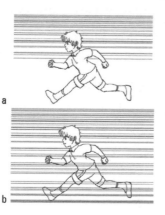

Figure 11-3: a
Dans cette
illustration,
la caméra file
à la même
vitesse que le
personnage. b

À présent, la caméra se déplace si rapidement pour suivre la cadence que la totalité de l'arrière-plan est vague. Le lecteur se déplaçant à la même vitesse que le personnage, ce dernier ne présente plus de traînées de vitesse.

N'oubliez pas de varier les lignes. Lorsque je couvre de grandes zones, j'élargis légèrement les intervalles entre les traînées de vitesse. De cette manière, le sujet ne sera pas éclipsé par trop de détails en arrière-plan. Vous pouvez laisser quelques lignes en partie basse superposer la silhouette du personnage afin de donner l'impression d'un déplacement d'air. Assurez-vous seulement de ne pas les superposer au visage ou à d'autres parties du corps constituant le point de focalisation.

Ralentissez avec votre personnage

Si vous voulez ralentir la vitesse de votre personnage, conservez le décor en arrière-plan et réduisez le nombre de lignes. Suivez les étapes ci-dessous :

1. **En commençant par le sommet de la tête, tracez des traînées de vitesse jusqu'en bas de l'image (comme à la figure 11-4a).**

2. **Effacez les parties de l'arrière-plan situées dans les intervalles entre certaines traînées de vitesse (voir figure 11-4b).**

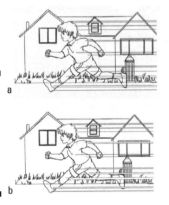

Figure 11-4 : Ajouter des traînées de vitesse à l'arrière-plan indiquera le mouvement de la caméra.

a

b

Cette technique nécessitera de la pratique car vous devrez vous fier à votre instinct lorsque vous déciderez des zones d'arrière-plan à effacer, qui perdra de sa définition si vous en éliminez de trop.

Donnez l'impression que les objets et les personnages se dirigent vers le lecteur

Il n'est pas nécessaire que les traînées de vitesse soient parallèles ou droites à l'intérieur d'un cadrage manga. Lorsque je trace une série de lignes à partir d'un point de fuite situé à l'arrière d'un élément, comme à la figure 11-5, je crée l'illusion d'un objet propulsé directement vers le lecteur (par exemple, une balle de base-ball perçue du point de vue du batteur). Ce point de fuite représente le *point d'origine de la trajectoire* (l'endroit d'où l'objet est projeté).

Suivez les étapes proposées ci-dessous pour dessiner une balle de base-ball propulsée à vitesse grand V vers le lecteur :

1. **Indiquez le point d'origine de la trajectoire par une croix, représentant également le point de fuite.**

2. **Dessinez la balle à quelques centimètres sur la droite de ce point de fuite.**

   Comme illustré à la figure 11-5, la balle doit être représentée de plus grande dimension, afin de refléter l'angle extrême de sa trajectoire. Ma balle mesure approximativement 7 cm de diamètre.

3. **Tracez à la règle les lignes de fuite en perspective en haut et en bas de la balle.**

   Comme indiqué à la figure 11-5, les traînées de vitesse devront être tracées entre ces deux lignes de fuite, en en superposant certaines à la balle afin de donner davantage de relief à l'ensemble de l'image.

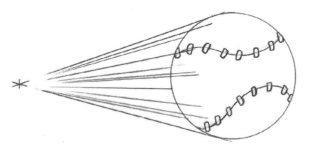

Figure 11-5 :
Dessinez une balle de base-ball propulsée vers l'avant.

De même, vous pouvez inverser la perspective afin que le point de fuite soit dirigé vers le *point-cible de la trajectoire* (la cible contre laquelle l'objet est propulsé). À présent, les traînées de vitesse que j'ai dessinées donnent l'impression que la balle file à toute allure vers une destination éloignée (sans doute vers le gant de l'attrapeur).

Effectuez les étapes suivantes pour dessiner une balle de base-ball s'éloignant à grande vitesse :

1. **Indiquez le point de fuite par un « X » et dessinez la balle sur sa droite.**

Figure 11-6 :
Donnez l'impression que les traînées de vitesse s'éloignent du lecteur suivant la perspective.

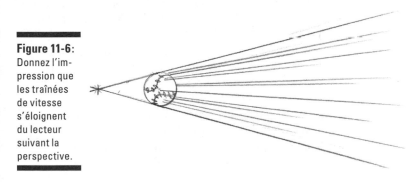

Plus la balle sera petite, plus la distance la séparant des lecteurs semblera éloignée. Lorsque vous figurez la balle de base-ball plus proche du point de fuite, l'angle de projection de la balle en sera d'autant plus exagéré.

2. **Tracez à la règle une série de traînées de vitesse partant du point de fuite « X » (comme à la figure 11-6).**

Si les termes de perspective que j'utilise vous paraissent obscurs, reportez-vous impérativement au chapitre 10.

Vous pouvez utiliser la technique de perspective de la balle projetée sur l'avant pour représenter votre personnage se ruant vers les lecteurs (comme à la figure 11-7).

Pour indiquer les traînées de vitesse, j'utilise parfois une courbe de traçage me permettant d'ajouter des variations au mouvement en avant de mon personnage. Dans ce cas, j'utilise une punaise pour fixer mon point de fuite, car les courbes de traçage sont parfois difficiles à manipuler.

Pour cette démonstration, j'ai représenté un jeune homme armé d'une épée s'apprêtant au combat. Effectuez les étapes suivantes pour donner l'impression qu'il se rue vers les lecteurs (ou plutôt vers l'ennemi !) :

1. **Dessinez votre personnage sans les traînées de vitesse.**

   À la figure 11-7a, mon personnage semble attendre l'ennemi de pied ferme.

2. **Indiquez le point de fuite sur la droite de votre personnage et plantez-y une punaise.**

   Le point de fuite est généralement situé en dehors du cadre (j'ai recadré l'image à la dernière étape pour vous montrer le résultat final). J'ai situé le point de fuite approximativement au niveau des épaules de mon personnage.

3. **Appuyez le bord le plus long de la courbe de traçage contre le dessous de la punaise, et tracez des traînées de vitesse, en variant les espacements entre les lignes (comme à la figure 11-7b).**

   Assurez-vous qu'elles partent de l'arrière du personnage en dépassant du cadre de l'image.

4. **Recadrez votre personnage afin que la case soit entièrement remplie par les traînées de vitesse (comme à la figure 11-7c).**

   Mon personnage se rue à présent sur l'ennemi. Grâce aux traînées de vitesse, je n'ai même pas besoin de montrer la totalité de sa silhouette pour que les lecteurs comprennent qu'il charge en avant.

Figure 11-7 : Dessinez les traînées de vitesse pour donner l'impression que le personnage se rue en avant.

Ralentissez votre personnage

Le terme « traînées de vitesse » ne signifie pas nécessairement que les éléments qu'elles accompagnent se déplacent à la vitesse de la lumière. Comme je vous le montre à la figure 11-8, je peux transformer ce garçon ultra-rapide en un véritable lambin en utilisant

un autre style de lignes. Lorsque je trace des lignes ondulées, on a l'impression qu'il vient de courir pendant vingt-quatre heures d'affilée et est prêt à s'écrouler d'épuisement ! Pour obtenir cet effet, effectuez les étapes suivantes :

1. **À partir du sommet de la tête, tracez des lignes ondulées et irrégulières de gauche à droite, comme à la figure 11-8a.**

2. **Arrêtez de tracer les lignes au niveau des hanches du personnage (voir figure 11-8b).**

3. **Ajoutez quelques gouttes de sueur à l'arrière de la tête afin d'accentuer l'épuisement du pauvre garçon (comme à la figure 11-8c).**

   Vous pourrez ainsi percevoir non seulement qu'il est en perte de vitesse, mais également le degré d'épuisement où il se trouve !

L'astuce pour obtenir l'effet souhaité est de ne pas tracer la ligne sur toute la largeur de la case.

Figure 11-8 : a   b

Apporter des variations de lignes produira des effets différents et surprenants.   c

Imaginez que ces lignes vous permettent de relier tous les intervalles entre l'espace en négatif (votre arrière-plan) et l'espace en positif (votre sujet). Les lignes permettent de guider ou de diriger l'œil du lecteur vers l'élément le plus important à l'intérieur de la case.

Gros plan sur les émotions

Comme au cinéma, vous pouvez utiliser des traînées de vitesse pour transmettre une expression de choc ou de surprise. Cette technique est principalement utilisée pour les cadrages rapprochés du personnage (présenté en buste). Dans cette section, je vous indique la manière dont les traînées de vitesse donnent l'impression aux lecteurs que la caméra zoome en gros plan sur l'expression de visage du personnage.

Vous pouvez certainement obtenir de nombreuses expressions émotionnelles en utilisant différents styles de lignes de vitesse. Dans cette section, je ne vous présente que les expressions les plus populaires de peur et de surprise, largement utilisées dans le manga contemporain. Je vous recommande vivement de prendre le temps de lire les mangas que vous possédez déjà ou qui vous intéressent, pour constater les variations de traînées de vitesse utilisées par les mangakas pour transmettre d'autres catégories d'émotions.

Faites peur à votre personnage

La figure 11-9 représente mon illustration de référence sans traînée de vitesse. Le personnage féminin semble effrayé, mais tout cet espace en négatif autour d'elle éclipse l'intensité de ses émotions. Vous n'avez pas l'impression qu'elle est prête à laisser échapper un hurlement à vous glacer le sang ; son état émotionnel n'est pas suffisamment exprimé de manière convaincante.

Figure 11-9 :
Sans indications de traînées de vitesse, elle n'a pas l'air si effrayée que ça !

Effectuez les étapes suivantes pour y remédier :

1. **Plantez une punaise à l'arrière de la tête pour indiquer le point de fuite.**

   Placez le point de fuite approximativement au niveau du nez (comme à la figure 11-10a). Je vous recommande également de le situer au-delà du cadre de l'image.

   Si vous n'avez pas assez de place pour disposer le point de fuite sur votre feuille de papier, ajoutez-y une feuille supplémentaire.

2. **Poursuivez en traçant une série de lignes avec la courbe de traçage (voir la figure 11-10b).**

3. **Recadrez l'image afin que la totalité du cadre soit centrée sur le personnage et que les lignes en remplissent l'arrière-plan (comme à la figure 11-10c).**

Comme je le montre à la figure 11-10d, vous pouvez représenter une série de lignes parallèles inclinées vers la fille pétrifiée pour intensifier son expression de terreur. Dans ce cas, vous n'aurez pas besoin de tracer ces lignes basées sur un point de fuite donné. Utilisez votre règle, et assurez-vous de les figurer en parallèle d'une main bien assurée.

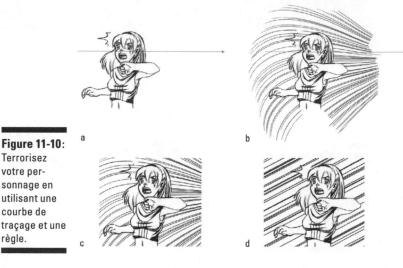

Figure 11-10: Terrorisez votre personnage en utilisant une courbe de traçage et une règle.

Donnez une expression de choc à votre personnage

Imaginez une scène où votre protagoniste pénètre dans une pièce et la découvre sens dessus dessous. Vous devrez vous focaliser sur son visage ou ses yeux pour capter instantanément sa réaction. La caméra zoome sur l'avant, puis en gros plan, sur l'expression de son visage. La figure 11-11 vous présente l'illustration de référence sans traînées de vitesse. Le personnage semble sous le choc, cependant cette étendue d'espace en négatif à la figure 11-11a rend son expression moins convaincante. À la figure 11-11b, j'ai dessiné les yeux selon la méthode présentée au chapitre 4. Sans les traînées de vitesse, sa réaction immédiate provoquée par ce qu'il vient de découvrir ne sera pas très probante. Dans cette section, vous suivez les traînées de vitesse radiales convergeant vers le point de fuite, qui devient ici le point de focalisation.

Figure 11-11 :
Sans traînées
de vitesse,
l'expression
de choc
n'est pas
suffisamment
convaincante.

a   b

Pour les étapes suivantes, vous devrez commencer par deux images similaires à celles de la figure 11-11 :

1. **Indiquez le point de focalisation par le point de fuite**.

   À la figure 11-12a, le point de fuite est situé légèrement plus bas que le visage, car vous devez prévoir de l'espace pour le haut du corps. Néanmoins, à la figure 11-12b, le point de fuite est placé juste entre les yeux.

2. **Tracez à la règle les traînées de vitesse, comme aux figures 11-12c et 11-12d.**

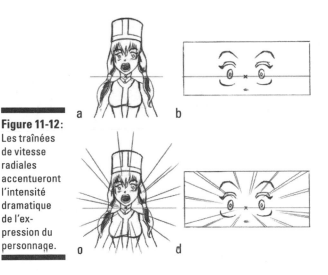

Figure 11-12 :
Les traînées
de vitesse
radiales
accentueront
l'intensité
dramatique
de l'ex-
pression du
personnage.

a   b

c   d

Pour réussir cette technique, dessinez légèrement de longues lignes équidistantes l'une de l'autre, puis des lignes plus courtes de chaque côté afin de remplir les intervalles restés en négatif. Lorsque vous aurez terminé, vous obtiendrez une série de traînées de vitesse radiales.

Trop de traînées de vitesse situées au pourtour d'un visage en gros plan l'éclipseront (voir figure 11-13).

Figure 11-13 :
Entouré
ainsi par
une grande
quantité de
lignes, mon
personnage
ressemble
plutôt à un
hérisson !

Chapitre 12

Croquis et décors

- -

Dans ce chapitre :

▶ Amusez-vous à créer vos propres story-boards

▶ Apprenez à utiliser les croquis préparatoires avec efficacité

▶ Apprenez à créer différents décors d'arrière-plan

- -

Comme vous l'avez peut-être deviné, sans un décor entourant les personnages que vous créerez, vos lecteurs n'auront pas d'univers comme support leur permettant de s'y identifier. Ce chapitre vous expliquera comment intégrer vos différents protagonistes créés en fonction des sections précédentes à un environnement crédible où ils pourront interagir entre eux. (*Note* : J'ai placé ce chapitre dans la section plus avancée de ce livre car il vous fallait d'abord connaître non seulement la manière de dessiner les silhouettes des personnages, mais également savoir représenter correctement en perspective les formes géométriques de base avant d'aborder ce chapitre.)

Des croquis préparatoires efficaces

Fréquemment confondu avec le story-board, le croquis est au manga ce que les grandes lignes sont au roman. Ces croquis sont utilisés par le mangaka pour mettre ses idées sur papier, lui permettant ainsi de « visualiser » le récit et de se rendre compte immédiatement de l'effet que produira chaque planche au format réel.

Pourquoi s'embêter avec des croquis ?

Certains les considèrent comme une étape supplémentaire (que les lecteurs ne verront jamais), cependant ils épargneront au mangaka des heures de frustration et une grande dépense d'énergie. En voici certains des avantages :

- **Lorsque vous travaillerez à plus grande échelle, vous aurez tendance à vous surcharger de détails et à perdre de vue l'ensemble du dessin.** Avec les croquis préparatoires, le mangaka s'assure ainsi que l'image finale reflétera bien « l'ambiance » initiale transmise par ces images réduites.

- **Les croquis constituent essentiellement une méthode préparatoire vous permettant de visualiser la manière dont les images se succéderont au final planche par planche, d'un bout à l'autre de l'histoire.** Le mangaka supervise les croquis et peut en modifier l'ordre séquentiel, ou décider d'agrandir ou de réduire certaines cases afin d'améliorer la narration.

- **Les croquis permettent au mangaka de planifier les planches, afin que chaque épisode se termine au moment souhaité sans risque de déborder du nombre de planches allouées.** Rater la fin d'une histoire passionnante bien illustrée simplement par manque de planches est le pire cauchemar du mangaka.

Par conséquent, la morale de l'histoire est de toujours, *toujours* prendre l'habitude de réaliser des croquis préparatoires de vos planches avant de vous lancer dans la réalisation finale à l'échelle. Cela vous épargnera du temps, des migraines et de l'argent dépensé inutilement en matériel supplémentaire.

Entraînez-vous à réaliser des croquis

Un mangaka professionnel présentera des esquisses de ses planches à un éditeur ou à un auteur, qui à leur tour lui apporteront ultérieurement des précisions au cours de l'étape de développement, avant qu'il ou elle ne passe des heures à réaliser les planches finales. En tant qu'illustrateur free-lance, je réalise également des croquis préparatoires pour présenter mes idées aux directeurs artistiques, avant de développer le produit final. Cela leur permet également d'avoir une vision plus précise du projet. À la figure 12-1, je vous propose quelques exemples de planches miniatures rapidement esquissées :

Figure 12-1 :
Exemples typiques de croquis rapides préparatoires.

Entraînez-vous à dessiner ces croquis préparatoires en travaillant à partir d'un scénario :

1. **Sélectionnez un scénario de B**.D. (des pages de texte sans images – présentant juste le dialogue et les descriptions de l'action indiqués case par case), et lisez les cinq premières pages.

   Si vous n'avez pas de scénario à votre disposition, contactez un éditeur pour en obtenir une copie, ou demandez à un ami d'écrire un scénario de quatre pages basé sur une B.D. que vous ne connaissez pas. Assurez-vous que le numéro de page et de case y soit bien indiqué, ainsi que le dialogue et les personnages.

2. **Prenez plusieurs feuilles de papier standard pour photocopie et pliez-les en deux pour fabriquer un mini-livre.**

3. **Lisez le scénario plusieurs fois de suite puis, en fonction de celui-ci, esquissez rapidement l'intégralité de la séquence planche par planche.**

Plutôt que de dessiner les cases au pourtour de vos croquis, tracez d'abord tous les cadres avant de les y intégrer, ce qui vous permettra de mieux juger des dimensions à agrandir ou à réduire de l'image. Lorsque vous esquisserez vos images mangas à l'intérieur des cases, je vous recommande également de décider de l'emplacement des *bulles* (espaces dans lesquels sont inscrits les dialogues). Il est en effet préférable que vous ne manquiez pas d'espace pour ces bulles, surtout après avoir passé tant d'heures à dessiner. Inévitablement, certaines parties de votre œuvre manga finale seront occupées par ces bulles de dialogues – vous devrez donc vous assurer que l'espace qui leur est réservé n'aura pas trop d'incidence visuelle.

Croquis préparatoires et story-board

Au cas où vous vous poseriez la question, le concept sous-jacent aux croquis et au story-board est identique. Ces deux étapes permettent de planifier le rendu final. Bien qu'ils soient souvent confondus l'un avec l'autre, les créateurs et dessinateurs de B.D. et de mangas utilisent le terme de *croquis* exclusivement pour décrire une série de petits dessins préparatoires permettant de développer un album ou une image de B.D. ou de manga. Le *story-board* (également appelé découpage dessiné) est en revanche un produit fini décrivant le scénario établi pour un spot publicitaire, un film ou une performance théâtrale. Les story-boards sont plus précisément dessinés que les croquis (moins élaborés) car les donneurs d'ordre ou les directeurs qui commandent le produit final ont besoin d'avoir une image claire de ce qu'il leur est présenté. Cependant, la différence visuelle majeure réside dans le fait qu'une séquence de story-board est précisément élaborée case après case, plutôt que comme un groupe de cases rapidement esquissées et rassemblées planche par planche.

Transférez vos croquis à la planche finale

Lorsque vous aurez terminé vos croquis préparatoires, vous serez fin prêt à les transférer sur une feuille de papier plus grande. L'erreur la plus commune aux débutants est d'essayer de redessiner la totalité du story-board à une échelle plus grande afin de l'adapter au format réel de la planche finale. Cette méthode présente de nombreux inconvénients. Premièrement, vous perdrez votre temps à essayer de retranscrire le graphisme énergique que vous aurez spontanément généré dans vos croquis. L'énergie et la fluidité transparaissant dans vos petites esquisses seront en effet assez difficiles à reproduire. Deuxièmement, reproduire le croquis dans sa totalité n'est pas très pratique. En fait, obtenir la même atmosphère d'ensemble sera impossible lorsque la coordination entre votre vue et votre main devra s'adapter à ce nouveau format à remplir tellement impressionnant.

Voici un conseil assez simple : pour moins de 10 centimes d'euro par photocopie, agrandissez vos croquis pour les conformer aux dimensions de votre planche finale. Puis, posez cet agrandissement sur une *boîte lumineuse* (une boîte avec un couvercle translucide et contenant un éclairage fluorescent). Superposez votre feuille de papier manga à votre croquis agrandi, en vous assurant que le cadre de l'image est bien accordé à l'emplacement de la case finale. Ne vous inquiétez pas s'il ne s'ajuste pas précisément – vous utilisez le croquis du dessous comme guide afin de réaliser un dessin plus précis que vous pourrez affiner ultérieurement. Une fois que vous aurez terminé, éteignez la boîte lumineuse et vous serez prêt à travailler et à peaufiner votre image manga sur la planche finale (vous n'aurez plus besoin du croquis à ce stade). Certes, cette méthode comporte de nombreuses étapes, mais elle se révélera la moins coûteuse et la plus efficace.

Esquissez les décors d'arrière-plan

Dans cette section, je partage avec vous quelques astuces et méthodes pour créer des décors où faire évoluer vos personnages. Trois éléments majeurs participent à la création d'une composition dimensionnelle : un *premier plan*, un *second plan* et un *arrière-plan*. Essayez d'utiliser les trois en association : ils seront particulièrement efficaces lorsque vous dessinerez les plans d'ensemble pour décrire aux lecteurs le lieu où se déroule votre histoire.

Une astuce pour créer l'illusion de la profondeur : dessiner des formes se superposant (j'utilise intentionnellement le mot « illusion », car vous essayez de tromper l'œil en lui faisant croire qu'il perçoit un objet tridimensionnel, représenté en réalité sur une surface plane en deux dimensions). Comme je vous le montre dans les exemples suivants, les éléments situés au premier plan devront superposer en partie ceux du second plan, qui recouvriront à leur tour ceux de l'arrière-plan.

Les décors urbains

L'intégration de plans supplémentaires à l'arrière-plan, derrière le décor urbain de base, apportera non seulement plus de profondeur et de volume, mais également davantage d'informations aux lecteurs concernant le personnage et l'époque de la scène.

Dans cet exercice, je vous indique la méthode pour ajouter un second plan et un arrière-plan à la suite des décors du premier plan, et ainsi créer de la profondeur à l'intérieur du plan d'ensemble :

1. **Dessinez un groupe d'immeubles en utilisant la perspective à un seul point de fuite (comme à la figure 12-2).**

   L'exemple proposé est un plan d'ensemble tout à fait acceptable. Les lecteurs comprennent que l'histoire se déroule en centre-ville (représenté au premier plan dans cet exemple précis).

2. **Ajoutez de simples formes abstraites d'immeubles en perspective à l'arrière du premier plan (comme à la figure 12-3).**

   Remarquez que les immeubles sont approximativement parallèles à la ligne d'horizon. J'ai varié la perspective en en représentant certains directement de face, et d'autres vus à un angle. En terminant cette étape, vous aurez indiqué aux lecteurs que cette ville est de grandes dimensions.

Afin de bien différencier les immeubles du premier plan, vous pouvez laisser certaines lignes de contour interrompues en suivant mon exemple.

Figure 12-2: Commencez par représenter le centre-ville en utilisant la perspective à un seul point de fuite.

3. **Dessinez la ligne de contour des immeubles se découpant sur le ciel (comme à la figure 12-4).**

Vous n'avez pas besoin de créer des images très détaillées. En vérité, plus les éléments du décor seront éloignés, moins vous en percevrez les détails. Dans ma scène (montrée à la figure 12-4a), j'ai représenté de simples formes abstraites de nuages et un coucher de soleil à l'arrière des immeubles. À la figure 12-4b, pour indiquer que le soir tombe, j'ai utilisé des hachures et la technique de traits tramés présentée au chapitre 3.

Figure 12-3:
Dessinez les éléments du second plan, à l'arrière des immeubles situés au premier plan.

Figure 12-4:
Dessinez l'arrière-plan du décor urbain.

En route vers la campagne : arbres, buissons et pâturages

Ne soyez pas impressionné par la complexité des forêts que la nature nous offre. Dessiner des arbres n'est pas si compliqué. Dans cette section, je vous aide à démarrer en vous présentant des bases de dessins diverses et variées qui vous permettront de représenter des arbres simplifiés. Ensuite, je vous expose la méthode pour aborder des décors naturels plus complexes.

Arbre basé sur un simple cercle

Premièrement, abordons la manière de dessiner un arbre simple en utilisant comme formes de base un cercle et un triangle. Vous prendrez sûrement goût à dessiner ce type d'arbres.

1. **Esquissez un cercle au centre de votre feuille de papier (comme à la figure 12-5a).**

   Je vous conseille de commencer en traçant un petit cercle n'excédant pas 4 cm de diamètre. Rappelez-vous que votre cercle de base doit être légèrement dessiné (pour l'effacer plus facilement lorsque vous n'en aurez plus l'utilité). Ce cercle n'a pas besoin d'être parfait. En vérité, les imperfections de contour vous permettront de représenter des formes de feuillage plus intéressantes.

2. **Dessinez un triangle étroit pour représenter le tronc de l'arbre, passant en intersection de la partie basse du cercle (voir figure 12-5b).**

   Il sera plus facile de travailler à partir d'un triangle à la pointe tronquée. La proportion de triangle superposée au cercle sera en fonction de la longueur du tronc que vous souhaitez réaliser. Plus vous placerez le triangle vers le bas, plus le tronc de l'arbre sera grand.

3. **Précisez le tronc de l'arbre pour lui apporter davantage de réalisme et dessinez la forme générale du feuillage au pourtour du cercle de base (voir figure 12-5c).**

   Figurez les racines du tronc, ainsi que les branches hautes pénétrant dans le cercle du feuillage. Vous devrez assembler à l'extrémité de ces branches de petites lignes ondulées (assurez-vous que les petites bosses soient orientées vers les branches et non à l'opposé). Ceci permettra d'apporter davantage de volume aux branches feuillues. Effacez légèrement la ligne de contour du cercle, en la laissant suffisamment visible afin que vous puissiez l'utiliser pour dessiner une série de formes au contour irrégulier.

Pour représenter votre arbre de manière plus convaincante, variez la longueur et la largeur des branches et des racines, afin qu'elles ne semblent pas trop uniformes.

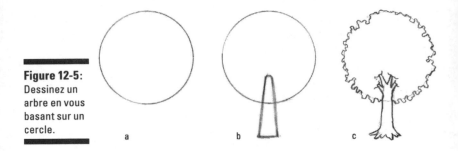

Figure 12-5:
Dessinez un arbre en vous basant sur un cercle.

a   b   c

Arbre basé sur des cercles multiples

Passons à la méthode de représentation d'arbres plus volumineux en utilisant plusieurs cercles. Le concept est similaire à l'exemple précédent, cependant vous aurez davantage de possibilités d'obtenir des formes plus intéressantes.

1. **Dessinez légèrement plusieurs cercles différents se superposant au centre de votre feuille de papier (comme à la figure 12-6a).**

   Assurez-vous que vos cercles soient superposés afin de créer une impression de profondeur. Je vous recommande de tracer le cercle le plus grand n'excédant pas 4 cm de diamètre.

2. **Dessinez un triangle étroit représentant le tronc de l'arbre superposant les cercles en partie basse (voir figure 12-6b).**

Le triangle est identique à celui utilisé précédemment pour l'arbre basé sur un seul cercle. Au lieu de fixer le point central de l'arbre basé sur un cercle unique comme vous l'avez fait à la section précédente, vous devrez déterminer le point le plus centré par rapport à la largeur totale de l'ensemble des cercles. Mais ne vous préoccupez pas de mesurer cette largeur afin de localiser ce point. Situez-le plutôt à vue de nez, puis tracez le triangle du tronc.

3. **Précisez le tronc de l'arbre pour lui apporter davantage de réalisme, et utilisez les cercles de base pour indiquer la forme irrégulière du feuillage (voir figure 12-6c).**

Dessinez les racines, ainsi que les branches hautes pénétrant dans les cercles. Ajoutez à leur extrémité de petites lignes ondulées. Effacez légèrement les lignes de contour des cercles, en les laissant suffisamment visibles pour pouvoir composer au pourtour une série de formes aux lignes de contour irrégulières.

Au moment de l'exécution, déterminez le cercle que vous voulez établir au premier, au second et à l'arrière-plan. Je vous recommande de choisir l'un des cercles situés en bas pour votre premier ou second plan (le cercle du haut étant généralement réservé pour l'arrière-plan). Vous pouvez représenter un cercle situé sur l'avant de manière plus accentuée en terminant son contour de feuillage irrégulier, et en laissant le contour des deux autres cercles inachevé, ou partiellement dissimulé l'un par l'autre.

Figure 12-6:
Dessinez un arbre en utilisant plusieurs cercles.

a   b   c

Utilisez des ovales pour représenter des arbres plus hauts

Dans cette section, je vous indique la méthode pour représenter des arbres plus hauts en utilisant des ovales au lieu de cercles, et qui est virtuellement identique à celle des trois cercles. La seule différence se situe essentiellement au niveau de la forme de l'arbre indiquée à l'étape 3.

1. **Dessinez légèrement plusieurs formes différentes ovales se superposant au centre de votre feuille de papier (comme à la figure 12-7a).**

   Assurez-vous de tracer des ovales s'étirant verticalement et se superposant pour apporter du volume à votre dessin.

2. **Dessinez un triangle étroit pour représenter le tronc de l'arbre, superposé à l'ovale situé en bas (voir figure 12-7b).**

   Les arbres plus hauts et plus minces possédant généralement de plus grands troncs, figurez le triangle plus bas, ou de forme légèrement plus allongée.

3. **Précisez le tronc de l'arbre pour lui apporter davantage de réalisme, et utilisez les ovales comme base en y ajoutant de petites formes aux lignes de contour irrégulières représentant le feuillage (voir figure 12-7c).**

   Pour réussir cet arbre, terminez en premier lieu la forme du feuillage centrale située en bas. Pour les arbres plus hauts, dessinez les formes aux lignes irrégulières orientées vers le soleil (comme cela se produit pour toute végétation plus haute et moins volumineuse). À partir de là, tracez deux autres branches pénétrant dans l'ovale situé sur la gauche, et terminez la forme de ce feuillage par les mêmes lignes de contour irrégulières (n'oubliez pas d'indiquer qu'une partie est cachée à l'arrière de la première masse de feuillage). Procédez de même pour les autres ovales.

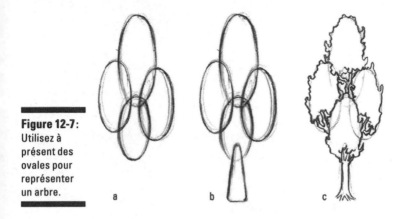

a   b   c

Arbre basé sur un triangle

Les arbres basés sur une forme triangulaire présentent des contours plus graphiques ; c'est le cas du sapin. Suivez les étapes proposées ci-dessous pour configurer ce type d'arbre :

1. **Dessinez un triangle légèrement allongé au centre de votre feuille de papier (comme à la figure 12-8a).**

2. **Dessinez un triangle court représentant le tronc de l'arbre (comme à la figure 12-8b).**

   Ce triangle doit être assez court pour composer le feuillage proche du sol.

3. **En commençant du haut vers le bas, indiquez les formes individuelles constituant le feuillage (comme à la figure 12-8c).**

   L'astuce pour apporter une impression de volume au niveau des branches est de créer un décalage entre celles-ci de chaque côté (comme indiqué à la figure 12-8c). Une autre astuce pour donner du volume au sapin consiste à représenter les formes du feuillage en zigzag s'agrandissant au fur et à mesure que les sections se rapprochent du sol (inversement, les éléments situés plus haut rapetissent).

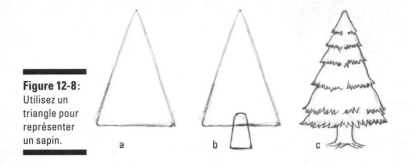

a   b   c

Branches et feuillages

Dans cette section, voici quelques conseils pour représenter des branches et des feuillages que vous pourrez intégrer au premier plan (comme mentionné précédemment, vous pourrez apporter davantage de précision aux éléments les plus proches du premier plan). Je vous encourage à observer et à sélectionner des formes de feuillage intéressantes relativement simples à dessiner. En exemple, poursuivons par la feuille en forme de goutte d'eau :

1. **Tracez légèrement un cercle de base au centre de votre feuille de papier (voir figure 12-9a).**

   Ne faites pas un cercle trop large ; 3 cm de diamètre suffiront amplement.

2. **En utilisant ce cercle comme forme de base, dessinez la feuille et sa tige (comme à la figure 12-9b).**

   Je vous suggère de commencer par représenter la forme de la feuille orientée sur le côté. Si cela peut vous aider, composez la forme de goutte d'eau verticalement, puis tournez votre feuille de papier afin qu'elle se présente horizontalement. Figurez ensuite la tige sur le côté gauche du cercle à la base de la feuille, puis la section médiane de la tige légèrement plus étroite que ses deux extrémités, afin de représenter son aspect organique naturel. Si vous observez une véritable feuille, vous remarquerez que l'extrémité de sa tige présente une courbe en « C », à l'endroit où elle se rattache à la branche.

Dessinez un côté de la feuille différent de l'autre ; l'un des côtés sera une simple courbe, tandis que l'autre présentera une courbe inversée. La pointe de la feuille doit s'incliner vers une seule direction donnée (vers le haut ou vers le bas). Cette asymétrie permettra de lui apporter une apparence plus naturelle.

3. **Ajoutez des détails, en commençant par la nervure centrale, partant de la tige sur la gauche et allant rejoindre la pointe sur la droite, puis terminez les nervures secondaires (voir figure 12-9c).**

La nervure centrale doit être recourbée et s'affiner progressivement à partir de l'extrémité de la tige vers la pointe de la feuille. Assurez-vous que les nervures secondaires partant de cette nervure centrale et rejoignant les bords soient également recourbées en s'affinant, donnant ainsi à la feuille une apparence plus naturelle.

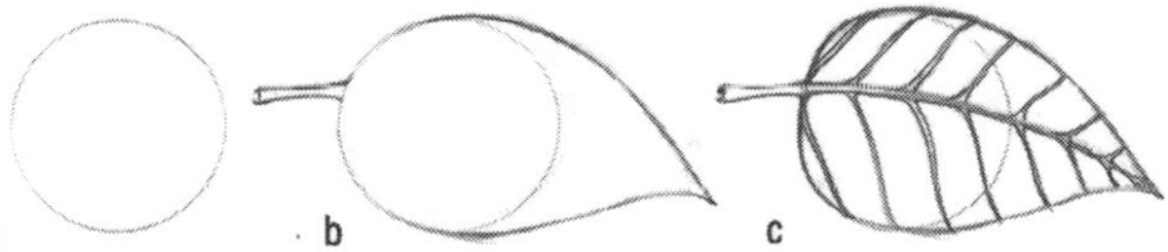

Figure 12-9 :
Commencez par un cercle de base pour dessiner une feuille « en goutte d'eau ».

a   b   c

Les cercles de base seront particulièrement pratiques lorsque vous aurez à déterminer la composition générale et la structure d'une case où se trouve au premier plan une branche portant plusieurs feuilles. Suivez les étapes

ci-dessous pour mieux saisir mon propos :

1. **Dessinez plusieurs branches dénudées (comme à la figure 12-10).**

Voici quelques exemples de branches communes parmi de nombreuses autres. De manière générale, les branches plus droites et inclinées (voir figures 12-10a et 12-10b) seront plus cassantes que les plus courbes (voir figure 12-10c).

TRUC

Lorsque vous dessinerez des branches, pensez-y comme des mains et des doigts dans le prolongement d'un bras. Je trouve qu'ainsi elles apporteront davantage de caractère et d'atmosphère (et en supplément, cela accentuera encore le plaisir de les reproduire).

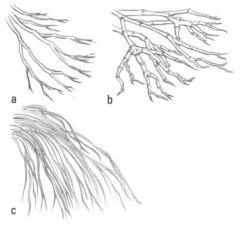

a   b

Figure 12-10 :
Expérimentez avec diffé-
rents types de
branches.

c

2. **Dessinez une série de cercles pour les feuilles, en travaillant vers le haut à partir de l'extrémité des branches (comme à la figure 12-11).**

   N'utilisez pas de « trace-cercles » – cela vous ralentirait et les cercles imparfaits (qui sont irréguliers et de diamètres légèrement différents) apporteront davantage de naturel au feuillage.

TRUC

   J'ai choisi de situer les feuilles à l'opposé les unes des autres. En supplément, je n'ai pas hésité à superposer en partie certains cercles (plus particulièrement s'ils appartiennent aux branches voisines).

3. **Terminez les feuilles sur les branches (comme à la figure 12-12).**

   Vous n'aurez pas à apporter trop de détails aux feuilles si elles sont éloignées. Je les superpose afin de donner davantage de volume et de naturel aux branches feuillues.

Figure 12-11 :
Situez l'emplacement des feuilles en dessinant des cercles comme repères.

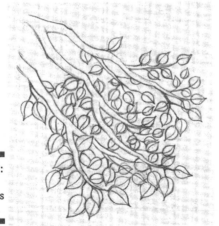

Figure 12-12 :
Terminez les feuilles sur les branches.

Pelouses et buissons

Les pelouses et les buissons fonctionnent très bien en association et sont plaisants à dessiner en raison de leur simplicité et de leurs formes intéressantes. Observez les manières différentes utilisées par les mangakas pour les représenter. Par leur aspect ordinaire, ils jouent un rôle primordial pour indiquer aux lecteurs où se situe le sol par rapport au personnage et au décor ambiant. Dans cette section, je vous expose la méthode que j'utilise pour dessiner l'herbe et les buissons proches et lointains.

Suivez les étapes proposées ci-dessous pour reproduire une étendue d'herbe bordée d'un côté par quelques buissons simples :

1. **Tracez deux lignes à main levée horizontales et parallèles (une longue et une courte).**

   À la figure 12-13a, j'ai représenté une partie de la ligne longue plus fine sans trop de détails apparents afin d'indiquer la ligne d'horizon lointaine. À la figure 12-13b, j'ai tracé en dessous la seconde ligne plus courte et légèrement décalée sur la droite. Cette ligne doit être plus épaisse et présenter davantage de brins d'herbe en détail, afin d'indiquer que cette zone de pelouse est plus proche des lecteurs.

   Lorsque vous assemblez des éléments dans un paysage, en règle générale, ceux-ci seront moins détaillés s'ils sont éloignés et présenteront une ligne moins accentuée et des tonalités plus légères. Les objets situés plus près seront plus précis, avec des lignes plus marquées et des tonalités plus foncées.

2. **Dessinez quelques touffes d'herbe au hasard sur la zone vide, que j'appelle des « hérissons » (comme à la figure 12-13c).**

   Figurer ces « hérissons » a pour objectif de fournir aux lecteurs des éléments supplémentaires à regarder plutôt que de fixer l'étendue vide située en dessous de la ligne d'horizon. Dans mon dessin, ils permettent également d'équilibrer la composition d'ensemble afin que les lecteurs ne soient pas trop distraits par l'étendue d'herbe plus sombre sur la droite citée à l'étape 1.

   Pour donner l'impression que l'emplacement des touffes d'herbe est établi au hasard, modifiez légèrement les formes et les dimensions des « hérissons ». Évitez de les composer à l'identique – sinon votre dessin manquera de profondeur.

a   b

Figure 12-13:
Dessinez les
lignes d'herbe
à l'horizon
ainsi que
des petites
touffes en
« hérissons ».

c

3. **Ajoutez les buissons juste au-dessus de la ligne d'herbe plus courte et plus accentuée (comme à la figure 12-14).**

   Dessinez légèrement plusieurs formes en bulles se superposant juste au-dessus de la ligne d'herbe plus courte et plus accentuée décalée sur la droite (comme à la figure 12-14a).

   L'astuce pour apporter du volume aux buissons est de toujours tracer la forme en bulle suivante légèrement plus haut, ou au-dessus ou à l'arrière de la bulle précédente. Plus vous dessinerez sur le même plan des éléments similaires, plus l'image générale perdra du relief et semblera peu convaincante.

   À la figure 12-14b, j'ai effacé légèrement (mais pas totalement) les lignes de contour des bulles, les laissant toujours perceptibles pour pouvoir former les contours des buissons.

Lorsque vous saurez maîtriser la représentation de ces éléments distincts, associez-les afin de bien différencier le premier, le second et l'arrière-plan, comme je l'ai fait à la figure 12-15. L'ensemble de l'image aura de la profondeur et présentera suffisamment de détails pour que les lecteurs croient en l'histoire que vous vous apprêtez à leur raconter.

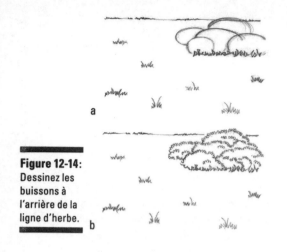

a

Figure 12-14:
Dessinez les
buissons à
l'arrière de la
ligne d'herbe.

b

Figure 12-15:
Rassemblez
tous les
éléments
pour créer un
premier plan,
un second
plan et un
arrière-plan.

Rochers et plans d'eau

Imaginez un cauchemar où vous vous trouvez face à un lac entouré de pics et de rochers déchiquetés. Ne vous en faites pas toute une montagne ! Dévoilons quelques astuces pour représenter de manière convaincante la surface de l'eau ainsi que diverses parois rocheuses.

L'eau

Tout le monde sait que l'eau est transparente, mais tenez compte de la couleur bleue du ciel s'y reflétant, en y ajoutant en détail toutes les ombres et en accentuant les miroitements alentour. Voici comment interpréter l'eau d'une manière suffisamment convaincante pour vos lecteurs.

Nous allons étudier trois types de surfaces d'eau sous différentes conditions météorologiques. Gardez à l'esprit que les plans d'eau plus calmes présentent des lignes plus fines, des ombres plus adoucies et très peu de détails. Par contraste, les eaux agitées en présenteront davantage, ainsi que des lignes plus denses et des formes d'ombre plus dures et irrégulières.

Suivez les étapes proposées ci-dessous pour représenter un plan d'eau paisible :

1. **Tracez à main levée une fine ligne d'horizon (comme à la figure 12-16a).**

   Cette ligne d'horizon représente le niveau de mon œil par rapport à l'eau. Afin de donner l'impression que l'eau s'étend à l'infini, représentez la ligne d'horizon aussi fine que possible.

2. **En progressant à partir de la ligne d'horizon vers le bas du cadre, dessinez une série de courtes lignes légères et irrégulières (comme à la figure 12-16b).**

3. **Tandis que les lignes se rapprochent du bas du cadre, utilisez de préférence des formes très fines pour figurer les ombres créées par le mouvement de l'eau (comme à la figure 12-16c).**

   Représentez les formes des ombres très étroites, à moins que vous ne souhaitiez indiquer des objets flottants à la surface.

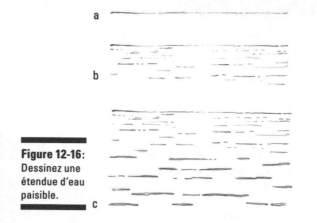

a

b

Figure 12-16:
Dessinez une
étendue d'eau
paisible.

c

Je développe plus avant la manière de rendre le même océan, mais exposé au vent. Dans ce cas, vous devrez représenter des mouvements de vagues plus amplifiés provoqués par la tempête qui se lève.

1. **Dessinez une ligne d'horizon irrégulière présentant quelques aspérités (comme à la figure 12-17a).**

2. **En progressant à partir de la ligne d'horizon vers le bas du cadre, créez une série de petites ombres en forme de « taches » légèrement foncées produites par le mouvement des vagues (comme à la figure 12-17b).**

   Évitez de dessiner les formes des ombres trop allongées, trop anguleuses ou trop grandes – rappelez-vous que vous les percevez d'une certaine distance.

   Le dessin de ce plan d'eau nécessitera de la pratique, cependant, plus vous diversifierez les taches (plus particulièrement en largeur), plus il sera convaincant.

3. **Lors de votre progression vers le bas du cadre, au fur et à mesure que les formes des ombres se rapprochent de vos lecteurs (ou de votre personnage à bord d'un bateau), augmentez progressivement leurs dimensions et accentuez leur tonalité foncée (comme à la figure 12-17c).**

Ajoutez une variété d'ombres plus petites pour remplir les espaces entre les formes plus grandes. Préciser ces ombres apportera davantage de relief à la surface de l'eau. Les formes des ombres devront également être de plus en plus complexes. Tandis que les éléments se rapprocheront des lecteurs, n'oubliez pas d'y apporter davantage de détails.

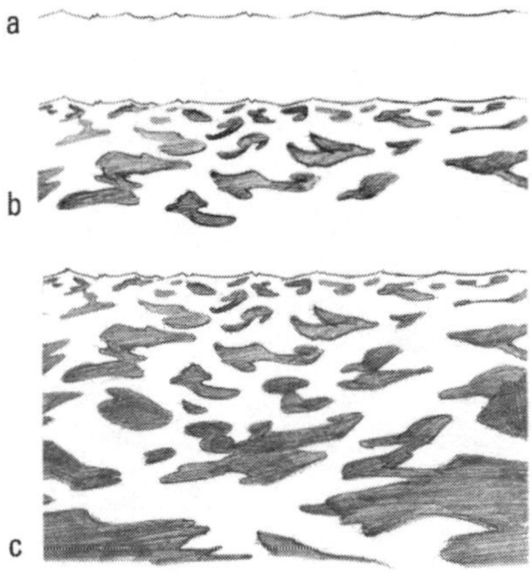

Figure 12-17 :
Apportez du
mouvement à
la surface de
l'eau.

À présent, le temps se gâte vraiment ! Disons, par exemple, que vous dessinez du point de vue de votre personnage ballotté sur cet océan, et qu'il s'apprête à affronter une grosse tempête. Vous devrez réaliser des vagues plus hautes et plus anguleuses.

1. **Dessinez la ligne d'horizon fragmentée par des bosses et des vaguelettes pour indiquer le mouvement de l'eau perçue à distance (comme à la figure 12-18a).**

2. **En partant du haut, dessinez une série de formes d'ombre fines et irrégulières qui s'allongeront au fur et à mesure que vous progresserez vers le bas, en vous éloignant de la ligne d'horizon (comme à la figure 12-18b).**

3. **Lorsque vous serez proche du bas du cadre, les formes devraient vaguement ressembler à la ligne de branches cassantes (comme indiqué à la figure 12-18c).**

Observez la manière dont les formes d'ombre se raccordent entre elles. Intégrez de petites formes parmi les plus longues et les plus grandes au fur et à mesure que vous vous rapprocherez du premier plan.

a

b

Figure 12-18 : Représentez des remous à la surface de l'eau.

c

Les rochers

Si vous n'êtes pas familiarisé à la technique des hachures, référez-vous au chapitre 3, où vous pourrez vous entraîner en effectuant quelques exercices appropriés. Cela vous sera nécessaire pour représenter la surface des rochers lisses et rugueux.

Je commence par une montagne de rochers lisses :

1. **Partez d'un point donné et dessinez une grande bulle de base, ainsi que d'autres formes variées placées au hasard (comme à la figure 12-19a).**

L'astuce pour donner du relief aux rochers est d'en superposer partiellement les formes. De plus, leurs dimensions générales devront augmenter s'ils sont situés plus près du lecteur.

2. **Précisez les rochers et indiquez les ombres (comme à la figure 12-19b).**

Vous devrez ombrer les rochers pour leur donner du volume. Bien qu'ils soient arrondis, les formes des ombres sont similaires à celles d'une sphère. J'ai utilisé la technique en demi-tons *hito-keta* (cf. chapitre 3) pour les ombrer. Si vous utilisez cette technique pour la première fois, ne soyez pas déçu si vous ne parvenez pas à en maîtriser l'application au début. Continuez à pratiquer dans votre carnet de croquis pour progresser.

L'astuce pour donner l'impression que le rocher est proche de vous consiste à y ajouter des ombres foncées plus détaillées. Par contraste, en ajoutant peu ou aucune ombre, même les rochers les plus gros sembleront éloignés.

3. **Ajoutez les aspérités et les creux en touches finales, afin de définir la texture patinée de la surface (comme à la figure 12-19c).**

   J'ai dessiné quelques brins d'herbe poussant dans les creux des rochers. Quelques lignes droites et angulaires mêlées à des formes en « taches » plus arrondies leur apporteront davantage de réalisme et de caractère.

Figure 12-19:
Dessinez
des rochers
lisses.

Je vous présente maintenant un monticule composé de rochers irréguliers et bruts :

1. **En commençant par le haut de votre feuille de papier, dessinez le contour de l'ensemble du monticule mesurant de 15 à 18 cm de hauteur (comme à la figure 12-20a).**

   Centrez la forme du monticule. Les rochers plus petits sont placés naturellement sur le dessus tandis que les plus lourds en constituent la base. Cependant, j'ai dessiné pour rire un gros rocher irrégulier en équilibre instable au sommet. Vous pourrez observer qu'à la différence des lignes plus douces des rochers, le contour général est ici anguleux et accentué, et ne présente aucune courbe.

2. **En partant du haut, dessinez de petites formes abstraites trapézoïdales s'élargissant au fur et à mesure vers la base du monticule (comme à la figure 12-20b).**

3. **Accentuez les formes des ombres anguleuses, sans aucun contour adouci (voir figure 12-20c).**

   J'ai utilisé pour la tonalité des ombres la même trame en demi-tons *hito-keta* que pour les rochers arrondis présentés précédemment. Comparez ces deux types de formes d'ombres.

4. **Apportez davantage de contraste à l'image finale (comme à la figure 12-20d).**

   J'ai utilisé le motif en demi-tons *futa-keta* basé sur la trame *hito-keta* (cf. chapitre 3).

À présent que vous savez représenter les rochers et l'eau, vous pourrez les associer afin d'établir précisément un premier, un second et un arrière-plan, comme je l'ai fait à la figure 12-21. Observez l'eau entourant la base du monticule de rochers central en y produisant des ondulations. Notez également la manière dont les rochers irréguliers ont tendance à avancer dans l'image, tandis que les plus arrondis semblent s'éloigner vers l'arrière-plan.

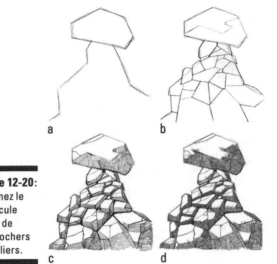

a   b

c   d

Figure 12-20 :
Dessinez le monticule formé de gros rochers irréguliers.

Figure 12-21 :
Associez les rochers et l'eau pour représenter le premier, le second et l'arrière-plan.

Chapitre 13

Écrire une histoire captivante

. . . .

Dans ce chapitre :

▶ Apprenez la méthode pour créer une intrigue à suspense pour vos lecteurs

▶ Développez une forte intrigue avec des personnages captivants

▶ Apprêtez-vous à vous laisser inspirer par de nouvelles idées

. . . .

C réer des histoires bien construites mettant en scène des personnages qui captiveront vos lecteurs est un point essentiel pour chaque *mangaka* (dessinateur de mangas). Des images fantastiques et des effets extraordinaires sympas seront initialement fort séduisants, cependant les lecteurs d'aujourd'hui ont des goûts sophistiqués et de nouvelles exigences. Comme certains films à grand succès diffusés de nos jours, des effets spéciaux fabuleux mangas devront être associés à un bon casting et à une intrigue captivante. En dépit du nombre croissant de publications mangas écrites et illustrées par plus d'un auteur, un mangaka doit exceller à la fois au niveau du dessin et de la narration du récit. Ce chapitre doit vous aider à déterminer votre public, puis tout en encourageant votre inspiration, vous fournir les indications et conseils pour développer une intrigue.

Déterminez votre public

Chaque chose en son temps : demandez-vous d'abord qui seront vos lecteurs. Consultez la liste des différents genres de mangas au chapitre 1 pour repérer ceux qui vous paraîtront les plus intéressants à développer. Peu importe le talent fabuleux dont vous ferez preuve lors de la conception de vos planches avec des récits aux concepts stellaires, votre public ne réagira pas si leurs composantes sont dirigées vers une catégorie de lecteurs autre que celle à laquelle vous les destiniez à l'origine.

Afin d'éviter d'écrire pour un autre public que prévu initialement, établissez quel genre de manga s'accorde le mieux à votre style d'histoire et à vos préférences d'illustrations. Je vous recommande de consulter plusieurs magazines et publications mangas. Discuter avec des copains et participer à des forums de discussions sur Internet sont d'excellents moyens vous permettant de découvrir quels sont les titres populaires que les fans s'arrachent actuellement. Si vous ne trouvez pas instantanément un créneau, ne vous inquiétez pas. Cela peut demander du temps.

L'intrigue n'est pas toujours l'élément déclencheur d'un intérêt pour un marché spécifique – le style de dessin ou le concept des personnages pourront parfois vous attirer. Je vous conseille de visualiser des *animés* (films d'animation japonais) ou de participer à des salons de mangas pour découvrir les styles de personnages existants. Engagez la conversation avec les artistes-exposants. Si un genre précis vous intéresse, demandez au mangaka quel est son public de prédilection.

Établissez un synopsis et une intrigue

Dit simplement, une intrigue est l'élément qui rendra votre manga suffisamment captivant pour inciter vos lecteurs à le lire jusqu'au dénouement. Un scénario efficace commence par l'élaboration d'une suite d'obstacles et d'événements séquentiels qui titilleront la curiosité des lecteurs. Ceux-ci se demanderont ce qu'il adviendra des personnages. L'escalade de ces obstacles et événements en série ira jusqu'au point culminant de l'histoire, l'apogée, le pivot décisif de l'action. À partir de l'*apogée*, les personnages surmontent les obstacles pour finalement restaurer le bon ordre.

Dans les sections suivantes, je vous présente la méthode pour créer votre propre synopsis vers un objectif précis, et j'analyse la structure fondamentale d'une intrigue efficace en fonction des quatre étapes narratives d'une histoire, utilisées par la plupart des mangakas professionnels et amateurs.

Créez un synopsis

Un *synopsis* est composé de plusieurs paragraphes courts dans lesquels vous présentez vos personnages, le décor et l'obstacle majeur devant être surmonté par votre héros ou votre héroïne. Si vous souhaitez soumettre votre travail aux éditeurs, la plupart d'entre eux requerront un synopsis ainsi qu'un exemplaire des cinq premières pages de vos planches originales. Un synopsis ne doit pas dépasser une page entière. Bien que vous n'y indiquiez pas précisément la manière dont les personnages principaux surmonteront leurs épreuves, vous devrez néanmoins y inclure suffisamment d'informations afin de retenir l'attention de l'éditeur et du lecteur. Votre principal objectif est d'aiguiser la curiosité des éditeurs en leur apportant suffisamment d'éléments à consulter lorsqu'ils considéreront votre proposition. Bien que les lecteurs voient très rarement le synopsis de leur album de B.D. préféré, la plupart des éditeurs de mangas japonais intègrent généralement un bref synopsis de l'histoire au début du livre, afin que de nouveaux lecteurs puissent savoir de quoi il s'agit avant d'entamer leur lecture.

Considérez l'étape du synopsis comme une occasion de se creuser les méninges, pour mettre en forme une proposition générale de vos idées, sans toutefois vous engager au niveau de la résolution de l'intrigue.

Élaborez votre intrigue

Dans cette section, je vous explique les étapes principales utilisées par le mangaka pour créer son intrigue de départ. Ces étapes majeures sont largement plébiscitées par la communauté des mangakas contemporains, et ont pour origine la poésie classique chinoise. Après avoir expliqué le concept de base de chaque étape, je vous indique la façon de les appliquer en me référant à des extraits de planches issus du premier numéro de ma série originale *JAVA !*

1re étape : Ki – Introduction d'une idée

La première étape permet principalement d'établir le contexte et la scène afin que l'histoire puisse démarrer et que l'interaction des personnages s'établisse. Lors de cette étape d'introduction (*Ki*), le mangaka dessine la case d'ouverture, ou *plan d'ensemble*, afin de donner aux lecteurs des indications sur le lieu où se déroule le récit. Ces plans sont généralement plus grands que les cases moyennes dessinées par le mangaka, car ils doivent contenir de nombreux détails au niveau du décor. Une fois cette étape terminée, les lecteurs ont suffisamment d'indications concernant les personnages importants, ainsi que sur l'époque et le lieu du déroulement de l'histoire.

À l'étape *Ki*, figure 13-1, les lecteurs rencontreront mes personnages principaux et secondaires pour la toute première fois. J'ai présenté la page d'ouverture du numéro 1 de *JAVA!* où les lecteurs découvrent l'héroïne, Java, accompagnée de son acolyte La-Té. Le dialogue se déroulant à l'arrière-plan permet de situer les personnages. Java (la nouvelle recrue de l'équipe) est une fille insouciante sous caféine combattant le crime. La-Té est sa grande sœur, l'archétype du vétéran, qui s'occupe méticuleusement de la sécurité des membres de l'équipe (voir le chapitre 8 pour en savoir plus sur ce type de fidèle comparse). J'ai campé le récit dans le désert (bientôt identifié comme étant Neo-Seattle en l'an 2073). Du fait que Java utilise des jumelles high-tech, vous en conclurez que l'histoire se déroule dans une ère technologique très avancée.

Figure 13-1 :
La scène
d'introduction
issue d'un
extrait du n°1
de *JAVA* !

2ᵉ étape : Sho – Développer l'idée

À cette seconde étape, vous vous concentrerez pour élaborer le suspense de l'histoire, basé sur les personnages et concepts que vous avez établis à l'étape *Ki* (voir la section précédente). Vous avez présenté vos personnages aux lecteurs en leur indiquant brièvement le contexte de votre récit, et à présent, vous allez aiguiser leur curiosité. Lors de l'étape *Sho* (développement), le rythme du scénario doit s'accélérer progressivement. Quels conflits rencontreront vos protagonistes afin de pouvoir atteindre leur objectif ? Apporterez-vous aux lecteurs certains indices d'un danger potentiel que les personnages principaux ignorent eux-mêmes ? Quels périls ou défis les attendent ? Dans la plupart des mangas, cette section est cruciale, car si les lecteurs se désintéressent de vos personnages à ce stade, ils renonceront à suivre leurs aventures.

Référez-vous à la figure 13-2 comme exemple de l'étape Sho du premier numéro de *JAVA !* Vous remarquerez que les personnages se préparent sur leurs planches de surf high-tech à démanteler les opérations illégales d'un réseau de trafiquants. Ils espèrent pouvoir récupérer un échantillon des grains de café frelatés comme preuves, pour le personnage de mentor de l'équipe, le Dr D. Celui-ci mentionne que les chances de survie de Java seront réduites à néant si La-Té n'est pas à ses côtés, et cela titillera la curiosité des lecteurs concernant la nature des relations entre ces deux personnages. Qu'est-ce qui la rend si spéciale ? L'ennemi pourra-t-il exploiter une certaine faiblesse pour vaincre Java ? À partir des indices fournis jusqu'à présent aux lecteurs, l'héroïne semble suffisamment confiante pour maîtriser la situation à elle seule.

Figure 13-2 :
La partie
développe-
ment issue
d'un court
extrait du n°1
de JAVA !

3ᵉ étape : Ten – La tournure dramatique et inattendue des événements

À la troisième étape, vous devrez créer un élément de surprise, lorsque vos personnages seront confrontés à une situation qui surprendra les *lecteurs*. Notez que j'ai mentionné les « lecteurs » et non pas les personnages. Lors de l'étape *Ten* (tournure), les événements qui se sont succédés depuis la deuxième étape arrivent à présent à leur point culminant, maintenant l'intention soutenue des lecteurs qui retiennent leur souffle. Si vous cherchez à leur révéler la plus importante séquence de votre récit concernant une épreuve de force, c'est le moment et l'endroit idéals pour cela !

Si vous avez suivi les événements du n°1 de *JAVA !* inclus dans ce chapitre, référez-vous à la figure 13-3 pour savoir ce qui se passera ensuite. L'acolyte de Java, La-Té, est capturée – un événement totalement imprévu. L'ennemi juré de Java, le commandant Krang, réussit à attraper La-Té et la retient en otage. La scène atteint son apogée lorsque Krang ordonne à Java de lâcher la *grenade décaféinante* qu'elle pensait utiliser pour détruire les grains de café frelatés, aux risques et périls de son acolyte. On imagine à la manière dont elle hésite en souriant qu'elle affiche une attitude totalement désinvolte ; elle est tellement sûre que La-Té va gérer la situation de main de maître qu'elle ne prend pas du tout la menace de Krang au sérieux.

Figure 13-3 :
Le point culminant d'un court extrait du n°1 de *JAVA* !

4ᵉ étape : Ketsu – Conclusion

La quatrième étape termine l'histoire. Alors que certains épisodes s'achèvent par la résolution complète du problème, d'autres ouvrent une nouvelle boîte de Pandore, laissant ainsi les lecteurs au bord de la falaise, désireux de savoir ce qui se passera au prochain numéro.

Pour connaître le fin mot du numéro 1 de *JAVA !*, observez la figure 13-4. Durant cette étape *Ketsu* (conclusion), tout est résolu, mais malheureusement pas comme La-Té l'espérait. Le commandant Krang se saisit des grenades d'espresso qu'elle porte dans des verres shot ornant sa chevelure et… en actionne accidentellement le déclencheur ! La coiffure et le maquillage de La-Té sont irrémédiablement fichus, et le Dr D. n'obtiendra aucun échantillon de preuve à utiliser ou à analyser dans son labo. Java sourit avec un petit air coupable, tout en sachant qu'il s'agit tout simplement d'un autre jour au boulot.

Si les exemples de ce chapitre vous incitent à découvrir d'autres scènes de *JAVA !*, visitez www.javacomics.com et www.piggybackstudios.com.

Voici une méthode utile pour bien comprendre ce concept. Considérez les quatre étapes sur un graphique (indiqué à la figure 13-5). Lorsque vous les planifierez pour votre scénario, je vous recommande de limiter de six à huit pages votre première histoire.

Figure 13-4:
La partie
résolution
issue d'un
court extrait
du n°1 de
JAVA !

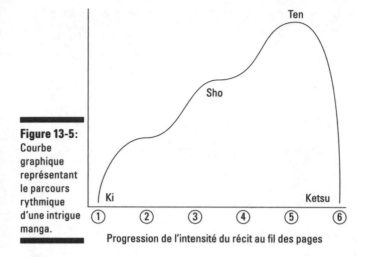

Figure 13-5:
Courbe graphique représentant le parcours rythmique d'une intrigue manga.

Progression de l'intensité du récit au fil des pages

Trouvez l'inspiration

Lorsque vous aurez compris le concept de base et la structure d'une intrigue, vous serez prêt à explorer les divers moyens de générer des éléments pouvant étoffer votre scénario. L'une des difficultés de l'écriture est de réussir à développer de nouvelles idées vous tenant suffisamment à cœur pour les faire partager et les communiquer. L'un des mythes populaires de l'écrivain est que toutes les idées sortent de la tête de l'auteur sans qu'il soit obligé de mettre le nez en dehors de son bureau. Pour préparer vos repas, vous avez besoin de produits frais. De même, votre expérience forme votre personnalité et vos opinions, en s'intégrant à votre scénario, l'enrichiront. Vous possédez toutes ces ressources précieuses, mais vous aurez besoin d'une stimulation extérieure. Voici quelques astuces et méthodes qui vous permettront de trouver l'inspiration :

✔ **Tenez un journal intime**. Pour créer une intrigue intéressante, décrivez comment les personnages réagissent à leur environnement. La meilleure façon de personnaliser leurs réactions est de noter et de prendre conscience de la manière dont vous vous accordez à votre propre environnement. En règle générale, les gens curieux voudront toujours savoir ce qu'il se passe dans la vie d'autrui. Utilisez les événements intéressants qui se produisent dans votre vie afin d'aiguiser la curiosité des lecteurs pour votre récit.

✔ **Cherchez l'inspiration en faisant des croquis.** Vous ne trouverez pas grand-chose d'écrit à ce sujet, aussi le mangaka quitte son studio dès que possible pour aller se promener, à la recherche d'idées originales pour ses prochains épisodes de mangas. Parfois, le mangaka voyage même à l'étranger ! Tout comme une équipe de tournage essaie de dénicher le coin idéal où filmer, le mangaka enregistre ses nouvelles découvertes visuelles dans son carnet de croquis. Les concepts novateurs de scénarios ne pourront pas tous être générés dans le confort de vos pénates ou de votre studio.

✔ **Rappelez-vous que, pour faire des esquisses, il ne suffit pas de voyager.** Lorsque vous aurez besoin de quelques nouvelles frimousses pour vos personnages afin de les adapter à l'histoire, prenez comme modèles vos amis, vos copains de classe ou votre famille. Après tout, ne sont-ils pas familiers ? En fait, à part être vos super-potes et amis éternels, ils pourront également vous inspirer d'excellentes idées de personnages. Assurez-vous seulement d'obtenir une autorisation écrite de leur part afin d'avoir recours à leur sosie dans votre manga.

✔ **Regardez des films.** Suis-je en train de vous suggérer de visionner vos films préférés tout en appelant cela travailler ? Oui et non. Voir *certains* films qui vous intéressent est en effet important, mais choisir des films reconnus par la critique est également vital. Certains incluront même peut-être de vieux films muets en noir et blanc, tandis que d'autres vous inciteront à vous rendre dans un cinéma indépendant d'art et essai. Après chaque projection, prenez note de vos impressions et réactions.

✔ **Visitez des musées et galeries d'art.** Pendant des siècles, les artistes ont appris les uns des autres en tant qu'apprentis, amis et rivaux. Sans pour autant aller jusqu'à piller les ressources d'autrui, trouver une nouvelle approche par rapport à un scénario ou à un personnage est une tâche difficile. Chaque fois que vous en aurez l'opportunité, visitez des expositions d'art dans les musées ou les galeries. Si vous en avez le temps, certains musées permettent aux artistes d'esquisser ou même de peindre une reproduction face au tableau original !

✔ **Observez les gens**. Aventurez-vous dans votre communauté afin d'observer les rapports des gens entre eux. Passez une journée dans un centre commercial ou un café. Munissez-vous d'un petit carnet de croquis afin de prendre note de vos idées ou de vos observations concernant les vêtements, les gestes, les attitudes ou les expressions de visage. Vous remarquerez peut-être soudainement une personne qui vous inspirera l'idée d'un nouveau personnage pour votre manga !

✔ **Développez votre bibliothèque**. Dernier conseil : essayez de posséder une bibliothèque fournie et diversifiée de mangas et de B.D. Lorsque vous visiterez votre prochain salon de mangas ou de bandes dessinées, soyez attentif aux succès du moment. Certains albums pourraient fort bien servir d'inspiration à votre prochaine histoire créative.

Cinquième partie

La partie des Dix

Dans cette partie...

En conclusion, je vous présente la célèbre Partie des Dix de la collection « Pour Les Nuls ». Les chapitres suivants me donneront l'opportunité de partager avec vous des informations et bon nombre de ressources utiles complémentaires.

J'ai établi ici une liste regroupant dix *mangakas* (dessinateurs de mangas) qui, selon moi, représentent l'élite des succès classiques passés et actuels du manga. Faites leur connaissance et constatez si leurs œuvres vous intéressent du point de vue du style et du genre. Je vous recommande d'assimiler et de modifier cette liste à votre convenance, au fur et à mesure que vous élaborerez votre bibliothèque de créateurs et de publications mangas, et en la réactualisant par des nouveautés.

Je vous fournirai également dix adresses de lieux et manifestations vous permettant de présenter vos créations au public. Exposer vos œuvres engendrera de générer localement de la publicité. Peu importe que vous débutiez à un niveau plus ou moins élevé, lorsque les gens commenceront à parler de votre travail, la rapidité du bouche à oreille augmentera en conséquence vos chances de popularité.

Chapitre 14

Dix grands noms de mangakas

Dans ce chapitre :
▶ Découvrez plus d'un siècle de grands mangakas
▶ Découvrez l'œuvre des grands artistes du manga

Osamu Tezuka (1928-1989)

Considéré comme le « Père du Manga », Osamu Tezuka naquit au Japon en 1928, à Osaka. Il est principalement reconnu comme étant le prolifique *mangaka* (dessinateur de mangas) qui influença nombre d'artistes en tous les genres. Lui-même inspiré par Walt Disney, on attribue à Tezuka ces grands yeux de biche si caractéristiques des personnages de manga.

Son œuvre complète est tout simplement surprenante. Aucun autre mangaka n'a créé autant de succès classiques. Parmi ceux-ci se trouve *Tetsuwan Atom (Astro Boy)*, *Black Jack*, *Tell Adolf*, *Les 3 Adolf*, *Hi no Tori Phenix*, *Jungle Emperor Leo* et *Buddha*.

Astro Boy est une série de dessins animés à succès réalisés entre 1963 et 1966, relatant les aventures d'un robot, Atom, créé par le Dr Tenma pour remplacer son fils décédé dans un accident de voiture. Cependant, Atom est rejeté lorsque le Dr Tenma réalise que ce robot ne peut pas grandir et ne remplacera jamais entièrement un corps de chair et de sang. En conservant un cœur pur et un profond discernement entre le bien et le mal, Atom trouve un nouveau foyer d'accueil chez un autre inventeur de génie, le Dr Ochyanomizu, qui lui concevra une petite sœur, un père et une mère. Atom possède une force extraordinaire, des mitraillettes situées à l'arrière-train et peut voler. Au cours de la série, il combat le crime et l'injustice.

En supplément de ses créations de séries shônen manga, Tezuka fut le pionnier du genre shôjo manga avec le succès classique *Ribbon no Kishi (Princesse Saphir)*.

Fujiko Fujio : Hiroshi Fujimoto (1933-1996) et Motoo Abiko (1934-1988)

Véritable équipe de rêve de mangakas, le dynamique duo formé par Hiroshi Fujimoto et Motoo Abiko travailla pendant plus de quarante ans sous le nom de plume de Fujiko Fujio, avant de se séparer pour suivre leur propre voie créative.

Copains depuis l'école primaire, ces deux artistes contribuèrent brillamment à l'univers du manga avec des albums tels que *Doraemon, Kaibutsu-kun, Pa-man, 21 Emon et Obake Q-no Taro*. En 1956, ils formèrent un groupe d'associés avec d'autres mangakas renommés, Fujio Akazuka et Ishinomori Shotaro. Dans un projet à très grand succès intitulé *Manga Michi* (*La Voie du manga*), Fujiko Fujio retranscrivit les événements et les expériences jalonnant le parcours d'un mangaka professionnel.

Leur meilleur succès reconnu est sans doute *Doraemon*, publié initialement en 1970 et regroupé en quarante volumes. L'histoire relate les aventures d'un chat-robot du futur du nom de Doraemon, qui surgit du pupitre de classe dans la chambre de l'écolier Nobita. Doraemon est là pour s'occuper de Nobita, qui est plutôt paresseux ainsi qu'exclu par ses camarades de classe. L'un des nombreux éléments attractifs de la série est que Doraemon possède une poche mystérieuse recelant une panoplie de gadgets sympas, qu'il n'hésite pas à utiliser pour sortir Nobita du pétrin. Les deux artistes maintenant disparus, la série se poursuit encore et représente un immense succès commercial.

Rumiko Takahashi (née en 1957)

L'une des créatrices de shônen manga les plus renommées, Rumiko Takahashi naquit en 1957 à Niigata, au Japon. Elle acquit une renommée de superstar lorsqu'elle écrivit et illustra la série satirico-comique *Urusei Yatsura (Lamu)*, publiée dans le *Shônen Sunday* sur une décennie, de 1978 à 1987. Elle y relate les aventures d'un lycéen, Moroboshi Ataru, qui sauve le monde en remportant la victoire contre Lum, fille d'un dirigeant d'un groupe d'envahisseurs extraterrestres, lors d'un jeu du style « Attrape-moi si tu peux ». Dans l'histoire, Ataru fait sa déclaration par mégarde à Lum alors qu'il pense à sa petite amie Shinobu. Bien que Lum soit très mignonne, Ataru refuse de s'engager avec elle et ainsi, est à l'origine de la série de cette comédie romantique loufoque relatée sur 34 volumes et dans des films d'animation.

Les autres mangas de Rumiko Takahashi incluent *Firetripper, Mermaid's Flesh, One or W, Laughing Target, Dust in the Wind, Bye-Bye Road, Surimu Kannon, Dutiful Vacation, Maris The Chojo, Maison Ikkuko, Ranma 1/2, Inu Yasha*, parmi de nombreux autres titres.

Leiji Matsumoto (né en 1938)

Une légende du genre du manga de science-fiction, Matsumoto Leiji naquit au Japon en 1938, à Fukuoka. Ironiquement, il débuta sa carrière dans des séries shôjo manga (qu'il détestait terriblement). Ce ne fut que lorsqu'il rencontra sa femme, Miyako Maki, également shôjo mangaka, qu'il eut l'opportunité de dessiner pour des magazines shônen manga.

Sa célébrité s'établit grâce à sa série classique du feuilleton intergalactique créé en 1974, intitulé *Space Cruiser Yamato* (traduit ultérieurement par *Star Blazers*, lorsque la série fut publiée aux Etats-Unis). Cette saga devint une série de films d'animation à succès. Le début du récit présente une Terre à l'agonie bombardée de météorites radioactives par des envahisseurs extraterrestres à la recherche d'une nouvelle planète à coloniser. Face à une mort imminente, les scientifiques préparent une ultime bataille navale en restaurant l'épave du cuirassé Yamato, coulé lors de la Seconde Guerre mondiale. Armé d'un canon puissant provoquant des déferlements de vagues, et escorté de navires de guerre, l'équipage doit voyager durant des années-lumières afin d'acquérir des machines permettant de ramener la Terre à son état d'origine. Ils remporteront finalement la victoire, en dépit de batailles féroces et destructrices, et du nombre de victimes au cours de la mission. Mais en France Leiji Matsumoto est surtout connu pour son œuvre *Uchû Kaizoku Captain Harlock (Albator)*.

La renommée de son talent se manifeste également dans la série intergalactique qu'il créa en 1977, intitulée *Galaxy Express 999*. Ses autres titres de mangas incluent *The Cockpit, Queen Millenia, Queen Emeraldas, Gun Frontier, Sexaroid* et *Otoko Oidon*.

Takehiko Inoue (né en 1967)

L'un des jeunes mangakas superstars le plus populaire du Japon, Takehiko Inoue naquit à Kyushu en 1967. Ses talents exceptionnels de conteur, des sujets populaires et ses dessins magnifiques ont contribué au succès de vente de ses œuvres dans le monde entier.

Grand fan de basket, il débuta avec *Slam Dunk* (1993-1996), une série à succès de shônen manga sur le thème du sport. L'histoire est basée sur l'arrivée d'un nouveau lycéen, Sakuragi Hanamichi, intégré à une équipe de basket tout en étant totalement novice en la matière. Cependant, son manque d'expérience est largement compensé par son courage et un comportement impulsif et téméraire. Les capacités extrêmement athlétiques de Sakuragi lui permettront de se propulser ainsi que son équipe au niveau du championnat national. Bien que le manga traitant du sport ne soit pas un nouveau concept, l'interaction dynamique des personnages rend cette série incroyablement captivante et divertissante.

À la fin de la série, Inoue recréa les aventures sous forme de fiction du samouraï légendaire Miyamoto Musashi, dans son manga d'action *Vagabond*. Les autres titres d'Inoue incluent *Kaede Purple* et *Real*.

Suzue Miuchi (née en 1951)

L'une des créatrices de manga de première classe, Suzue Miuchi naquit à Osaka en 1951. Bien que certains considèrent son style comme étant quelque peu classique, son œuvre conserve toujours une grande popularité dans la catégorie du shôjo manga.

Miuchi fut particulièrement remarquée pour sa série classique shôjo à très grand succès *The Glass Mask (Le Masque de verre) (Laura ou la passion du théâtre)* (connue également sous le titre Garasu no Kamen) publiée en 1976 par Hakusenshya. La série comporte actuellement 42 volumes (et se poursuit encore!). Elle gagna le Kodansha Manga Award en 1982 et le Japan Cartoonists Association Award en 1995.

À part Glass Mask, les autres titres shôjo manga créés par Miuchi incluent *Akai Megami (La Déesse rouge)* et *Moeru Niji (L'Arc-en-ciel ardent)*.

Katsuhiro Otomo (né en 1954)

L'un des créateurs japonais de son époque le plus controversé et novateur, Katsuhiro Otomo naquit à Miyagi en 1954.

Mangaka et réalisateur d'animés, il est plus particulièrement renommé pour son œuvre *Akira*, qu'il débuta en 1988. Basé sur sa série manga publiée au même moment, le film d'animation raconte les aventures d'une bande de jeunes délinquants à Neo-Tokyo sur fond de troubles sociaux, trente et un ans après qu'une explosion mystérieuse ait détruit la Baie de Tokyo. Les lecteurs découvrent que cette explosion a été provoquée par Akira, un garçon possédant de puissantes facultés psychokinétiques. Le point culminant de l'histoire est atteint lorsque l'un des jeunes délinquants, Kaneda, confronte son ami Tetsuo, après avoir découvert qu'il possède des facultés similaires, tout aussi destructrices que celles d'Akira.

Otomo est également reconnu pour ses créations telles que *Memories* (1996), où sont développés des thèmes similaires traitant de troubles sociaux, de religion et de corruption politique. Son super film d'animation le plus récent, *Steamboy* (diffusé en salles en 2004) représente le film le plus coûteux jamais réalisé. D'autres titres d'animés célèbres incluent *Robot Carnival* (1987) et *Metropolis* (2001).

Yoshiyuki Okamura (né en 1947) et Tetsuo Hara (né en 1961)

Yoshiyuki Okamura (connu sous le nom de Buronson) et Tetsuo Hara sont reconnus pour leur travail d'équipe d'auteur et d'illustrateur. Ancien assistant manga, l'écrivain Okamura naquit au Japon, à Nagano en 1947 et l'illustrateur Hara naquit à Tokyo en 1961.

Okamura est l'auteur d'histoires destinées aux adultes. Plusieurs de ses récits traitent des yakuza (la mafia japonaise), de politique et de sexe. Ses œuvres populaires incluent *Sanctuary* (publié de 1990 à 1995) et *Strain* (publié de 1997 à 1998).

Cependant, son plus gros succès est représenté par la série apocalyptique et violente illustrée par Hara, intitulée *Hokuto no Ken* (connue aux USA sous le titre *The Fist of the North Star* (*Le Poing de l'étoile du Nord*). L'introduction présente le personnage principal Kenshiro, maître d'un des nombreux clans d'experts en arts martiaux tuant en ciblant les points de pression du corps humain. Au cours de sa parution entre 1983 et 1988, ce récit provoqua un remous de controverse car les parties du corps étaient représentées avec des détails particulièrement choquants, explosant ou carrément sectionnées. Cette violence graphique fut la raison pour laquelle plusieurs dessins furent censurés dans les publications traduites pour l'étranger. En dépit de cela, le récit fut adapté pour une série à succès de dessins animés destinée à la télévision, et plébiscitée par de nombreux ados japonais.

Hara associa son talent à Okamura pour illustrer le manga relatant les événements antérieurs *Fist of the Blue Sky* (*Le Poing du ciel bleu*) en 2001.

Akira Toriyama (né en 1955)

Akira Toriyama naquit à Aichi en 1955, et associa une narration d'histoire habilement maîtrisée à un style de dessin méticuleux.

Débutant sa carrière alors qu'il était à peine âgé d'une vingtaine d'années, Toriyama ébranla l'univers du manga avec *Dr Slump*.

Cette anthologie comique (remplie d'humour au premier degré et de jeux de mots faciles, se moquant ouvertement de la sexualité et des célébrités d'Hollywood) fut publiée de 1980 à 1984. Personnellement, il s'agit de ma série préférée manga. L'histoire se déroule à Penguin Village, où un inventeur de génie (et pervers), le Dr Sembei, construit un robot féminin qu'il appelle Arare-chan, une ravissante idiote très forte et pleine d'esprit.

Après avoir terminé *Dr Slump*, Toriyama créa la série d'aventures *Dragon Ball*, qui lui apporta la célébrité au niveau mondial, composée de 42 volumes publiés de 1984 à 1995 qui commence sur les chapeaux de roues par un humour au ras des pâquerettes et relate l'histoire d'un petit garçon appelé Goku. Cependant, au cours du récit, Toriyama modifie le ton général du manga en un thème plus orienté vers l'action, quand Goku devenu adulte se retrouve confronté à une succession de puissants ennemis.

Riyoko Ikeda (née en 1947)

Artiste japonaise prolifique de shôjo manga, Riyoko Ikeda naquit à Osaka, en 1947.

Elle fut plébiscitée par la nation japonaise lorsque son manga Versailles no Bara (*La Rose de Versailles*) fut publié en 1973. L'histoire se situe à l'époque de la Révolution française, à partir des récits de Marie-Antoinette. Le personnage principal, Oscar, est une femme élevée comme un homme par son père, qui désirait avoir un fils. L'intrigue se développe en une histoire d'amour entre Oscar et son serviteur André. Malheureusement, les deux héros mourront le jour de la prise de la Bastille. La série fut adaptée en dessins animés ainsi qu'au théâtre.

Les autres œuvres de Riyoko incluent *Claudine, Ohiisame e, Jotei Ecatherina* et *Eiko no Napoleon, Orpheus no Mado*.

Chapitre 15

Dix lieux pour présenter vos œuvres

Dans ce chapitre :
- ▶ Participez à des manifestations et salons de B.D. et de mangas
- ▶ Considérez les écoles spécialisées en B.D., les concours et les éditeurs
- ▶ Renseignez-vous et recherchez l'inspiration sur Internet

A lors, quelle direction prendre une fois que vous serez arrivé à la fin de ce livre ? Dans ce chapitre, je vous donne quelques astuces et conseils sur des lieux et des méthodes pour présenter vos œuvres au public. Vous n'aurez vraiment besoin que de quelques personnes pour que l'on commence à parler de votre travail. Le bouche à oreille couvre une plus grande distance que les véhicules les plus rapides.

Ne soyez pas découragé si vous n'êtes pas publié ou que votre réputation ne s'établit pas immédiatement. Le succès arrive rarement en un seul jour. Même si votre premier projet manga a sans doute besoin d'être affiné, ayez conscience que les éditeurs ne seront peut-être pas réceptifs au potentiel marketing de vos idées ou de vos œuvres graphiques. Comme dans tout parcours artistique, une carrière gratifiante en mangas aura besoin de temps pour se développer. Il est tout à fait normal de chercher la célébrité, mais prenez garde à ce que vous souhaitez. Nombreux sont mes élèves espérant un succès rapide – après tout, nous vivons dans une société de satisfaction immédiate. Cependant, si vous faites preuve d'impatience en voulant brûler les étapes, il y a de fortes chances que vous rencontrerez quelques problèmes. Je vous recommande de toujours tirer parti de ces moments où votre concentration est principalement portée sur l'apprentissage, au lieu de vous précipiter dans l'espoir de devenir le plus jeune phénomène du manga encore jamais vu.

Manifestations de mangas et d'animés

Participer à des manifestations ou salons de bandes dessinées/mangas est l'un des moyens les plus efficaces pour faire connaître votre travail. Vous en trouverez plusieurs de renom dans la liste ci-dessous.

Japan Expo

Japan Expo, est la plus importante manifestation manga en France, mais aussi le festival des loisirs japonais, il est consacré au manga, au dessin animé, jeux vidéo, également à la musique, au cinéma, et à la culture japonaise. L'édition 2007, a accueilli près de 80 000 visiteurs en trois jours, le premier week-end de juillet, au Parc d'expositions Paris Nord-Villepinte, sur plus de 50 000 m².

Manga Expo

Une nouvelle convention parisienne, dont la première édition a eu lieu au mois d'octobre 2006, sur 4000 m² au Palais des Congrès.

G.A.M.E.IN

Le quatrième salon G.A.M.E. in Paris s'est déroulé du 14 au 15 avril 2007, à la Cité des Sciences et de l'industrie de Paris. Cette manifestation est basée autour du jeu vidéo et du manga, on y retrouve les stands des fanzines et associations, des boutiques et éditeurs.

Paris Manga

La troisième convention Paris Manga aura lieu les 22
et 23 septembre 2007, à l'espace Champerret.

Épitamine

La 15ème édition de la convention Epita, l'école de l'intelligence
informatique qui forme au métier d'ingénieur, a eu lieu du
vendredi 18 mai au dimanche 20 mai 2007.

Festival du Manga convention dijonisaiten

L'Association pour la Découverte de l'Animation et du Manga
vous propose la convention Dijon/Saiten, qui a eu lieu pour la
deuxième année consécutive fin octobre 2006.

De nombreuses petites conventions ont lieu en province,
renseignez vous auprès de vos libraires.

Écoles d'art

Bien qu'il existe un grand choix d'écoles d'art, allez les visiter
pour constater par vous-même quels sont les facilités et les
départements qu'elles proposent. Vous devrez également
vous renseigner sur leurs conditions d'admission ; la plupart,
sinon toutes, vous demanderont de présenter votre book,
en supplément du concours d'entrée et de lettres de
recommandation et de remplir un dossier d'inscription
que vous pourrez télécharger sur leur site Internet. Je vous
indique ci-dessous quelques-unes des meilleures écoles,
ainsi que leur numéro de téléphone et leurs sites Internet :

Gobelins l'école de l'image

Images fixes, images animées, images numériques, images imprimées, images 3D… Les images sont partout présentes dans nos environnements professionnels ou personnels. Quels que soient les supports, les moyens de diffusion, les technologies utilisées, ces images sont d'abord les créations de spécialistes formés dans cette école.

GOBELINS, l'école de l'image
73 bd Saint-Marcel
75013 Paris
Tél. : 01 40 79 92 79
Site Internet : www.gobelins.fr

Eurasiam

Unique en Europe et soutenu par les entreprises et institutions françaises et japonaises, Eurasiam – Japanese Art & Communication est le premier cursus post-bac entièrement consacré aux métiers du manga et des arts japonais.

Alliant à l'excellence de leur pédagogie et de leurs enseignants une réelle ouverture internationale, nos formations diplômantes se font en trois ans ou deux ans après un diplôme de niveau Bac+3.

Mangakas, graphistes, publicitaires, éditeurs ou encore managers culturels : devenez les futurs acteurs des relations culturelles entre le Japon et l'Europe !

Groupe Eurasiam – Yutaka
39 bd de Magenta
75010 Paris
Tél. : 01 47 00 18 94
Site internet : www.eurasiam.com

A.A.A Institut Supérieur de Langues

La première école spécialisée dans l'apprentissage du manga japonais en France qui propose des cours uniques car enseignés par une véritable mangaka japonaise professionnelle, enseignant à partir d'une technique de base pour aboutir à la création d'une histoire complète. Apprentissage de la trame, l'encrage à la plume mais aussi du storyboard également.

> **A.A.A Institut Supérieur de Langues**
> 21 rue d'Antin
> 75002 Paris
> Tél. : 01 42 66 69 05
> Site Internet : www.aaaparis.net/Japonais/

Avant de vous engager pour une école particulière, n'hésitez pas à poser des questions aux étudiants inscrits dans votre domaine de prédilection pour vous faire une meilleure idée de l'enseignement dispensé.

Concours de mangas

Visitez Internet pour localiser les concours de mangas. Les grandes maisons d'édition sponsorisent des événements où vous pourrez gagner des sommes d'argent ou la publication de vos œuvres. Un des mythes classiques est que les petits concours ne valent pas le coup d'être tentés. Détrompez-vous ! Si vous débutez, vous devrez saisir toutes les opportunités offertes pour exposer vos œuvres et être reconnu.

Les éditeurs de mangas

Lors de vos visites aux salons et conventions de mangas/animés, renseignez-vous sur les éditeurs acceptant des projets. Choisissez votre manga préféré et les autres styles que vous aimez. Utilisez le manga que vous aurez sélectionné comme référence pour repérer quels genres sont publiés par les différents éditeurs. La plupart des mangas indiquent une adresse ou un site Internet que vous pourrez consulter pour obtenir davantage d'informations sur la manière de procéder pour soumettre un projet.

Quelques mangaka Français publiés en France :

Certains à force de persévérance et de travail, ont réussi à être édité :

Jenny pour son shôjo *Pink Diary* aux éditions Delcourt. Le shônen complètement fou de Reno, *Dreamland*, aux éditions Pika.

Le pur délire burlesque, *Sentaï School* du duo de choc Torta Florence et Cardona Philippe aux éditions Kami.

Et sans oublier le *Shogun Magazine* des éditions Humanoïdes Associés, qui pré publie les auteurs de demain dont voici les premiers mangas : *Sanctuaire Reminded*, *Underskin*, *Tengu Do*, *L'Escouade des Ombres*, et *Lolita HR*.

Petites galeries et expositions

La plupart des galeries proposent généralement des conditions de concours ou de soumission de projets et même si celles vouées à l'art probablement peu intéressées de considérer des dessins mangas, d'autres spécialisées dans l'illustration le seront éventuellement, si votre style dégage une grande originalité.

Gardez également à l'esprit que les expositions artistiques ne sont pas nécessairement présentées dans de prestigieuses galeries. De nombreux cafés, snack-bars ou restaurants exposent volontiers des œuvres artistiques originales afin de créer une certaine atmosphère pour leur clientèle. Allez vous balader en centre-ville pour y découvrir ces lieux potentiels et leur proposer d'exposer votre travail durant quelques semaines. N'oubliez pas d'emporter avec vous votre carte de visite ou une carte-lettre indiquant vos coordonnés et présentant un exemple de votre style d'illustration.

Les amis

Montrez vos œuvres graphiques à vos copains. Laissez-les passer le mot en en vantant la qualité. Plus on parlera de votre travail, plus d'autres personnes se montreront curieuses de savoir à quoi il ressemble.

Votre book en ligne

Internet devenant de plus en plus populaire et universel, n'hésitez pas à créer votre propre site présentant des images extraites de votre book. De nombreux programmes sont actuellement développés permettant aux artistes d'intégrer leurs images et de les envoyer sur le Net très facilement. Considérant la rapidité de développement de la technologie Internet au cours des dix dernières années, je suis sûr que la diffusion de votre book en ligne deviendra une opération de plus en plus simple et efficace.

Pour un artiste free-lance (illustrateur ou mangaka), ne pas avoir de site Internet est à déplorer. Plutôt que de se battre avec une pile de dossiers de présentation, de nombreux directeurs artistiques et éditeurs préféreront mille fois accéder à votre travail en cliquant sur la souris, confortablement installés à leur bureau.

Si vous venez juste de commencer, concevoir votre propre site Internet est acceptable. Les logiciels tels que Microsoft FrontPage, Apple Transmit, Adobe GoLive et Dreamweaver (appartenant précédemment à Macromedia) sont juste quelques exemples parmi de nombreux autres pour créer et diffuser votre page Web personnalisée. Cependant, si vous êtes en passe de devenir un professionnel, vous devriez contacter un créateur de site Internet pouvant concevoir et surtout réactualiser périodiquement votre book en ligne. À moins que vous ne soyez très expérimenté pour le créer vous-même, évitez de vous surcharger du stress d'avoir à réactualiser et à modifier continuellement votre site. Si vous avez un budget limité, vous pouvez punaiser une annonce d'offre d'emploi au tableau d'affichage d'une école d'art.

Avant de lancer votre site Internet, vous devrez créer et enregistrer votre nom de domaine personnel, qui doit être unique et facile à mémoriser. Évitez les abréviations plutôt obscures ou les rangées infinies de chiffres. De nombreux artistes utilisent leur propre nom, tandis que d'autres choisissent le nom de leur studio.

Les fanzines

Ne négligez pas le statut des petits éditeurs ne bénéficiant pas de la même renommée occupée par les grandes maisons d'édition. Si un petit éditeur de fanzines vous propose de publier votre travail, assurez-vous de conserver autant de droits que possible sur vos créations. Évitez les éditeurs vous demandant d'abandonner vos droits sous le terme d'artiste « travaillant au forfait ». Assurez-vous également de signer avec eux un contrat tangible – ne vous contentez pas d'un « accord verbal ».

L'auto publication d'un artiste est généralement à l'origine de la création d'une petite maison d'édition. En fonction du succès de vente, de nombreux artistes s'étant auto publiés ont poursuivi en offrant leur chance à d'autres créateurs, jusqu'à devenir finalement petits éditeurs.

Bien que commencer en vous publiant vous-même avec un budget serré soit totalement acceptable, prendre en charge d'autres œuvres artistiques peut se révéler une affaire risquée financièrement et nécessiter un investissement de temps conséquent. Assurez-vous d'avoir terminé votre propre projet avant de vous associer à d'autres artistes. Si vous souhaitez réellement créer votre petite maison d'édition, je vous conseille de vous associer à vos amis les plus proches, avec qui vous vous entendez à merveille et qui sont sur la même longueur d'onde que vous.

Index

A

A.A.A Institut Supérieur de
  Langues 363
Accessoires pour les
  cheveux
    bandeaux 189-191
    diadème
      sophistiqué 191-192
    rubans 188-189
Acolytes féminins
  la chipie
    capricieuse 244-248
  la bonne âme
    attentionnée 248-250
Acolytes masculins
  M. Muscles 232-235
  le petit frère
    loyal 235-239
  le vétéran
    intello 239-243
Adolescents
  proportions 157
  structure
    musculaire 157
  taille 157
Akai Megami
  (La Déesse Rouge),
  (Suzue Miuchi), 355
Akira, Toriyama 13
Amis 365
Androgyne
  bouche 94
  étudiant 204
Archétype 202

B

Bande dessinée
  américaine 16-21
Bleu des forces spéciales
  armées 214
Boîte lumineuse 39
Bonne âme
  attentionnée 248
Bouche
  androgyne 94
  lèvres 93
  simplifiée 95
  structure de base 91-93
Book en ligne 365
Bras
  avant-bras 121, 128 129
  biceps 128, 129 154
  haut du bras 129
  représentés par des
    cylindres 128
  structure
    musculaire 153
  triceps 154

Armes à feu 214, 226
Armure 258
Arrière-plans 272
Avant-bras 121, 128 129

C

Cadrages
  fond perdu 28
  marge de sécurité 28
  traits de coupe 28

Capitaine de l'équipe
  de foot du collège 209
Caractéristiques
  des personnages
    apparence plus
      réaliste 224
    appétit
      pantagruélique 232
    armes à feu 214
    attitude effrontée 223
    bijoux 264
    bonne carrure 209
    collégienne
      innocente 192
    corps androgyne 244
    corps tout en
      courbes 264
    côté un peu loser 209
    couettes 244
    force brutale 232
    grande capacité
      de concentration 209
    grands yeux 70, 74 248
    haute taille 260
    héros 70, 159
    jeunesse 264
    larmes 244
    les pieds sur terre 248
    look de poulbot et de
      binoclard 236
    lourde armure 214
    manque
      d'intelligence 232
    maturité physique 240

musculature
minimale 236
personnalité plus
discrète 240
petits gadgets 214
pouvoirs secrets 204
rire démoniaque 264
style de mode 260
tête plus petite 214
timidité 204
uniforme de
collégien 204
visage androgyne 204
visage jeune 214
yeux gigantesques 244
Caractéristiques physiques
physique mince 204
physique svelte
et gracile 248
plutôt
disproportionnées 232
proportions
simplifiées 115
proportions
réalistes 115
Chemises 178
Chevelure
blondes et brunes 218
chevelure répandue
sur les épaules 97
cheveux courts 244
cheveux courts et
ébouriffés 99, 236
cheveux longs 189
cheveux mi-longs
ébouriffés 204
étudiant androgyne 98
experte en arts
martiaux 223
style de coiffure fou
et intensément
coloré 264

style de coiffure
yaoi 97
style long shôjo 191
Chipie capricieuse 244
Colonne vertébrale 120-122
Cols
de chemise
de soirée 170
en U 170
en V 170
Mao 170
Concours de mangas 363
Cône 123
Courbes de traçage 31
Crayon graphite 29
Critériums 30
Croquis
préparatoires 307
story-board 307
Cubes 123
Cylindres 123

D

Diablesse guerrière 260
Diadème 191

E

Échauffement 43
Éclairage 38
Écoles d'art 361
Éditeurs de mangas 363
Éditions
Delcourt 364
Humanoïdes
Associés 364
Kami 364
Pika 364
Encres 35
Enfants 157
Épitamine 361
Équerres 35
Étudiant androgyne 204

Eurasiam 362
Experte en arts
martiaux 222-223
Expressions de visage
introduction 101
peur 302
visage courroucé 104
visage encore plus
sombre 107
visage exprimant
le choc ou la
surprise 109, 302
visage furax 105
visage neutre 101-102
visage radieux 110
visage rayonnant de
bonheur 111
visage sérieux 103
visage totalement
désespéré 108
visage triste 106

F

Fana de high-tech 226
Fanzines 366
Festival du Manga
convention
dijonisaiten 361
Fluide correcteur 35
Formes géométriques
cône 123
cube 123
cylindre 123
mise en pratique 124
sphère 123
Fournitures
courbes de traçage 31
crayon graphite 29
critériums 30
fluide correcteur 35
matériel
d'encrage 32-34

portes mines 31
punaises 35
trace-cercles 31
trames 31
Fujimoto, Hiroshi et Abiko,
  Motoo (Fujiko Fujio), 352
Fujio, Fujiko 13

G

Galeries et expositions 364
G.A.M.E.IN 360
Genoux 121, 132
Genres de manga
  Dôjinshi 14
  Ecchi 14
  Gekiga 14
  Hentai 14
  Kodomo 14
  Redikomi 14
  Redisu 14
  Seijin 14
  Seinen 14
  Shôjo 14
  Shôjo-ai 14
  Shôjo-ai Yuri 14
  Shônen 14
  Shônen-ai 14
  Shônen-yaoi 14
  Yonkoma 14
Gobelets 35
Gobelins l'école
  de l'image 362
Gomme
  « mie de pain », 35
  plastique 35
G-Pen 34
Guerrier terrifiant 255

H

Hanches
  grand oblique de
    l'abdomen 150

muscle psoas
  iliaque 150
sphères 127
symphyse
  pubienne 150
Hara, Tetsuo 356
Hentai Manga 15
Hokusai, Katsushika 12
Hokuto no Ken
  (Yoshiyuki Okamura,
  Tetsuo Hara) 356
Hommes
  taille 158
  tête 67

I

Ikeda, Riyoko 357
Immeubles 273
Inoue, Takehiko 13, 354
Inspiration 346
Installation du « coin
  dessin », 36
Intrigue 336

J

Jambes
  connexion aux
    hanches 132
  cuisses 131
  cylindre 131
  mollets 132
Japan Expo 360
Java 290, 292 337

K

Kabura-Pen 34
Kaede Purple 354
Kaibutsu-kun 352
Ketsu (conclusion), 344
Ki (introduction
  d'une idée), 338

Kimono 160, 177 178
Kishimoto, Masashi 13

L

La-Té 116, 338
Lecture inversée 16
Ligne d'horizon 271
Lignes de repère
  croisées 124
Lignes orthogonales 274
Lèvres 93
Lunettes 192
Lunettes de protection 194

M

Mâchoire 65-69
Mains 133-139
Mallette 198, 199
Manga
  comparés aux B.D.
    américaines 15-21
  concours 363
  popularité 12
  redikomi 14
  redisu 14
  réussir dans
    l'univers du 22
  seijin 14
  seinen 14
  shôjo 14
  spécificités 15
  yonkoma 14
Manga Expo 360
Mangaka 13, 45 351
Manifestations de mangas
  et d'animés 360
Marqueurs 32
Maru-Pen 34
Matériel
  divers 35
  matériel d'encrage 32
  papier 27

Matsumoto, Leiji 353
Méchants
    diablesse guerrière 260
    guerrier terrifiant 255
    méchant séduisant
        mais glacial 252
    sorcière
        malfaisante 264
Méchant séduisant mais
    glacial 252
Menton 69
Mitraillette 351
Miuchi, Suzue 354
Mollets 131, 132
Motifs
    de trame
        enchevêtrée 52
    en demi-tons 53
    hito-keta 53
Muscle grand oblique
    de l'abdomen 150
Muscle psoas iliaque 150
Muscles vastes
    externes 151

N

Nez
    ombrés 80-82
    réaliste 82-83
    retroussé 79

O

Okamura, Yoshiyuki 356
Ombres 165
Oreille
    en forme de 6 83
    ombrée 86
    réaliste 88
    tête de femme 65-67
    tête d'homme 67-69
Osamu, Tezuka 12
Otomo, Katsuhiro 355

P

Papier
    Bristol 27, 28
    genkô yôshi 27, 28
    marque Deleter 28
Paris Manga 361
Paysages
    arbres basés sur
        des cercles 315
    arbres basés sur
        des ovales 317
    arbres basés sur
        un triangle 319
    arbres, branches 320
    arbres, feuilles 320
    buissons 323
    décors urbains 312-314
    pelouse 323
    plan d'eau 327-30
    rochers 330-332
Période Edo 12
Personnages
    en vue plongeante 287
    perspective 283
    perspective à
        deux points de
        fuite 285-287
    perspective à
        trois points de
        fuite 287-289
    perspective à un point
        de fuite 283-285
    proportions 114
    silhouette générale
        épurée 117
    vus en
        contre-plongée 288
Personnages
 en mouvement
    mouvement
        au ralenti 301

se déplaçant plus
    rapidement 295
se déplacer avec
    le personnage 296
se dirigeant vers
    le lecteur 298
Personnages féminins
    dessiner la tête 64
    différences au niveau
        des bras 155
    différences au niveau
        des épaules 120, 155
    différences au niveau
        des hanches 155
    différences au niveau
        des jambes 155
    différences au niveau
        des mains 155
    différences au niveau
        du cou 68, 119 147,
        155
    différences au niveau
        du nez 83
    différences au niveau
        du torse 125
    différences au niveau
        du ventre 155
    yeux 75
Personnages principaux
 féminins
    la fana de
        high-tech 226
    la rêveuse 218
    l'experte en arts
        martiaux 222
Personnages principaux
 masculins
    le bleu des Forces
        Spéciales Armées 214
    le capitaine
        de l'équipe de foot
        du collège 209

l'étudiant
  androgyne 204
Perspective
  à deux points
    de fuite 276
  à trois points
    de fuite 278
  à un point de fuite 273
  décors urbains 312-314
  ligne d'horizon 312,
    324 327
  personnages 287
  plan d'ensemble 271,
    312
  en contre-plongée 278,
    281
  en plongée 278, 279
Petit frère loyal 235
Pieds
  doigts de pied 143
  structure de la plante
    des pieds 140
Pinceaux 33
Plis des tissus
  différences de
    tension 161-162
  introduction 159
  plis de drapés
    enveloppants 163
  plis groupés 164
  plis superposés 162
  tissus plus serrés 164
  tissus souples 160, 164
  tombés de plis de
    base 161
Plumes
  G-Pen 34
  Kabura-Pen 34
  Maru-Pen 34
  Spoon-Pen 34
Point-cible de la
  trajectoire 299

Point d'origine
  de la trajectoire 298
Portes mines 31
Princesse 79, 110
Punaises 35
Putoisage 49-51

Q

Queen Emeraldas (Leiji
  Matsumoto), 354
Queen Millenia (Leiji
  Matsumoto), 354

R

Real (Takehiko Inoue), 354
Règle 35
Rêveuse 218

S

Sacs à dos 197
Sexaroid (Leiji
  Matsumoto), 354
shôjo-ai manga 14
shôjo-ai yuri manga 14
shôjo manga 14
shônen-ai manga 14
shônen manga 14
Shônen Sunday 353
shônen-yaoi manga 14
Siège, « coin dessin », 37 39
Silhouette générale
  épurée 117
Slam Dunk (Takehiko
  Inoue), 354
Sorcière malfaisante 264
Sphères 123
Spoon-Pen 34
Story-boards 307
Structure musculaire
  adolescents 157
  adultes 158
  biceps 128, 154

bras 153
collégienne
  innocente 192
cou 147
enfants 157
grand oblique
  de l'abdomen 150
hanches 127, 150
jambes 151
malléole latérale 152
malléole médiale 152
mollets 132
psoas iliaque 150
pieds 151
poitrine 147
sorcière
  malfaisante 264
sterno-cléido-
  mastoïdien 147
symphyse
  pubienne 150
trapèzes 147
triceps 154
vaste latéral 151
vaste médial 151
ventre 149
Style de mode
  vestimentaire
  collégienne
    innocente 192
  diablesse guerrière 260
Suzue Miuchi 354
Synopsis 336

T

Table à dessin 36, 38
Table d'appoint 39
Takahashi, Rumiko 13, 352
Tête
  de femme 64
  d'homme 67

Tezuka, Osamu 351
Tissus
    souples 160
    serrés 160
Toriyama, Akira 356
Torse 125
Trace-cercles 31
Traînées de vitesse
    exprimant la peur 302
    exprimant le choc 304
    exprimant les
        émotions 302
    introduction 293
    le lecteur bouge avec
        le personnage 296
    les objets, les
        personnages se
        dirigent vers le
        lecteur 298
    mouvement lent 297
    mouvement rapide 295
    personnage figé 294
    personnage se rue en
        avant 300
    ralentir avec le
        personnage 297
    ralentir le
        personnage 301
Trame enchevêtrée 52
Trames 31

V

Vagabond (Takehiko
    Inoue), 354
Ventre 127

Vêtements
    chemise 174
    chemise ample 177
    cols 170
    jeans 180-187
    manches 171
    Tee-shirt moulant sans
        manche 176
    veste du karatégi 179
Vétéran intello 239
Visage
    courroucé 104
    encore plus
        sombre 107
    exprimant le choc ou
        la surprise 109, 302
    furax 105
    neutre 101-102
    radieux 110
    rayonnant de
        bonheur 111
    sérieux 103
    totalement
        désespéré 108
    triste 106

W

Wet Paint Art 25

Y

Yeux
    cils 75
    grande dimension 74
    masculins et
        féminins 70
    paupières 72
    proportions 73
    réalistes 76
    reflets 72
    shôjo 75
    shônen 76
    simplifiés 77
    sourcils 72, 73 76, 77
    structure de base 70
    symétrie 73
    yonkoma 77